D0235368

Nietsdoen, een levenskunst

Nietsdoen, een levenskunst

een luchtig handboek voor hen die nu nog te veel werken

Ernie J. Zelinski

Genoeg

GENOEG is een imprint van Mirananda Uitgevers b.v.

Oorspronkelijke uitgave verscheen in Canada in 1991 via Visions International Publishing, getiteld "The Joy of NOT Working".

Postbus 85749, 2508 CK Den Haag.
e-mail: info@mirananda.nl,
internet: www.mirananda.nl
Vertaling: Jos Rijnders

Ontwerp omslag: Key Key Company
Opmaak binnenwerk: Dick Aarsen - A2 Ontwerp
Druk:
Drukkerij Haasbeek, Alphen a/d Rijn

ISBN 90 6271 938 4
NUR 450/770

Voorwoord

Dit boek is bedoeld om een overwinnaar van je te maken. Nadat de eerste 50.000 exemplaren van "Nietsdoen, een levenskunst" waren verkocht, heb ik het bijgewerkt en uitgebreid om het beter te laten aansluiten bij het begin van het nieuwe millennium. Ik heb ook een aantal van de honderden brieven toegevoegd die ik van mensen heb gekregen die de oorspronkelijke versie hebben gelezen.

In tegenstelling tot de meeste "how to"-boeken over winnen, gaat dit boek niet over winnen op je werk of geld verdienen. Noch is het een boek over winnen in wedstrijden. Het gaat over winnen als je niet werkt, op een niet-prestatiegerichte, maar wel zeer lonende wijze.

Je bent overwinnaar als je levenslust bezit, als je elke ochtend vol verwachting over de nieuwe dag wakker wordt. Je bent overwinnaar als je geniet van wat je doet, en je bent overwinnaar als je goed weet wat je wilt doen met de rest van je leven.

Of je nu met pensioen bent, werkloos of dat je werkt, je kunt "Nietsdoen, een levenskunst" als praktische en betrouwbare gids gebruiken om een paradijs te scheppen buiten het werk. Aangezien wij allemaal van tijd tot tijd herinnerd moeten worden aan wat voor de hand ligt en aan wat niet zo voor de hand ligt, kunnen we allemaal wel een handige gids gebruiken over hoe we de kwaliteit van onze vrije tijd kunnen verhogen.

Dit boek is het resultaat van mijn opleiding, een opleiding die niets te maken heeft met de bestaande leerplannen op scholen en universiteiten. Ik heb deze opleiding verworven via mijn persoonlijke ervaringen, ver van het officiële onderwijs.

Op negenentwintigjarige leeftijd begon ik aan een nieuwe carrière. Ik was mijn baan kwijtgeraakt en besloot een jaartje of zo creatief te gaan lanterfanten. Hoewel het de bedoeling was dat mijn nieuwe carrière tijdelijk zou zijn, moet ik nu nog steeds solliciteren naar een gewone vaste baan.

Bij mijn laatste vaste baan heb ik mezelf laten gijzelen door een systeem dat niet gemaakt is voor vrije geesten. Bijna zes jaar werkte ik voor een nutsbedrijf van de regering, waar ik van negen tot vijf moest werken. De baan van negen tot vijf was er meer een van acht tot zes met werk in het weekend, grotendeels zonder extra betaling.

Nadat ik drie jaar niet met vakantie was gegaan, besloot ik een zomer tien weken vrij te nemen. Afgezien van het feit dat ik geen goedkeuring kreeg van mijn superieuren, vond ik het een fantastisch idee. Ik heb echt genoten van die tien weken. Hoe briljant het ook was, het draaide erop uit dat ik ontslagen werd als ingenieur. Het vonnis luidde dat ik het bedrijfsbeleid geschonden had door extra lang met vakantie te gaan.

Het is duidelijk dat mijn superieuren het niet leuk vonden wat ik had gedaan. Ondanks dat mijn prestaties erg hoog gewaardeerd werden en ondanks mijn langdurige arbeidsperiode zonder vakantie, beëindigde het bedrijf mijn dienstverband toen ik weer kwam werken. Ik weet niet zeker of het ontslag alleen maar het gevolg van het schenden van het bedrijfsbeleid was. Misschien waren mijn superieuren jaloers op hoezeer ik me vermaakt had tijdens mijn lange vakantie. Veel chefs, vooral die in regeringsdienst, houden niet van omgaan met ondergeschikten die zich vermaken.

De eerste paar weken was ik verbitterd over het ontslag. Ik was een toegewijde en productieve werknemer geweest en wist dat ik veel belangrijke bijdragen had geleverd aan dit bedrijf. Ongetwijfeld was mij groot onrecht aangedaan toen ze mij, een waardevolle werknemer, ontsloegen.

Een groot keerpunt voor mij was de dag dat ik besefte dat mijn ontslag een verhulde zege was. Toen ik met tegenzin moest toegeven dat ik niet onmisbaar was, verloor ik ook de belangstelling voor een baan van negen tot vijf. Ik besloot vanaf die tijd om ervoor te zorgen dat ik zo veel vrije tijd zou nemen als mogelijk was, vooral in de zomer. Een normale baan kwam nu niet meer in aanmerking; mijn carrière als ingenieur was ten einde.

De volgende twee jaren werkte ik helemaal niet en bezocht ook geen enkel onderwijsinstituut. Mijn levensdoel was gelukkig te zijn zonder baan. Op het laatst miste ik mijn vroegere baan als kiespijn – helemaal niet dus.

Wat heb ik gedurende deze tijd gedaan? Hoewel ik bij tijden heel weinig geld had, leidde ik wat in mijn ogen een heel voorspoedig leven is. Ik nam deel in ontelbare constructieve en bevredigende activiteiten. Het belangrijkste is dat ik het leven echt vierde; het was gewoon een feest. Ik groeide als persoon en maakte een transformatie in mijn normen en waarden door. Tijdens die eerste twee jaar verdiende ik waarlijk mijn Doctoraat in de Vrije Tijd (mij door geen enkele universiteit geschonken).

Na twee jaar totale vrije tijd besloot ik nooit meer in enige maand zonder "r" te werken. Voor mij zijn mei, juni, juli en augustus geschikt voor veel vrijetijdsbestedingen. Het is zelfs zo dat doordat ik zo geniet van mijn vrije tijd, ik erin geslaagd ben om een vaste baan van negen tot vijf al tien jaar lang te omzeilen. Hoe dan ook, ik ben al tijdelijk "met pensioen" vanaf toen ik achter in de twintig was.

In de loop der jaren hebben veel mensen me gevraagd hoe ik zo veel vrije tijd kan hebben zonder verveeld te raken. Na met deze mensen gepraat te hebben, besefte ik dat veel individuen er moeite mee hebben om voldoening uit hun vrije tijd te putten. Op een dag kwam ook in mij op, dat er heel weinig geschreven is over hoe je met vrije tijd moet omgaan. Op dat moment is het idee voor dit boek ontstaan. Aangezien ik geloof dat iedereen zijn vrije tijd kan vullen met constructieve en opwindende bezigheden, besloot ik dat een boek schrijven over hoe je van vrije tijd kunt genieten, veel mensen zou helpen.

In dit boek deel ik mijn gedachten over vrije tijd en een aantal van mijn ervaringen. Om vrije tijd in een veel ruimer perspectief te plaatsen, put ik niet alleen uit mijn eigen ervaringen. Het grootste deel van dit boek is het resultaat van het bestuderen van en luisteren naar de verhalen, ervaringen en ambities van andere mensen.

Het boek is niet heel academisch. Ik vermijd kleine details en academisch jargon dat de meeste lezers niet op prijs zouden stellen. In plaats daarvan heb ik het boek zo kort mogelijk gemaakt, zodat de boodschap in het kleinst mogelijke aantal woorden wordt weergegeven. Het boek bevat tekst, oefeningen, cartoons, diagrammen en citaten, en maakt zo gebruik van de vele leerstijlen die wij hebben. Dit is hetzelfde als in mijn eerste boek, *The Joy of Not Knowing It All*. De vele positieve opmerkingen die ik van lezers kreeg, overtuigden me ervan dat dit het beste werkt om mijn boodschap op een interessante en amusante manier over te brengen.

"Leven als God in Frankrijk" is al heel lang een gangbare uitdrukking. Iemand die als God in Frankrijk leeft, is in staat om comfortabel te leven zonder te werken. Dit boek gaat over hoe je als God in Frankrijk kunt leven; het zal je echter verbazen wat er voor nodig is om als God in Frankrijk te leven.

Succes in vrije tijd berust niet op geluk hebben in het leven. Je moet je inspannen om bepaalde principes te volgen en toe te passen. Door deze principes te volgen, zul je een aantal nieuwe richtingen in je leven kunnen ontdekken en kiezen. Je zult op weg zijn naar veel geweldige en voldoening schenkende ervaringen, die je nooit bij enige baan zou kunnen ervaren. Je zult net als ik kunnen beweren dat je veel gelukkiger kunt zijn buiten je werk, dan op je werk.

Als je de variëteit, toon en kwaliteit van je leven wilt verbeteren, zal dit boek een waardevolle aanwinst zijn. Ik vertrouw erop dat "Nietsdoen, een levenskunst" je zal vermaken, uitdagen, beïnvloeden en motiveren om een opwindend en lonend vrij leven te bereiken.

Inhoudsopgave

Voorwoord

Hoofdstuk 1: Ook jij kunt leven als God in Frankrijk 14

Lekker lanterfanten 14
Vrije tijd: het tegenovergestelde van werk, maar niet helemaal 15
De illusies van vrije tijd, pensionering en loterijen 16
Het rustig aandoen heeft zo zijn moeilijke kanten 19
Een leven als God in Frankrijk kan best lastig zijn 21
Werkloze effectenmakelaar leeft als God in Frankrijk 22
Het geheim van een makkelijk leven 23

Hoofdstuk 2: Je krijgt wat je ziet 26

Voor de verandering eens nadenken 26
Je bent nooit te oud om te leren 27
In het land der blinden is eenoog koning 29
Let jij goed op? 30
Alles draait om waarneming 32
Alleen de dommen en de doden veranderen niet 33
Herontdek je creativiteit 34
De zeventien creativiteitsbeginselen 35
Platte-aardedenkers op een ronde wereld 35

HOOFDSTUK 3: DE MORAAL VAN WERK IS DE MORAAL VAN SLAVEN 37

Nadenken over werk 37
Het protestantse arbeidsethos heeft heel wat verpest 38
Werk niet omdat dit moreel juist is 40
De Wet van de Schadelijke Meeropbrengst 42
Een natie die gek geworden is van het werkethos 43
Hard werken is dodelijk 44
De filosofie van Chibi Marukochan is hoopgevend 45
Lanterfanten voor een topprestatie 45
Waarom zwervers een bijdrage aan de maatschappij leveren 46
Een yuppie zijn betekent een geslaagde mislukkeling zijn 47
Draait je leven om spullen? 48
Waar de "B" in BNP echt voor staat 49
De werkelijke maatstaf voor succes van een land 50
Het rustig aan doen voor het milieu 50
Op weg naar minder werk en een beter leven 51
Waar het echt om gaat in het leven 52

HOOFDSTUK 4: MINDER WERKEN, GEWOON OMDAT HET GEZONDER IS 54

De muizenval zonder kaas 54
Weet je wie je bent? 55
Onwetendheid tiert welig in het hedendaagse bedrijfsleven 57
Ga naar de gevangenis en je zult langer leven 59
Gekke George is zo gek nog niet 60
Vrije tijd is in; werkverslaving is passé 61
Vrijetijdsliefhebbers kunnen helpen de werkloosheid terug te dringen 62
Om topwerknemer te kunnen worden: werk minder en speel meer 63
Vrijetijdsverslaafden hebben meer lol 66
Waarom je een vrijetijdskenner zou moeten zijn 70
Ontsla jezelf als je werkgever het niet doet 72
Geef je gehoor aan je roeping? 77
Gegarandeerd werk is een utopie 82
Van twee walletjes willen eten 83
Het genot van het niet werken van negen tot vijf 86

HOOFDSTUK 5: WERKLOOS: NU BLIJKT WIE JE WERKELIJK BENT 89

De kans van je leven om de tijd van je leven te hebben 89
Een nieuw scenario voor je leven schrijven 90

Je ware essentie opnieuw ontdekken 92
Een nieuw succesparadigma 93
Herinneringen ophalen aan zogenaamde fantastische banen 95
Drie behoeftes die je op je gemak moet vervullen in je vrije tijd 99
Een carrière van je vrije tijd maken 105

HOOFDSTUK 6: IEMAND VERVEELT MIJ; IK GELOOF DAT IK HET ZELF BEN 108

Een bijzonder vervelende ziekte 108
Hoe je echt vervelend kunt zijn voor andere mensen 110
De werkelijke oorzaak van verveling 113
De gemakkelijke levenswet 114
Met mensen omgaan die zelfs een heilige vervelend zou vinden 116
Als je de hele dag vervelend werk doet, word je uiteindelijk zelf ook vervelend 117
Je hoeft niet rijk te zijn om met verlof te kunnen gaan 117
Heb jij even geluk als je problemen hebt 120
Je verveling op het spel zetten 121
Alleen domkoppen zijn bang om een domkop te zijn 122
Durf anders te zijn 123

HOOFDSTUK 7: HET IS BETER OM HET VUUR AAN TE STEKEN DAN JE ERDOOR TE LATEN VERWARMEN 125

De motivatiedans doen 125
Ben je gemotiveerd genoeg om dit te lezen? 126
Stenen zijn hard, water is nat, en een lage motivatie schenkt je geen voldoening 127
Jezelf motiveren om de ladder van Maslov te beklimmen 130
Wil je wat je denkt dat je wilt? 135
Vraagtekens bij je behoeften zetten 137
Een vrijetijdsboom kweken 138
Op je doel afgaan 147

HOOFDSTUK 8: DYNAMISCHE INACTIVITEIT LEIDT TOT NIETS 149

Je leeft misschien wel, maar leef je ook echt? 149
Een kwestie van geest boven materie 152
Televisie kijken kan je dood worden 153
Wacht niet te lang met het controleren van je gewicht 154
Wend je al je excuses aan om niet te oefenen? 156
Slimme geesten stellen domme vragen 160
Wees een reiziger in plaats van een toerist 162

Probeer eens te lezen, schrijven, of ... 163
Actie spreekt boekdelen 165

HOOFDSTUK 9: HET NU STAAT ZENTRAAL 168

Nu en alleen nu heb je het nu 168
Het ogenblik machtig worden 169
Tijd is geluk 172
Uiteindelijk doet niets ertoe, en als het wel zo was, wat dan nog 174
De leiding opgeven om leiding te krijgen 178
Neem je niet voor om spontaan te zijn 179
Nog lang en gelukkig leven, van dag tot dag 180
Humor is geen geintje 182
Het uiteindelijke doel is het proces 183

HOOFDSTUK 10: JE KUNT BETER ALLEEN ZIJN DAN IN SLECHT GEZELSCHAP 185

De sleutel tot alleen zijn zit in jezelf 185
Om van het alleenzijn te genieten is een goed gevoel van eigenwaarde nodig 188
Loop niet gewoon weg bij negatieve mensen: Ren weg! 189
Alleen zijn in je boom 192
Een artistieke dag om het alleenzijn te vieren 195
Geef afzondering een kans 197
Afzondering is iets voor ontwikkelde mensen 198

HOOFDSTUK 11: ARISTOCRAAT ZIJN MET MINDER DAN TWINTIG EURO PER DAG 200

Geef geld z'n juiste plaats 200
Wanneer genoeg nooit genoeg is 201
Hoe je meer problemen kunt krijgen als je meer geld krijgt 203
Is geld is de beste financiële zekerheid? 206
Als geld mensen gelukkig maakt, waarom is het dan zo dat ... ? 209
Financieel onafhankelijk op € 6000 per jaar 212
Een theorie om mee te werken of te spelen 214
Waardeer wat je hebt en je bent rijk 217
Weinig kostende activiteiten een koning waardig 220

HOOFDSTUK 12: HET EINDE IS NET BEGONNEN 224

Het is pas afgelopen als het afgelopen is 224
Waarom creatief levende individuen geen tweede jeugd 226

nodig hebben
De innerlijke wereld van vrije tijd 228
Geen woorden maar daden 230
Het leven begint in je vrije tijd 234

Bibliografie en aanbevolen boeken 236
Bronnen 238

Hoofdstuk 1

Ook jij kunt leven als God in Frankrijk

Lekker lanterfanten

Op de tweede dag van zijn bezoek aan een grote stad kwam een welgestelde en enigszins excentrieke reiziger zes bedelaars tegen, die hij de dag tevoren om geld had zien bedelen. De bedelaars lagen nu allemaal in de zon even uit te rusten van de verplichtingen die hun beroep met zich mee brengt. Ze keken op toen de reiziger naderbij kwam.

De reiziger had wel zin in een verzetje. Hij loofde een bedrag van duizend euro uit aan degene die aan kon tonen dat hij de luiste was. (Noot van de vertaler: Alle geldbedragen in het boek zijn omgerekend van dollars naar euro's.) In de hoop de prijs in de wacht te slepen, sprongen vijf bedelaars op om aan de wedstrijd deel te nemen. Elk van hen begon op een verschillende manier te demonstreren, bijvoorbeeld door te gaan zitten bij het bedelen, hoeveel luier dan zijn collega's hij wel niet was bij het uitoefenen van zijn beroep.

Ik ben een vriend van de werkende man.
Ik ben liever zijn vriend, dan dat ik er zelf een ben.
—Clarence Darrow

Nadat hij een uur lang met veel plezier de vijf mededingers aan het werk had gezien, hakte de reiziger de knoop door en kende de prijs toe. Hij vond dat de zesde bedelaar, die niet meegedaan had aan de wedstrijd, absoluut de luiste was. De zesde bedelaar was op het gras lekker in de zon blijven liggen en had de krant gelezen.

De moraal van het verhaal: Niet werken, maar op z'n tijd eens lekker lanterfanten, heeft zo zijn voordelen.

Dit boek gaat over de vele genoegens die je kunt beleven als je niet op je werk bent. Het gaat over hoe je, als je met pensioen bent, goed kunt omgaan met de grote hoeveelheid vrije tijd die je dan hebt; of, als je momenteel werkloos bent, hoe je van je extra vrije tijd kunt genieten terwijl je zonder werk zit; of, als je wel werk hebt, hoe je meer kunt genieten van je beperkte vrije tijd.

Met andere woorden, dit boek gaat over hoe je meer voldoening en plezier kunt halen uit je vrije tijd, in wat voor situatie je je ook bevindt.

Welkom bij de kunst van het niet werken.

Vrije tijd: het tegenovergestelde van werk, maar niet helemaal

"Wat is volgens u de definitie van vrije tijd?" Dit is een interessante vraag, maar wel heel moeilijk te beantwoorden. Een deelnemer aan mijn vrijetijdsseminar in Canada voor mensen die van tevoren hun pensionering plannen, stelde mij deze vraag.

Aangezien ik geen duidelijk antwoord paraat had, besloot ik een creatieve oplossing toe te passen, namelijk het probleem door te spelen. Ik vroeg de andere deelnemers aan het seminar een definitie van vrije tijd te geven.

Na een lange discussie werden we het zo'n beetje met elkaar eens. We kwamen uiteindelijk op "tijd die over is nadat de eerste levensbehoeften vervuld zijn". Deze definitie was goed genoeg om mee verder te werken.

De omschrijving kan natuurlijk tot een andere goede vraag leiden: "Hoe omschrijf je eerste levensbehoeften?" Eten kan een eerste levensbehoefte zijn, maar een avondje uit eten gaan in een bistro doe je voor je plezier. Uit eten gaan is een van mijn favoriete vrijtijdsbestedingen. Anderen vinden eten een noodzaak, een vervelende bezigheid.

Later heb ik de definitie van vrije tijd in verscheidene woordenboeken opgezocht. Vrije tijd wordt in woordenboeken gewoonlijk ongeveer omschreven als "tijd waarin men niet hoeft te werken of naar school hoeft, en waarin men kan uitrusten, zich kan vermaken en de dingen kan doen die men leuk vindt."

Ik heb een hekel aan definities.
—Benjamin Disraeli

Maar hoe past eten dan in deze woordenboekomschrijving? Is eten werk? Is het vrije tijd? Of is eten iets heel anders?

Ik ben niet zover gegaan dat ik de mensen die verantwoordelijk zijn voor de woordenboekomschrijving ben gaan opzoeken om te kijken of ze hierover opheldering konden verschaffen. Ik vermoed dat ze het heel moeilijk zouden vinden om dit voor mij te doen.

Na enige tijd over deze vraag te hebben nagedacht, was het me nog steeds niet helemaal duidelijk. Hoe kan ik vrije tijd zo omschrijven dat er geen eindeloze discussies meer ontstaan tijdens mijn seminars? Ik wil alleen maar mijn denkbeelden over het genieten van vrije tijd delen. Ik wil geen filosoof zijn en moeten bepalen of eten vrije tijd is of niet.

Toen besloot ik dat het doel van mijn seminars (en dit boek) niet is een universele en perfecte definitie vast te stellen voor vrije tijd. Vrije tijd zal altijd voor iedereen iets anders betekenen. Echter, ruim omschreven is het de tijd die een individu niet op zijn werk doorbrengt om de dingen te doen die hij of zij wil doen.

Het is aan ons om werk en vrije tijd te omschrijven voor onze persoonlijke behoeften. Vervolgens is het aan ons om uit te zoeken wat wij, als individuen, ermee willen doen. Maar dan moeten we het wel ook echt doen.

Daadwerkelijk doen wat we zeggen dat we leuk zouden vinden, is gemakkelijker gezegd dan gedaan. Dit levert een interessante paradox op: Vrije tijd heeft te maken met niet werken; om er echter voldoening uit te halen, zullen we hieraan moeten "werken". Hoe vreemd dit ook mag lijken, vrije tijd is het tegenovergestelde van werk, maar het is wel iets dat inspanning vereist.

De illusies van vrije tijd, pensionering en loterijen

Vroeg of laat komen we allemaal, noodgedwongen of vrijwillig, voor de keuze te staan hoe we onze vrije tijd moeten benutten en ervan kunnen genieten. Zonder twijfel is wat we met onze vrije tijd doen bepalend voor de kwaliteit van ons leven.

Aangezien het vroeger een nogal zeldzaam artikel was, werd vrije tijd vele eeuwen lang als een luxe gezien. Pas onlangs hebben sommige mensen er zoveel van, dat ze er tijdens hun pensioen tientallen jaren van kunnen genieten.

Grote hoeveelheden vrije tijd is voor veel Noord-Amerikanen het ultieme doel. Er zijn mensen die beweren dat hun doel is om alleen maar vrije tijd te hebben, zodat ze als God in Frankrijk kunnen leven. Maar veel mensen zijn er niet op voorbereid om veel vrije tijd aan te kunnen. Onafgebroken vrije tijd is voor velen een last geworden, zelfs al zijn ze gezond en zitten ze er warm genoeg bij om veel activiteiten te kunnen ondernemen.

De meesten van ons verschuiven het genieten van vrije tijd naar de toekomst; vaak komt de toekomst te vroeg. We worden opgescheept met veel meer tijd voor onszelf dan we gewend zijn als we met pensioen gaan of ontslagen worden. De realiteit is dan dat we grote hoeveelheden tijd hebben om aan allerlei recreatieve bezigheden te besteden. De realiteit is vaak heel ontnuchterend. Of we onze baan nu opwindend en stimulerend vonden of saai en deprimerend, velen van ons zullen raar opkijken als ze opeens geconfronteerd worden met meer vrije tijd.

> Het is paradoxaal maar tevens waar, dat hoe dichter iemand bij zijn doel van een makkelijk en uitbundig leven komt, hoe meer hij de fundamenten van een zinvol bestaan ondermijnt.
> —Franz Alexander

Vrije tijd zonder problemen is een illusie. Als we er eenmaal meer van krijgen, zien velen van ons zich geplaatst tegenover nieuwe problemen. Diverse studies bevestigen dat veel mensen moeite hebben om ermee om te gaan. Een studie verricht door het handelsdepartement van de Verenigde Staten wees uit dat slechts 58 procent van de mensen veel voldoening vonden in hoe ze hun vrije tijd besteedden. Dit betekent dat 42 procent van de mensen flink wat hulp zouden kunnen gebruiken om de kwaliteit van hun vrijetijdsbesteding te verhogen. Zelfs de mensen die veel voldoening ondervinden, zouden er wel nog meer uit willen halen. Ook zij kunnen wel wat hulp gebruiken.

De meerderheid van ons zal het grootste deel van ons volwassen leven werkend doorbrengen. Als je bedenkt hoeveel tijd we besteden aan forensen, praten over onze baan en ons zorgen maken over eventueel ontslag, zullen we meer tijd besteed hebben aan ons werk, dan aan alle andere zaken in het leven.

Velen van ons dromen over hoe veel beter alles zal zijn als we meer vrije tijd hebben. Toen ik als ingenieur werkzaam was, stond ik versteld over het feit dat jonge ingenieurs en technici zo veel over hun pensioen praatten. Eerlijk gezegd had ik toen ik in de twintig was wel interessantere onderwerpen om over te praten.

De maatschappij wil ons doen geloven dat met pensioen gaan synoniem is aan gelukkig zijn. Pensionering zou het ontsnappingsmiddel zijn voor de spanningen waarmee de meeste banen gepaard gaan. Het zou een voldoening gevend leven betekenen met vele aangename en lonende bezigheden.

Oh, op het punt staan dood te gaan en beseffen dat je helemaal niet geleefd hebt.
—Henry David Thoreau

Tot een paar jaar geleden stond ik zoals de meeste mensen van mijn generatie nog onder de invloed van de programmering van de maatschappij. Ik geloofde dat meer vrije tijd iets was waar iedereen naar uitkeek en waarvan iedereen genoot als men eenmaal met pensioen was. Sindsdien heb ik geleerd dat het meestal gevaarlijk is om de dogma's en de ideeën over te nemen die de meeste mensen in de maatschappij voor zoete koek aannemen. De massa heeft het heel vaak bij het verkeerde eind. Bepaalde geledingen in de maatschappij verkopen ons vaak knollen voor citroenen. We krijgen niet het totaalbeeld te zien; de mooiere dingen in het leven blijken vaak anders te zijn dan de maatschappij ons voorgehouden heeft.

Niet in staat zijn om met pensioen te gaan, kan een tragedie zijn; hetzelfde geldt als men wel met pensioen gaat, maar er niet mee om weet te gaan. Veel personen die de pensioengerechtigde leeftijd naderen, zijn bang hun doelgerichtheid en activiteit te verliezen. Als ze eenmaal met pensioen gaan, kan dit negatieve gevolgen hebben, en kan zelfs op een tragedie uitlopen. Het komt veel voor dat iemand sterft of seniel wordt binnen twee jaar na de pensionering; zelfmoord komt ook voor. Het is zelfs zo dat het aantal zelfmoordgevallen onder gepensioneerde mannen in Amerika vier maal zo hoog is als in enig ander levensstadium.

Het winnen van een grote loterij in Noord-Amerika wordt geacht een gebeurtenis te zijn die een ongelooflijke verbetering van de levenskwaliteit oplevert. Miljonair worden zou betekenen dat het leven waarvan we altijd hebben gedroomd, werkelijkheid wordt. Hiervoor is echter nauwelijks bewijs. Een winnaar van een grote loterij in New York zei er spijt van te hebben dat hij ontslag had genomen. "Ik mis het rijden op een vrachtwagen enorm. Het grootste verlies in mijn leven is dat er niemand is die zegt wat ik doen moet." Dit waren de woorden van een miljonair ex-vrachtwagenchauffeur, zoals vermeld in het boek *Suddenly Rich*. De schrijvers van het boek, Jerry LeBlanc en Rena Dictor LeBlanc,

In deze wereld bestaan er slechts twee tragedies. Een is niet krijgen wat je wilt; de andere is het wel te krijgen.
—Oscar Wilde

onderzochten het leven van mensen die plotseling grote rijkdom verworven hadden.

De LeBlancs kwamen erachter dat bepaalde mensen met onbeperkte vrije tijd niet erg gelukkig waren. Na zo lang een verplichte routine opgelegd te hebben gekregen door hun werkgevers, hadden deze mensen moeite met dagen om te gaan die totaal geen structuur of doel hadden. Veel andere loterijwinnaars bleven werken, ondanks dat ze door collega's en vrienden lastiggevallen werden vanwege het feit dat ze werkten terwijl ze het geld niet nodig hadden.

Een studie van Challenger, Gray & Christmas Inc. wees uit dat meer dan 50 procent van de mensen die met vervroegd pensioen gaan heel blij waren dat ze na drie maanden pensioen weer naar hun werk konden terugkeren. Met pensioen gaan bleek niet te zijn wat men zich ervan had voorgesteld. Een leven met alleen maar vrije tijd was helemaal niet leuk. Ondanks alle negatieve kanten aan werken, was het uiteindelijk toch zo slecht nog niet.

Ik denk dat ik maar weer ga solliciteren. Na een halfjaar met pensioen geweest te zijn, verheug ik me er echt op om weer terug te keren naar de ellende van ...

Het rustig aandoen heeft zo zijn moeilijke kanten

Veel mensen vinden het moeilijk om rustig aan te doen. Als je er niet goed op bent voorbereid, kan het hebben van veel vrije tijd flink wat zorgen met zich meebrengen.

Je zult onherroepelijk tegen dit soort problemen aanlopen, als je niet het vermogen ontwikkelt om te genieten van recreatieve bezigheden. Als je niet van je vrije tijd hebt leren houden tegen de tijd dat je met pensioen gaat, zul je je vreselijk bekocht voelen.

Hier volgen enkele algemene problemen die mensen met hun vrije tijd hebben:

- Jezelf en anderen vervelen
- Geen echte voldoening uit je vrijetijdsbesteding putten
- Alle tijd hebben, maar niets te doen weten
- Wrijvingen met je echtgeno(o)t(e) omdat je meer samen bent
- Niet genoeg te doen hebben
- Moeilijk kunnen besluiten wat je gaat doen
- Dure smaak, weinig geld
- Veel geld hebben, maar denken in tekorten
- Je schuldig voelen omdat je plezier hebt en jezelf vermaakt

Als iemand slechts de helft van zijn wensen zou hebben, dan zouden zijn moeilijkheden verdubbelen.
—Benjamin Franklin

• Plezier beleven aan dingen die illegaal, immoreel of ongezond zijn.

Er zit natuurlijk ook een heel positieve kant aan vrije tijd. Onbeperkte vrije tijd kan een grote kans in je leven zijn. Veel mensen weten zich aan te passen en alles te halen uit een leven van alleen maar vrije tijd. Voor sommigen geeft het rustige leven zelfs nog meer voldoening dan ze hadden verwacht. Ze worden actiever dan ooit tevoren; elke dag is een nieuw avontuur. Deze mensen zullen beweren dat er niets boven een ontspannen levensstijl gaat.

Als je in staat bent om ten volle te genieten van vrije tijd, zal je leven ontzettend verbeteren. Anderen kunnen hier alleen maar van dromen. Enkele voordelen die je kunt genieten als je meer vrije tijd hebt:

- Een hogere levenskwaliteit
- Persoonlijke groei
- Betere gezondheid
- Meer zelfrespect
- Minder stress en een meer ontspannen levensstijl
- Voldoening van uitdagende activiteiten
- Opwinding en avontuur
- Een evenwichtere levensstijl dan wanneer je werkt
- Een gevoel van eigenwaarde, zelfs indien je werkloos bent
- Kwaliteit van gezinsleven neemt toe

Het verschil tussen succes en mislukking is vaak heel klein. Laten we, nu we de problemen en de voordelen van vrije tijd bekeken hebben, eens kijken naar wat van essentieel belang is om er zo veel mogelijk voordeel uit te putten.

In dit boek zul je ook een aantal oefeningen aantreffen. Probeer ze allemaal te doen. Je kunt altijd je eigen antwoorden toevoegen.

Het verschil tussen succes en mislukking in wat dan ook is vaak erg klein.

Oefening 1-1. De essenties

Welke van deze factoren zijn essentieel om succes te behalen bij het omgaan met vrije tijd?

- Uitstekende gezondheid
- In een opwindende stad wonen
- Veel vrienden hebben uit alle lagen van de bevolking
- Een innemende persoonlijkheid
- Een caravan bezitten
- Van reizen houden
- Atletisch zijn
- Een knap uiterlijk
- Uitstekende lichamelijke conditie
- Financiële onafhankelijkheid
- Een tweede huis
- In een warm klimaat wonen
- Goede ouders gehad hebben
- Een fantastisch huwelijk of relatie
- Veel hobby's hebben

Voordat we bespreken wat essentieel is, zullen we eerst kijken naar twee personen die moeite met vrije tijd hebben, en een persoon die dat niet heeft. Hierdoor krijgen we een beter beeld van wat essentieel is voor het verkrijgen van voldoening uit vrije tijd.

Een leven als God in Frankrijk kan best lastig zijn

Onlangs sprak ik met Delton die zevenenzestig is, financiële zekerheid heeft, tennist (soms beter dan ik) op dezelfde club als ik. Hoewel Delton, jarenlang met plezier werkte in een bedrijf, had hij bezwaar tegen hun beleid van verplichte pensionering als men vijfenzestig wordt.

Toen hij pas met pensioen was, had Delton geen flauw benul wat hij met zijn tijd moest doen. Hij voelde zich verloren. Delton, die nu twee jaar met pensioen is, is blij dat zijn bedrijf hem parttime laat werken. De tijd dat hij niet op zijn werk is, besteedt hij nu heel goed (behalve als hij de baan met me aanveegt met tennissen). Delton vertrouwde me zelfs toe, dat hij heel lang een hekel aan de weekends had. Hij vond het erg moeilijk om te beslissen wat hij met zijn vrije dagen moest doen.

Rich, ook lid van de tennisclub, is wederom iemand die pro-

Mensen verspillen meer tijd aan afwachten tot iemand de leiding neemt in hun leven dan aan enig ander streven.
—Gloria Steinem

blemen had met zijn vrije tijd. Het verschil tussen Delton en Rich is, dat Rich ernaar hunkerde om met vervroegd pensioen te gaan. Zoals veel mensen in de stad waar hij woont, fantaseerde Rich over verhuizen naar de kust om te gaan rentenieren. Zijn droom kwam uit toen hij pas vierenveertig was. Hij had bij de politie gewerkt en kon een redelijke pensioenregeling krijgen na vijfentwintig dienstjaren.

Nadat Rich verhuisd was naar de kust om te gaan leven als God in Frankrijk, besefte hij dat een makkelijk leventje niet goed bij hem paste. Rich vond het ontzettend moeilijk om met ongelimiteerde vrije tijd om te gaan. Hij loste dit op door een zaak te openen. Toen dit waagstuk spaak liep, probeerde hij nog diverse andere dingen, waaronder een tijdje weer zijn oude werk oppakken. Rich weet nog steeds niet hoe hij het beste om kan gaan met zijn pensioen. Dit is wel jammer, als je beseft hoeveel mensen wel met hem zouden willen ruilen.

Werkloze effectenmakelaar leeft als God in Frankrijk

In 1987 deden Amerikaanse kranten verslag van de benarde situatie waarin effectenmakelaars zich bevonden, nadat ze in moeilijkheden waren gekomen door de beurscrash van 19 oktober 1987. Jonge managers die een toptijd hadden beleefd met de bijpassende dure levensstijl, waren totaal verbijsterd. Velen, die op het punt stonden hun inkomen van €200.000 tot €500.000 per jaar te verliezen, zeiden dat ze geen andere baan konden aannemen met een inkomen van €100.000 per jaar omdat hun persoonlijke onkosten te hoog waren: (Krijg je net als ik tranen in je ogen?)

Het enige dat sommige mensen doen is ouder worden.
—Ed Howe

Het was natuurlijk ondenkbaar dat deze effectenhandelaars zouden overwegen een paar maanden, of misschien zelfs wel een jaar, werkloos te zijn. Vanwege hun dure levensstijl konden deze makelaars het alternatief van tijdelijk zonder baan en inkomen te zitten, niet bevatten.

Mijn vriend Denny was effectenmakelaar tijdens de periode voor de crash. Hij had geen topomzet gedraaid en heel weinig geld gespaard. Na de crash stapte Denny helemaal uit de effectenhandel. Hij ging niet onmiddellijk op zoek naar een andere baan (zelfs niet naar één met een mager salaris van € 100.000 per jaar). Hoewel Denny heel weinig geld had om als God in Frankrijk te kunnen leven, besloot hij om het ten minste een jaartje rustig aan te doen om eens van een ander soort leven te kunnen genieten.

Tijdens de periode dat Denny werkloos was, leefde hij in opperste tevredenheid. Hij was ontspannen, had voortdurend een glimlach op zijn gezicht en het was een zegen om bij hem te zijn vanwege zijn positieve inslag. Ik kende veel werkende mensen die goed verdienden en veel aanzien genoten vanwege hun werk, maar ik kende geen enkel werkend mens dat zo gelukkig was als Denny. Hij heeft bijna een jaar dit leven geleid.

> Met een maatpak en een mooie stropdas kan iedereen, zelfs een effectenmakelaar, zich de reputatie verwerven van beschaafd te zijn.
> —Oscar Wilde

Daarna is hij weer gaan werken in een andere stad. Toen hij mij opzocht, merkte Denny op dat hij, hoewel hij plezier had in zijn nieuwe carrière, ernaar snakte om er weer een jaartje of twee tussenuit te gaan en alleen maar van het leven te genieten. Ik twijfel er geen ogenlik aan dat Denny, in tegenstelling tot Rich en Delton, zal leven als God in Frankrijk als hij definitief met pensioen gaat.

Het geheim van een makkelijk leven

Wat je leeftijd, geslacht, beroep of inkomen ook is, je kunt de vele genoegens van het niet werken zeker ervaren. Ik kan dit zeggen omdat ik er zelf in geslaagd ben om net zo gelukkig, zoniet gelukkiger te zijn toen ik niet werkte, als toen ik wel werkte. Wat ik kan, kan jij ook. Mijn ervaring met leven zonder werk heeft me inzicht gegeven in wat ervoor nodig is om zonder baan succesvol te zijn. Mijn succes is het gevolg van aandacht besteden aan de dingen die ik moet doen om gelukkig te zijn, op mijn gemak en met toewijding.

Ik ben niet gezegend met speciale talenten of vermogens die jij niet hebt. Andere mensen, zoals Denny, die heel veel plezier beleven aan hun vrije tijd, zijn ook heel normaal. Succes in de avonturen van het leven komt niet doordat je iets heel bijzonders voorhebt op anderen. We hebben allemaal het vermogen om ons leven tot een succes te maken; de sleutel hiertoe is onze eigen talenten te onderkennen en ze goed te gebruiken.

> Ze zijn kundig omdat ze denken dat ze kundig zijn
> —Vergilius

Wat zijn dan de verschillen tussen mensen die kunnen genieten van een gemakkelijk leven en degenen die dat niet kunnen? Waarom is mijn vriend Denny zo tevreden met alleen maar vrije tijd, terwijl mijn twee kennissen, Delton en Rich, onbeperkte vrije tijd als een last ervaren?

Laten we eens terugkijken naar Oefening 1-1 op bladzijde 21. Als je willekeurig welk punt van de lijst gekozen hebt, ben je slachtoffer van je eigen onjuiste denken over wat ervoor nodig is om vrije tijd te hanteren. Geen enkel punt dat ik heb opgesomd is noodzakelijk om op succesvolle wijze van een makkelijk leven te genieten. Elk onderdeel van de lijst kan een pluspunt zijn, maar geen ervan is essentieel. Ik wil benadrukken dat we financiële onafhankelijkheid als essentieel onderdeel buiten beschouwing kunnen laten. Delton en Rich zaten er financieel veel beter bij dan Denny. Als financiële onafhankelijkheid essentieel is, zouden Delton en Rich blij moeten zijn met hun vrije tijd en Denny niet, in plaats van omgekeerd. In Hoofdstuk 11 zullen we de rol die geld speelt bij het genieten van vrije tijd bekijken. Er zijn mensen die zullen beweren dat een uitstekende gezondheid essentieel is. Gezondheid is een belangrijk pluspunt, maar veel mensen hebben gezondheidsproblemen en zijn toch in staat van hun vrije tijd en het leven in het algemeen te genieten.

Wat is dan wel essentieel? Leven als God in Frankrijk is niets meer dan een geestesgesteldheid. Denny bezit dat ene essentiële ingrediënt - een gezonde houding. Er moet synchroniciteit in het spel zijn, want ik ontving de volgende brief van Dick Phillips uit Portsmouth in Engeland, terwijl ik net bezig was de eerste drie hoofdstukken van dit boek bij te werken.

Beste Ernie,

Mijn vrouw Sandy en ik waren de afgelopen zomer met het vliegtuig op weg naar Vancouver in Canada om in het kader van het makkelijke leven tijdens ons pensioen vakantie te houden in je prachtige land, toen een medereizigster me je boek "Nietsdoen, een levenskunst" liet zien.

Later kocht ik zelf een exemplaar in de boekhandel en ik ben het gaan lezen toen ik weer thuis was. Ik ben vierenvijftig jaar oud en heb vanaf mijn vijftiende gewerkt; eerst als leerling houtbewerking, toen als scheepswerktuigkundige en daarna vijfendertig jaar bij de rijkspolitie. Er staan veel degelijke adviezen in je boek, waarvan ik sommige al jaren toepas. Ik heb veel plezier beleefd aan het ontwikkelen van interesses buiten het werk terwijl ik nog werkte. Toen ik afgelopen november met pensioen ging, had ik de vrijheid om mijn eigen tijd helemaal in te delen en interesses te ontplooien, zoals wandelen, fietsen, het restaureren van oldtimers, modelbouwen, schilderen en doe-het-zelfprojecten. Je hebt gelijk dat een positieve levenshouding tijdens je pensioen essentieel is.

In je boek heb je het over een collega genaamd Rich, die, net als ik, een benijdenswaardige pensioenregeling kreeg, maar die het leven moeilijk vond. Ik hoop dat, nu hij je boek gelezen heeft, hij zijn innerlijke zelf aan het ontplooien is dat alles mogelijk maakt. Ondertussen verheug ik me op volgend jaar. Ik ga dan in een team aan een groot, houten zeilschip bouwen voor gehandicapte mensen en daarna hoop ik tijd te hebben om Canada weer met een bezoek te vereren.

Met vrije groeten

Dick Phillips

Merk op dat Dick Phillips, net als Denny, een gezonde houding ten opzichte van vrije tijd heeft, een belangrijke eigenschap om van het leven te kunnen genieten. Niets is zo belangrijk voor succes in het leven als een gezonde houding. Als je geen gezonde instelling hebt, moet je de moeite nemen om deze te ontwikkelen. Dit boek gaat hoofdzakelijk over het ontwikkelen en instandhouden van zo'n houding tegenover het leven en vrije tijd.

Hoofdstuk 2

Je krijgt wat je ziet

Voor de verandering eens nadenken

We kunnen onze levenskwaliteit veranderen door de context te wijzigen waarbinnen we onze omstandigheden zien. Twee mensen kunnen met dezelfde situatie geconfronteerd worden, zoals bijvoorbeeld ontslag krijgen, waarbij de ene dit als een zegen zal opvatten, terwijl het voor de ander een vloek betekent. De context van de situatie wijzigen hangt af van ons vermogen om onze houdingen in twijfel te trekken en flexibel te zijn in ons denken.

De meesten van ons nemen niet de tijd om zich te bezinnen op wat we denken of op de reden waarom we iets doen. Om een verandering in ons denken teweeg te brengen, moeten we voor de verandering eens beginnen te denken. Door ons denken in twijfel te trekken, geven we frisse zienswijzen en nieuwe waarden een kans om de plaats in te nemen van achterhaalde overtuigingen. Door vraagtekens te plaatsen bij de manier waarop we over werk en de voordelen ervan denken, kunnen we een gezonde houding ten opzichte van vrije tijd ontplooien. Nooit twijfelen over de manier waarop we denken, brengt ten minste twee gevaren met zich mee:

>We komen vast te zitten in een bepaalde denkwijze, waardoor we alternatieven niet zien die wellicht geschikter te zijn.

>We nemen een stel normen aan die op het moment heel logisch lijken. Na verloop van tijd veranderen de dingen echter. De oorspronkelijke waarden zijn niet langer van toepassing, maar we blijven functioneren op basis van de oorspronkelijke, achterhaalde normen.

Je bent nooit te oud om te leren

Teken een zwarte stip zoals die hierboven op een wit bord en vraag een klas volwassen studenten wat ze zien. Bijna iedereen zal zeggen dat ze een zwarte stip zien, alleen maar een zwarte stip. Laat eenzelfde stip zien aan een klas basisschoolkinderen en je zult versteld staan van de antwoorden. Er zullen fascinerende tussen zitten, als:

> Duisternis achter een rond raam
> Een zwarte beer die opgerold is tot een bal
> Een wieldop
> Een zwarte knikker
> De binnenkant van een pijp
> Een chocoladekoekje
> Een paardenoog

We komen allemaal op deze wereld gezegend met heel veel verbeeldingskracht. Als kinderen hebben we allemaal de capaciteit en de flexibiliteit om de wereld vanuit vele verschillende gezichtspunten te bekijken. Omdat we als kinderen aan praktisch alles om ons heen aandacht besteden, genieten we enorm van het leven.

Volwassenen begrijpen nooit zelf iets; het is heel vervelend voor kinderen om altijd en eeuwig dingen aan hen uit te moeten leggen.
—Uit: 'Le Petit Prince' van Antoine de Saint-Exupéry

Op een bepaald ogenblik in onze jeugd beginnen de meesten van ons dit vermogen te verliezen. De maatschappij, onderwijsinstellingen en onze ouders beïnvloeden ons door ons te vertellen wat we moeten verwachten. We zijn geconditioneerd om op zoek te gaan naar acceptatie. Om maatschappelijk geaccepteerd te worden, houden we op met vragen stellen. We verliezen onze geestelijke flexibiliteit en letten niet meer op.

Als gevolg daarvan wordt ons denken heel gestructureerd. Onze weerzin om onze overtuigingen te veranderen voedt onjuiste, incomplete of achterhaalde visies op de wereld. Deze vervormde zienswijzen belemmeren onze creativiteit en levenslust.

Creatief zijn gaat hand in hand met het hebben van een gezonde instelling. Op elk terrein zijn het de creatieve mensen die op lange termijn het meest succesvol zijn. Ze ontdekken kansen waar anderen onoverkomelijke problemen zien.

Wat is er aan de hand, Mitch? Ben je al je creativiteit kwijtgeraakt toen je vijfenvijftig werd? Gebruik hetzelfde als ik om uit dit soort situaties te komen!

Onderzoekers zijn erachter gekomen dat het voornaamste verschil tussen creatieve en oncreatieve mensen is dat creatieve mensen gewoon denken dat ze creatief zijn. Oncreatieve mensen zijn te gestructureerd en routinematig in hun denken geworden en hebben het onjuiste idee van zichzelf dat ze geen creativiteit in huis hebben.

Voor het hebben van een gezonde houding is het noodzakelijk dat we beseffen dat we voortdurend onze zienswijzen moeten betwisten, om te voorkomen dat we blijven hangen in een wereld van valse voorstellingen. Mensen die niet de gewoonte ontwikkelen om hun eigen vooronderstellingen en overtuigingen te onderzoeken, lopen het gevaar dat ze een wereld zien die weinig met de realiteit te maken heeft. De gevolgen van deze destructieve gewoonte kunnen ernstig zijn en uiteenlopen van teleurstellingen tot depressie en geestesziekte.

Veel mensen willen er liever niet aan, dat alleen hun eigen houdingen en overtuigingen hen van succes afhouden. Het meest angstaanjagende voor hen is hun excuses te moeten opgeven waarom ze het spel van het leven niet winnen. Wat ik gezien heb, is dat het voor de mensen die zich het meest verzetten tegen verandering en het besef dat hun zienswijzen wel eens verkeerd kunnen zijn, het hardst nodig is creatief te gaan denken om weer voldoening in hun leven te ervaren.

Je bent nooit te oud om te leren, als je tenminste wilt leren. Het enige dat ons ervan weerhoudt om nieuwe gedragswijzen te leren, zijn wijzelf. Leeftijd wordt vaak als excuus gebruikt. Het eeuwenoude excuus van leeftijd is altijd door mensen gebruikt die al op vroege leeftijd gestructureerd zijn gaan denken.

Met andere woorden, hun houding en hun verzet tegenover verandering – niet hun leeftijd – hebben hun vermogen tot verandering belemmerd. Ruimdenkende volwassenen die hun verbeeldingskracht gebruiken, worden niet gehinderd door leeftijd als het aankomt op het ontplooien van nieuwe waarden en gedragswijzen.

In het land der blinden is eenoog koning

Oefening 2-1. De drie geheimen tot vervulling

Een succesvolle maar ongelukkige Amerikaanse ondernemer had veel rijkdom vergaard. Hij besloot om te gaan rentenieren en een rustig leven te leiden; hij kwam er echter al gauw achter dat hij nog steeds niet erg gelukkig was.

Aangezien zijn leven zo leeg was, besloot de ondernemer op zoek te gaan naar een zenmeester die de drie belangrijke geheimen kende om het leven ten volle te kunnen leven. Na anderhalf jaar gezocht te hebben vond de ondernemer eindelijk de zenmeester bovenop een duistere, hoge berg.

De zenmeester onthulde met plezier de drie geheimen voor een gelukkig en bevredigend leven. De ondernemer was verbaasd over wat hij te horen kreeg. Wat waren volgens jou de drie geheimen?

Meent u wat u zegt: "Het leven is een grap"? Is verlichting niets meer dan dat?

1 ______________________________

____

2 ______________________________

____

3 ______________________________

Een van de sleutels om meer van de wereld te kunnen genieten, is flexibiliteit te oefenen. Er bestaat een oud gezegde: "In het land der blinden is eenoog koning." Door flexibel te zijn kun je dingen in deze wereld gewaarworden die anderen niet zien.

Is het je gelukt om de drie geheimen voor voldoening in het leven te vinden? Volgens de zenmeester zijn dit:

1. Let op

2. Let op

3. Let op

Creatieve mensen besteden aandacht aan de wereld om hen heen en zien veel kansen in het leven. Oncreatieve mensen denken ten onrechte dat ze geen kansen hebben in hun leven, doordat ze niet in staat zijn om op te blijven letten.

Als je een voldoening schenkend leven wilt, leer dan om werkelijk op te letten. De manier om een gezonde houding te ontwikkelen, is om je vermogen te ontplooien je aandacht en bewustzijn op nieuwe dingen te richten. Je moet ook leren om op nieuwe manieren naar bekende dingen te kijken. Als je een star iemand bent, zul je je hiervoor moeten inspannen en moed moeten verzamelen om je zienswijzen te wijzigen. Dan kun je het leven en je vrije tijd op nieuwe wijzen gaan ervaren.

> Alleen de domste muizen zouden zich in het oor van een kat verstoppen. Maar alleen de wijste katten zouden eraan denken om daar te zoeken.
> —Scott Love

Zonder er al te veel over na te denken, zullen sommige mensen zeggen dat het omgaan met en genieten van vrije tijd niets meer dan een kwestie van gezond verstand is. Hiermee ben ik het volledig eens. Maar waarom moet ik dan een boek schrijven dat gebaseerd is op een flinke portie gezond verstand? Omdat veel mensen er alles aan doen om hun leven gecompliceerd te maken, terwijl het volgen van de basisprincipes voldoende zou zijn. Met andere woorden, gezond verstand wordt niet zo veel gebruikt.

Let jij goed op?

Tot op zekere hoogte letten we allemaal niet goed op. We laten onze waarnemingen beïnvloeden door onze oordelen. Daarom zien we niet alles wat er te zien valt.

Probeer de vier oefeningen op de volgende bladzijden te doen om je vermogen om op te letten te toetsen. Kijk of je de tegenwoordigheid van geest hebt om alles op te merken wat er te zien is. Geef jezelf een paar minuten de tijd om alle oefeningen te doen.

Oefening 2-2. Kijken naar waarneming

Kijk naar de volgende twee figuren en ga dan verder met de andere oefeningen.

Figuur 1

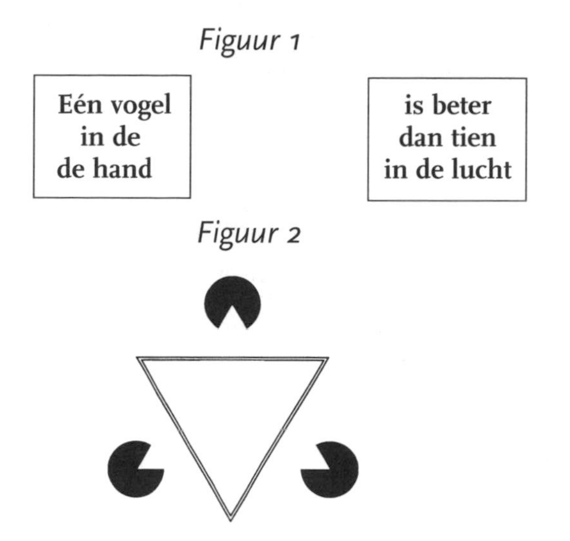

Figuur 2

Oefening 2-3. Driehoeken in overvloed

De tekening hieronder is een perspectieftrainer. Je hoeft alleen maar het aantal driehoeken in de tekening te tellen.

Oefening 2-4. Spelen met lucifers

De vergelijking hieronder is met lucifers gemaakt. Elke lijn in een teken is een lucifer. De vergelijking klopt niet. Verplaats slechts één lucifer om de vergelijking kloppend te maken.

VI + II = VI

Oefening 2-5. Een fiets ontworpen door een gek?

Hoewel ik opgeleid ben tot elektrotechnisch ingenieur, besloot ik een tijdje geleden iets mechanisch te ontwerpen. Dit is een ontwerp voor een nieuw soort tandem die ik bedacht heb om mensen te helpen genieten van hun vrije tijd. (Je bent vast erg onder de indruk.) Analyseer de verdiensten van dit nieuwe tandemontwerp.

Alles draait om waarneming

Als je alles hebt opgemerkt wat er te zien was in figuur 1 van oefening 2-2, zou je het volgende gelezen hebben in de twee vakjes:

Eén vogel in *de de* hand is beter dan tien in de lucht.

Als je de twee "de's" niet hebt gezien, betekent dit dat je niet alles ziet wat er te zien valt. De kans bestaat dat je veel oplossingen over het hoofd ziet bij het oplossen van de vraagstukken in je leven.

In figuur 2 heb je waarschijnlijk een driehoek opgemerkt die witter is dan de rest van de pagina. Merk in de eerste plaats op dat er geen werkelijke driehoek getekend is. Je ogen verbeeldden zich er gewoon een op die plek. Bovendien is deze illusoire driehoek niet lichter dan de rest van de pagina. Net zoals je een driehoek zag en helderheid die niet in deze figuur voorkwamen, beeld je je misschien vele obstakels en barrières in bij het oplossen van je levensproblemen.

In de figuur in oefening 2-3 zien de meeste mensen minder dan vijfentwintig driehoeken. Heb jij alles opgemerkt wat er te zien is? Er zitten in werkelijkheid vijfendertig verschillende driehoeken in deze figuur. In oefening 2-4 heb je misschien een of twee oplossingen gevonden. Als dat zo is, dan is dat geweldig. Ik heb meer dan twintig oplossingen voor deze oefening, die je kunt krijgen door de tijd te nemen om ze zelf te vinden (of door een fortuin neer te tellen om een van mijn seminars bij te wonen). Als je slechts één oplossing voor je problemen op je werk of bij het spelen bedenkt, loop je de kans mis om meer opwindende en doeltreffender oplossingen te ontdekken.

Wat vind je van mijn fiets in oefening 2-5? Als je hem negatief hebt beoordeeld, dan heb je mijn ontwerp niet volledig onderzocht. Tenzij je wat positieve en wat negatieve punten hebt genoteerd, heb je voorbarige conclusies getrokken – zonder ampele overweging – wat betreft mijn "ongewone"ontwerp. Je oordeel kwam te snel. Je zou positieve elementen hebben moeten overwegen; zoals: het achterwiel kan als reserve gebruikt worden als de voorband lek gaat. Wat vind je van een meer comfortabele rit vanwege de twee achterwielen? De fiets zou ook in het voordeel kunnen zijn ten opzichte van conventionele fietsen voor het vervoeren van zware lasten; hij is uitstekend geschikt voor heel zware mensen. Mensen zouden hem misschien kopen als statussymbool omdat het iets nieuws is en heel opmerkelijk. Er zitten vele positieve en negatieve kanten aan dit ontwerp. Om de verdiensten van dit ontwerp volledig te verkennen, zou je alle voor- en nadelen in overweging moeten nemen. Net zo, als je je eigen ideeën of de suggesties van iemand anders beoordeelt, moet je alle voor- en nadelen overwegen voor je een besluit neemt.

Sommigen zien dingen zoals ze zijn, en vragen: "Waarom?" Ik zie dingen zoals ze nooit geweest zijn, en vraag: "Waarom niet?"
—George Bernard Shaw

In het leven draait alles om waarneming; je krijgt wat je ziet. Je kunt zelf beoordelen hoe goed je hebt opgelet in de voorgaande oefeningen. Als je niet alles hebt gezien wat er te zien was, is het goed om beter te gaan opletten op de wereld om je heen.

Alleen de dommen en de doden veranderen niet

De wereld van vandaag verandert in een ongekend tempo. Om doeltreffend met deze verandering om te gaan, moet je er zeker van zijn dat je meningen, overtuigingen en waarden niet in steen gegraveerd zijn. Zorg dat je geen onbuigzaam mens wordt en je leven zal veel makkelijker zijn in de hedendaagse, snel veranderende wereld.

Er zijn mensen die bang zijn om ook maar enigszins te veranderen, omdat ze het gevoel hebben dat het veranderen van hun waarden, overtuigingen en meningen een teken van

Voor hem staat deze fiets voor vrije tijd. Voor mij staat hij voor werk.

zwakte is. Maar, het vermogen te veranderen betekent juist kracht en bereidheid tot groei. Er zit veel waarheid in de zegswijze dat alleen de dommen en de doden nooit hun overtuigingen en meningen veranderen.

Ik wil benadrukken dat hoe onflexibeler je bent, hoe meer problemen je in het leven zult hebben en hoe moeilijker je het zult vinden om je aan te passen aan onze snel veranderende wereld. Mijn ervaring met het geven van seminars over creativiteit is dat mensen voor wie het het hardst nodig is hun denken te veranderen, zich het meest verzetten tegen verandering. Het tegenovergestelde geldt voor mensen die heel creatief zijn en veel aanpassingsvermogen hebben. Ze zijn altijd bereid hun visies te betwisten en deze te veranderen als dit nodig is.

Voorbij je huidige overtuigingen en zienswijzen kijken, kan vele nieuwe dimensies van het leven openen. Ontwikkel de tegenwoordigheid van geest om bij alles waarin je gelooft vraagtekens te plaatsen. Leer oude, onwerkbare overtuigingen eruit te wieden. Leer tegelijkertijd nieuwe waarden en frisse gedragswijzen aan te nemen, en kijk of ze werkbaar zijn.

Herontdek je creativiteit

In het blad *Business Week* stond dat een kind van vijf ongeveer vijftig keer zo creatief is als iemand van vijfenveertig. Het is duidelijk dat we heel geblokkeerd zijn in het uiten van onze verbeeldingskracht, als we meer dan 90 procent van onze creativiteit hebben verloren tegen de tijd dat we veertig zijn. Wat gebeurt er toch met ons?

De grootste blokkade op onze creativiteit zijn wijzelf. We laten ons beïnvloeden door maatschappelijke, organisatorische en onderwijskundige krachten die ons aansporen tot conformiteit. We werpen ook veel privé-barrières op die ons van de kans beroven om onze verbeelding te gebruiken. Angst voor mislukking berooft ons op de meest doeltreffende wijze van onze creativiteit, net als luiheid en gebrekkige waarneming. Ondanks deze barrières, echter, wordt iedereen geboren met creatieve vermogens en iedereen kan deze vermogens opnieuw ontdekken.

De zeventien creativiteitsbeginselen

Om je creativiteit opnieuw te ontdekken, begin de volgende creativiteitsbeginselen te gebruiken, die de basis vormen van mijn boek, De Kunst van Niet Alles te Weten. Als je deze creativiteitsbeginselen gaat toepassen op je werk en spel, zal je leven drastisch veranderen, ongeacht hoe oud je bent of wat voor beroep je hebt.

> Kies ervoor om creatief te zijn
> Zoek naar veel oplossingen
> Schrijf je ideeën op
> Analyseer al je denkbeelden volledig
> Omschrijf je doelen
> Zie problemen als kansen
> Zoek naar wat voor de hand ligt
> Neem risico's
> Durf anders te zijn
> Wees onredelijk
> Maak plezier en doe gek
> Wees spontaan
> Wees in het nu
> Oefen afwijkend denken
> Betwist regels en aannames
> Stel beslissingen uit
> Wees volhardend

Of je nu creatiever wilt zijn met schrijven, schilderen, dansen, het zoeken naar een nieuw huis, of het ontmoeten van een nieuw persoon, je hebt hiervoor geen speciaal talent nodig. Wat je nodig hebt is de bereidheid om fantasierijk te zijn.

Platte-aardedenkers op een ronde wereld

Of je erin slaagt om van die fantastische wereld van de vrije tijd te genieten, wordt bepaald door de mate waarin je kunt vermijden dat je door de doorsneemaatschappij wordt gehersenspoeld. Alle samenlevingen proberen normen en waarden op te leggen die vaak schadelijk zijn voor veel individuen en voor de maatschappij in het algemeen.

Merk op dat ik zeg dat de maatschappij dit probeert te doen; de maatschappij slaagt hierin niet bij iedereen. Niet alle leden onder-

Als we genoodzaakt worden onze mening te veranderen of te bewijzen dat dit niet nodig is, doen de meesten van ons het laatste.
—John Kenneth Galbraith

schrijven de heersende normen en waarden van hun samenleving. Er zijn mensen die wel opletten. Individuen met tegenwoordigheid van geest zullen niet beïnvloed raken door de wensen van de maatschappij, als ze wat de maatschappij gelooft verdacht vinden. Dit zijn de mensen die het fundament leggen waarop de maatschappij steeds meer ten goede kan veranderen.

Enkele eeuwen geleden dachten de meeste mensen in de hoofdstroom van de maatschappij, ondanks bewijzen voor het tegendeel, dat de aarde plat was. Dit denkbeeld kon men niet gemakkelijk laten varen.

Vasthouden aan achterhaalde overtuigingen komt tegenwoordig net zo veel voor als enkele eeuwen geleden. Mensen willen hun langgekoesterde overtuigingen niet opgeven. Ze hebben er een hekel aan om toe te geven dat ze het bij het verkeerde eind hadden; dit zou een klap voor hun ego betekenen. Geloof wordt een ongeneselijke ziekte. Liever dan een nieuw en ander gezichtspunt aan te hangen dat zelfs gunstig voor hen kan zijn, houdt men vast aan het oude.

Het feit dat een mening wijdverbreid is, wil nog helemaal niet zeggen dat deze niet volkomen absurd is. Gezien de domheid van het overgrote deel van de mensheid is de kans groot dat een wijdverbreide overtuiging eerder dom dan wijs is.
—Bertrand Russell

De Noord-Amerikaanse maatschappij, net als de meeste maatschappijen ervoor, denkt dat zij ontzettend progressief is. Deze maatschappij verschilt echter niet van vele maatschappijen ervoor; zij zit vol platte-aardedenkers. Als het op werk en vrije tijd aankomt, zijn veel normen en waarden van de maatschappij achterhaald. Toekomstige samenlevingen zien misschien de algemene overtuigingen van vandaag de dag over werk en vrije tijd als primitief, net zoals wij het oude geloof dat de aarde plat is als primitief beschouwen.

Hoofdstuk 3

De moraal van werk is de moraal van slaven

Nadenken over werk

Als je de kwaliteit van je vrije tijd wilt verbeteren, is het goed om te beginnen met nadenken over werk. Als je bepaalde oude opvattingen over werk loslaat, zul je meer jezelf worden. Ongeacht je positie in het leven zul je meer genieten van je vrije tijd, als je een positieve zienswijze hebt over het niet hebben van werk en je inziet dat hierdoor zelfs je levenskwaliteit verhoogd kan worden.

Werk: Dat is iets wat golf in de weg staat.
—Frank Dane

Oefening 3-1. Iets om over na te denken

Zoals ik in Hoofdstuk 2 aangaf zal je vermogen om te genieten van vrije tijd ten dele afhangen van hoe ruimdenkend je bent. Om je normen en instelling ten opzichte van werk te betwisten, beantwoord de volgende vragen:

Geloof je dat hard werken de sleutel tot succes in deze wereld is? Waarom?

Geloof je dat het productief is dat in moderne westerse maatschappijen elke gezonde persoon tussen zestien en vijfenzestig zo'n veertig uur per week in loondienst is?

Zijn werkloze bedelaars een last voor de maatschappij?

Er zijn geen juiste antwoorden op de bovenstaande vragen. De bedoeling van dit hoofdstuk is vraagtekens te plaatsen bij je overtuigingen en waarden die samenhangen met werk en vrije tijd. Ik hoop dat de inhoud je denken in andere banen zal leiden.

Het protestantse arbeidsethos heeft heel wat verpest

In tegenstelling tot wat algemeen gedacht wordt, is het arbeidsethos geen traditionele waarde. Het is zelfs zo dat onze meeste voorouders het concept verworpen zouden hebben. Wie is dus de schuldige die werk en het arbeidsethos uitgevonden heeft? Het arbeidsethos ontstond tijdens de Industriële Revolutie. Het maken van veel arbeidsuren begon toen het fabriekssysteem zijn intrede deed. In de loop van de tijd is het aantal uren dat gewerkt wordt tijdens een werkweek teruggelopen van zestig uur in 1890 tot ongeveer veertig uur in 1950. Sinds die tijd is de normale werkweek niet noemenswaardig korter geworden. We hebben nog steeds te maken met de gevolgen van het arbeidsethos dat door de Industriële Revolutie werd geïntroduceerd.

Iemand met een deeltijdbaan wordt niet beschouwd als bijdragend lid van de maatschappij. Hoewel veel mensen zonder loonsverlaging minder zouden kunnen werken, zullen sommigen dit niet doen als ze de kans kregen, omdat ze zich schuldig zouden voelen als ze minder werkten.

Laten we eens teruggaan naar een tijd waarin men werk in een ander licht zag. De Oude Grieken vonden werk iets ordinairs. Werk, alleen om het werk zelf, betekende slavernij en een gebrek aan productiviteit. De enige reden om te werken was om meer vrije tijd te verkrijgen. Socrates beweerde dat, aangezien handwerkslieden geen tijd hadden voor vriendschappen of voor dienstbaarheid aan de gemeenschap, ze slechte burgers waren en ongewenst als vrienden. De vroege Grieken en Romeinen schoven alle bezigheden die met de hand gedaan werden, onder bevel, of voor loon, af naar de burgers uit de lagere klassen of naar de slaven. De vroege Grieken hadden niet eens een woord om te beschrijven wat we nu werk noemen.

De beste kwaliteitsproeve van een beschaving is de kwaliteit van haar vrije tijd.
—Irwin Edman

Net zo hadden de vroege Europeanen geen term voor werk zoals wij dat nu kennen. Hoewel de Europese boeren in de Middeleeuwen arm en onderdrukt waren, maakten ze geen lange werkdagen. Ze vierden de naamdagen van zelfs de meest onbekende heiligen; als gevolg kregen ze in de loop van de tijd steeds meer vrije dagen en steeds minder werkdagen. Het normale aantal feestdagen was op een zeker moment honderdvijftien per jaar. Toen verscheen het arbeidsethos en deze vrije dagen werden weggevaagd.

Voor de vroege Grieken was vrije tijd niet zomaar een onderbreking van het werk; het was een wenselijk doel op zichzelf. Zoals het behoort te zijn, was vrije tijd de meest productieve tijd. Deze tijd kon gebruikt worden om na te denken, te leren, en jezelf te ontwikkelen. Als je gelooft dat het hoogste doel voor ontwikkelde mensen is verder te groeien en jezelf te verwezenlijken, dan hadden de Oude Grieken de zaken goed op een rijtje.

Toen verscheen het protestantse arbeidsethos en verpestte deze uiterst verstandige denkwijze over werk. Om de een of andere reden sloeg de samenleving een verkeerde richting in en nam het nieuwe arbeidsethos aan. Door deze verandering werden de rollen van werk en vrije tijd omgekeerd. Werk werd de productieve bezigheid. Vrije tijd moest alleen gebruikt worden om uit te rusten, zodat men daarna beter kon werken.

Deze "moderne" denkwijze berust op schuld en is daarom zeer doeltreffend. Schuld neutraliseert op onaangename wijze plezier. Deze negatieve emoties zijn zo sterk voor veel mensen, dat schuldgevoelens zelfs opduiken als ze op vakantie gaan. Omdat ze niet van hun vrije tijd kunnen genieten, keren ze van hun vakantie terug vol negatieve emoties.

> Er bestaat geen noodlottiger blunderaar dan hij die het grootste deel van zijn leven opmaakt aan het verdienen van de kost.
> —Henry David Thoreau

In Noord-Amerika denkt de meerderheid er als volgt over: er wordt met zoveel respect naar werk gekeken, dat mensen opscheppen over hoeveel uur per dag ze werken. Zelfs als men routinewerk verricht dat saai is en overwerk dat niets oplevert, kunnen deze mensen de verleiding niet weerstaan om op te scheppen over hoe hard ze gewerkt hebben. Ze zijn martelaren geworden, die de kans op zelfverwezenlijking hebben opgegeven ten gunste van het voorrecht om slaaf te kunnen zijn, waarbij ze hoofdzakelijk goed doen aan het bedrijf in plaats van aan zichzelf.

Tegenwoordig overdrijven veel mensen onder invloed van het werkethos hoeveel ze daadwerkelijk werken. In 1995 ontdekten onderzoekers dat mensen in feite minder werkten dan zijzelf ingeschat hadden. Toen de onderzoekers de feitelijke uren die in logboeken waren vastgelegd vergeleken met de eerdere schattingen van de werknemers, ontdekten ze een aanzienlijke kloof tussen de schattingen en de feitelijke tijd die gewerkt was. Extreme workaholics hadden het grootste verschil; ze zeiden dat ze werkweken van vijfenzeventig uur draaiden, terwijl hun agenda's uitwezen dat ze slechts vijftig uur per week gewerkt hadden.

Met de rolomkering van werk en vrije tijd is werk het enige organiserende principe en expressiemiddel geworden. In de moderne wereld heeft vrije tijd een veel lagere status dan werk. Voor veel mensen staat vrije tijd voor nietsdoen en verspilling van kostbare tijd. Zonder werk takelt de persoonlijkheid bij mensen af en verliezen ze een stuk zelfrespect. Nieuwe zwakheden, zoals drinken en ontrouw, treden bij individuen op als ze hun baan kwijtraken.

Laten we Adam dankbaar zijn: hij heeft ons de zegen van het nietsdoen door de neus geboord en ons de vloek van werk op de hals gehaald.
—Mark Twain

De moderne technologie heeft het mogelijk gemaakt dat vrije tijd een voorrecht voor veel verschillende mensen in de gemeenschap geworden is, niet alleen voor aristocraten. Ik weet zeker dat de vooruitstrevende filosofen uit het Oude Griekenland uiterst verbaasd zouden zijn als ze vernamen dat veel mensen in de moderne wereld, met meer vrije tijd dan ooit tevoren, niet precies weten wat ze met hun extra tijd moeten doen. De Grieken zouden verbijsterd zijn over individuen die vandaag de dag heel veel werken, terwijl ze er financieel goed bij zitten.

Ik ben er niet helemaal zeker van wat de maatschappij ertoe bewogen heeft de rolomkering van werk en vrije tijd te accepteren en de gevolgen van deze omkering. Er is één ding waar ik wel zeker van ben: De Oude Grieken zouden niet alleen verbaasd zijn over deze ontwikkeling van de mensheid, maar ze zouden er tevens van walgen. Zij zouden de indruk krijgen dat veel mensen in de moderne westerse samenleving ofwel een ernstige hersenbeschadiging hebben, of masochistische neigingen hebben ontwikkeld.

Werk niet omdat dit moreel juist is

Wees niet te moralistisch. Het leven zal je zo ontglippen.
—Henry David Thoreau

Ergens blijven werken als je het werk niet leuk vindt omdat je de kost moet verdienen, is logisch. Ergens blijven werken als je het werk niet leuk vindt als je er financieel goed bij zit en je niet hoeft te werken, is niet logisch. Niettemin zwoegen veel welgestelde mensen door, terwijl ze hun werk niet leuk vinden, omdat ze geloven dat dit moreel juist is.

De meeste mensen staan er niet bij stil dat het geloof koesteren dat werken een deugd is, schadelijk kan zijn. Hoewel we moeten werken om te kunnen overleven, draagt het niet zoveel bij aan het individuele welzijn als velen denken.

Voor alle duidelijkheid, ik zeg niet dat we werk zo veel mogelijk moeten mijden. Je verkeert misschien in de valse overtuiging dat ik lijd aan ergofobie (angst voor werk). Integendeel, ik put veel voldoening uit het werk dat ik verkies te doen. Het schrijven van dit boek is hiervan een voorbeeld.

Wat ik bedoel is dat werken om het werken schadelijk kan zijn voor ons welzijn en ons levensplezier. Dit is geenszins een nieuwe onthulling. Bertrand Russell beweerde enige tijd geleden dat de houding van Noord-Amerika ten opzichte van werk en vrije tijd achterhaald was en bijdroeg aan de ellende in de maatschappij. In zijn essay "In Praise Of Idleness" ("Ode aan het Nietsdoen"), zei Russell: "De moraal van werk is de moraal van slaven, en de moderne wereld heeft geen behoefte aan slavernij."

Alles wat ik gekregen heb van 25 jaar mijn neus op de slijpsteen houden, is een zere neus.

Ik zou wel willen dat je geloofde dat Bertrand deze zin van mij geleend heeft, maar hij heeft dit al in 1932 geschreven, meer dan zestig jaar geleden. Het lezen van Russells essay is een openbaring vanwege de relevantie ervan voor onze huidige tijd. Hoewel onze wereld drastisch is veranderd, is het interessant om te zien hoe weinig onze waarden in meer dan zestig jaar tijd zijn veranderd. Het is moeilijk om oude waarden en overtuigingen los te laten.

Ik zal met een voorbeeld illustreren welke belachelijke gevolgen voort kunnen komen uit het vastklampen aan het geloof dat hard werken een deugd is. Welnu, veronderstel dat op een bepaald moment de wereld een x-aantal paperclips nodig heeft. Met conventionele technologie is er een y-aantal mensen nodig om deze paperclips te maken. Ze werken allemaal tien uur per week en iedereen zou wel meer vrije tijd willen hebben. Stel je voor dat iemand een nieuwe en efficiëntere machine uitvindt om paperclips te maken, waardoor er maar half zo veel mensen nodig zijn om het x-aantal paperclips te produceren. In een verstandige

Er is nog nooit iemand doodgegaan door hard werken, maar waarom zou je het risico nemen?
—Charlie McCarthy (Edgar Bergen)

wereld zouden de paperclipmakers allemaal de helft van het aantal uren gaan werken als ze eerst deden. Ze zouden allemaal meer vrije tijd hebben.

De wereld is echter niet verstandig. Aangezien mensen zich vastklampen aan de overtuiging dat ze allemaal tien uur per dag moeten werken, werken alle paperclipmakers tien uren tot er een overschot aan paperclips is. Uiteindelijk wordt de helft van de werknemers ontslagen. Dit garandeert dat iedereen zich ellendig voelt. De ontslagen werknemers hebben te veel vrije tijd en niet genoeg geld. De werknemers die in dienst blijven, raken overwerkt en hebben te weinig vrije tijd.

In plaats van bij te dragen aan ieders geluk, levert de onvermijdelijke toename aan vrije tijd iedereen meer ellende op. Het draait erop uit dat de werkmoraal in ruime mate de ellende vergroot. Alleen door onze moraal aan te passen aan onze veranderende wereld kunnen we dit soort ongezonde situaties voorkomen.

De Wet van de Schadelijke Meeropbrengst

In Noord-Amerika wordt hard werken verondersteld de sleutel tot succes te zijn. In tegenstelling tot wat algemeen wordt aangenomen, is dit zelden het geval. Om de een of andere geheimzinnige reden zien de mensen die de deugden van hard werken in onze samenleving omhelzen het feit over het hoofd, dat miljoenen mensen het vuur uit hun schoenen lopen tijdens hun carrière, om uiteindelijk alleen maar totaal uitgeblust te raken. Hun dromen zijn beslist niet uitgekomen.

Iemand die haast heeft, kan niet erg beschaafd zijn.
—Will Durant

Omdat een bepaalde hoeveelheid werk goed voor ons is, betekent dit nog niet automatisch dat twee keer zo veel werk twee keer zo goed voor ons is. Na een bepaald punt neemt de wet van de afnemende meeropbrengst het over. We halen steeds minder voordeel uit ieder extra uur dat we werken.

Het wordt allemaal van kwaad tot erger. Na het punt van de afnemende meeropbrengst, komen we op een ander punt aan. We bereiken wat ik het punt van de schadelijke meeropbrengst noem. Al het extra werk na dit niveau zal in feite afbreuk doen aan ons algehele levensplezier. Meer tijd die besteed wordt aan werk draagt bij aan de vele ongewenste consequenties die samenhangen met geestelijke en lichamelijke ziektes.

Een natie die gek geworden is van het werkethos

Kun je je dit voorstellen? Iedereen in dit land vindt werken heerlijker dan wat dan ook. Het werkethos loopt zodanig uit de hand dat fabrieksarbeiders, hoewel ze recht hebben op slechts zeven dagen vakantie per jaar, gewoonlijk weigeren om hun hele vakantie op te nemen en liever in de fabriek aan het werk blijven.

De hele natie is gek geworden. Zakenlieden, net als iedereen, staan er nog steeds op om zes dagen per week te werken. Hoewel ze recht hebben op twintig vakantiedagen, nemen ze niet meer vakantie op dan fabrieksarbeiders. Als zakenmensen vakantie nemen, weten ze niet hoe ze zich moeten ontspannen. In plaats daarvan gedragen ze zich als gekken, rennen van hot naar haar en putten zich uit om zo veel mogelijk uit hun vrije tijd te halen als maar kan. Ze zijn zo gehersenspoeld door het arbeidsethos dat ze niet precies weten wat vrije tijd is. Het wordt zo erg dat de volksgezondheid eronder begint te lijden. De regering komt uiteindelijk tussenbeide met programma's om mensen te leren hoe ze met vrije tijd om kunnen gaan.

Alleen al door naar werkende mensen te kijken, word ik moe. Jullie worden hartelijk bedankt om nog harder dan de Japanners te werken. Nu ben ik doodmoe en moet ik vroeg naar huis voor mijn middagdutje.

Stel je voor dat het Human Resources Department in Canada of het Ministerie van Werk in de Verenigde Staten meer vrije tijd zou bepleiten. Dit zou in beide landen sterk bekritiseerd worden. Echter, de hierboven beschreven situatie bestaat echt; het gebeurt in Japan.

De Japanse regering, met zijn langetermijnvisie, heeft de verbetering van de levenskwaliteit door middel van meer vrije tijd tot doel gemaakt. Via het Japanse Ministerie van Werk heeft de regering een serie posters ontworpen waarin gepleit wordt voor meer vrije tijd voor arbeiders. Op een van die posters staat: "Laten we een maatschappij met een vijfdaagse werkweek realiseren." Het ministerie geeft ook een handboek uit onder de titel "Doe Je Best: Ontspanningsgids voor de Verdienende Mens". Er staan ideeën in voor werknemers hoe ze hun vrije tijd kunnen besteden.

Bijna tweederde van de Japanse deelnemers aan een onderzoek zei dat ze minder dan tien dagen vakantie per jaar namen. Veel werknemers zouden echter graag meer vrije tijd willen hebben. Raad eens wat ze het liefst met hun vrije tijd wilden doen? Meer dan 85 procent wilde alleen maar meer slapen. Je zou hieruit af kunnen leiden dat ze ofwel bijzonder moe zijn van het overwerk, of dat de werkmoraal de hele maatschappij ontzettend saai gemaakt heeft.

Ongetwijfeld hebben de Japanners het heel moeilijk met het accepteren van het concept van niet werken. Toen Kodansha Publishing uit Tokyo, de grootste uitgever in Japan, besloot om "Nietsdoen, een levenskunst" uit te geven, vonden de redacteuren het heel moeilijk om een titel voor de Japanse versie te kiezen. Ze hadden het gevoel dat alles in het Japans dat dicht bij de Engelse titel kwam te radicaal voor Japanse burgers was, vooral voor de ouderen. De redacteuren van Kodansha besloten uiteindelijk het boek "De Wet van Zelinski" te noemen, een woordspel op de Wet van Murphy, wat een bestseller was in de Japanse versie. ("De wet van Zelinski" heeft een ondertitel die in het Nederlands neerkomt op het boek dat ervoor zal zorgen dat je nooit meer wilt werken.)

Hard werken is dodelijk

Veel Japanners zijn niet alleen vermoeid, maar zelfs uitgeput van al het overwerk. Een onderzoek dat door de Japanse levensverzekeringsmaatschappij Fukoku werd verricht, meldde dat bijna de helft van de werknemers bang is vroeg te zullen sterven door hun baan.

Het Japanse arbeidsethos is zo sterk, dat ze zelfs een ziekte ontwikkeld hebben die ermee gepaard gaat. *Karoshi* is de Japanse term voor een plotselinge dood door overwerk. Statistieken geven aan dat 10 procent van de sterfgevallen onder mannen toegeschreven kan worden aan overwerk. Families voeren nu succesvol rechtszaken tegen bedrijven omdat ze de dood van hun geliefden in de hand gewerkt hebben. In 1996 werd Dentsu, Japans grootste reclamebureau, verordonneerd 1,2 miljoen euro te betalen aan de ouders van een man die zelfmoord had gepleegd vanwege chronisch overwerk en slaapgebrek.

> De dood is de manier waarop de natuur ons vertelt dat we het kalmer aan moeten doen.
> —Graffiti in een openbaar toilet

Persoonlijk vind ik dat mensen, of dit nu Japanners, Amerikanen of Europeanen zijn, die sterven door overwerk, dit alleen maar aan zichzelf te wijten hebben. Iedereen die gek genoeg is om zo hard te werken, terwijl er zoveel fantastische dingen te doen zijn in het leven, kan op weinig sympathie van mijn kant rekenen. Verder snap ik niet waarom men in Japan met een andere naam voor deze ziekte op de proppen is gekomen. Ze hadden er al een; de term hara-kiri zou heel geschikt geweest zijn.

De filosofie van Chibi Marukochan is hoopgevend

Net zoals jonge Amerikaanse volwassenen geven jonge Japanse volwassenen meer blijk van geestelijke gezondheid dan de oudere generatie als het op het arbeidsethos aankomt. De waarden zijn in beide landen ten goede aan het veranderen.

Een afspiegeling van de veranderende waarden is in het populairste tv-programma van Japan van de vroege jaren negentig te zien. Chibi Marukochan is een meisje dat de hoogste kijkcijfers haalde in het hele land. Ze heeft zowel kinderen als volwassenen betoverd, vooral volwassen vrouwen tussen de twintig en vijfentwintig. Twee van de vijf tv-toestellen zijn op deze zondagcartoon afgestemd, waarin Chibi als een meedogenloze snauwende leerling uit de derde klas wordt afgebeeld, die werk zoveel mogelijk mijdt.

Het werkethos wordt nu als een schijnvertoning gezien door veel jongvolwassenen in Japan. De kans is zelfs groter dat zij toewijding aan werk meer in twijfel trekken dan de Amerikaanse jeugd. De nieuwe generatie, of *shinjinrui*, voelt er ook weinig voor om zich helemaal aan één bedrijf te wijden, zoals hun ouders deden. Jongere Japanse volwassenen, net als hun Amerikaanse tegenhangers, willen niet alleen een intelligentere levensstijl, ze eisen deze zelfs. In Newsweek van maart 1996 stond dat zelfs Japanse volwassenen het zat zijn. Het tijdschrift meldde dat de moderne Japanse werknemer “vakantie opneemt. Hij brengt vrije tijd met vrienden door, niet met zijn baas. Het is zelfs mogelijk dat hij thuis komt om zijn kinderen in te stoppen.”

> Het is beter gelanterfant te hebben en verloren, dan helemaal nooit te hebben gelanterfant.
> —James Thurber

Lanterfanten voor een topprestatie

Veel mensen die topprestaties hebben geleverd in de geschiedenis van de mensheid zijn volgens de algemeen geldige normen lui geweest. Hoewel dit tegenstrijdig klinkt, is het toch zo dat mensen die veel gepresteerd hebben, veel tijd besteden aan het vermijden van werk. Ze waren niet noodzakelijkerwijs lui, maar de meerderheid in de maatschappij, waarschijnlijk vanwege jaloezie, beschouwde hen als zodanig.

Als creatieve lanterfanters besteedden deze succesvolle personen veel tijd aan ontspannen en nadenken. Een creatieve lanterfanter is iemand die iets belangrijks tot stand brengt, maar die niet overdreven veel onafgebroken activiteit aan de dag legt. Creatief lanterfanten heeft een ontspannen maar productieve activiteit tot gevolg.

Hoewel ze geen lange werkdagen maakten, waren veel succesvolle personen door de eeuwen heen hoogst efficiënt en productief als ze aan hun verbeeldingsvolle en waardevolle projecten bezig waren. Natuurlijk waren ze, omdat ze de tijd namen om te lanterfanten, ontspannener, gelukkiger en gezonder dan wanneer ze zich overwerkt zouden hebben.

Waarom zwervers een bijdrage aan de maatschappij leveren

Op een dag zei ik nadrukkelijk tegen een vriendin dat ik vaak aan goede delen doneer, maar dat ik geen geld aan zwervers geef. Ik vertelde haar dat ik zwervers luie nietsnutten vond die nergens goed voor zijn, behalve om me lastig te vallen als ik op straat loop, vrolijk op weg naar mijn lievelingsbistro.

Deze vriendin gaf me gauw een lesje in een van de onderwerpen van mijn seminars: het vermogen om flexibel te denken. Iemand zei eens dat we het beste die dingen aan anderen leren, die we zelf moeten weten; hier zou wel eens wat in kunnen zitten.

Ik heb altijd een gedegenereerde zwerver willen zijn, maar het is me niet helemaal gelukt. Daarom heb ik een kantoorbaan genomen.

Mijn vriendin vertelde me dat zwervers, vanwege hun levensstijl, weinig hulpbronnen benutten en het milieu niet belasten zoals werkende mensen. Zwervers stelen geen geld, maar ze vragen erom. Ze maken bepaalde gevers blij door hun de kans te geven iemand te helpen. Bovendien, in een wereld waarin volledige werkgelegenheid met de tijd steeds onwaarschijnlijker wordt, betekent elke zwerver die niet in een systeem werkt weer een persoon minder in de strijd om een waardevolle baan.

Terwijl ik hierover nadacht, kwam het bij me op dat sommige werkende mensen die ik ken meer verloederd zijn dan zwervers en niet zoveel bijdragen aan de maatschappij. Ik raak niet meer van mijn stuk als ik zwervers tegenkom. Af en toe geef ik hun geld en denk na over hun geweldige bijdrage aan de maatschappij. Andere keren ben ik ze voor en vraag hun eerst om geld. Op die manier lever ik misschien wel dezelfde bijdrage aan de maatschappij als zij.

Een yuppie zijn betekent een geslaagde mislukkeling zijn

Er zijn twee dingen onechter dan een biljet van elf euro: Een boom gevuld met olifanten en een succesvolle yuppie. In de jaren tachtig en het begin van de jaren negentig leefden yuppies 365 dagen per jaar achter een masker met een tandpastaglimlach en valse blijdschap.

Yuppies hebben in hun waanzin het werkethos tot modieuze trend verheven. Hard werken werd verondersteld te leiden tot geweldig succes en een goed leven. Een yuppie zijn betekende dat het makkelijker en beter was om erkenning te krijgen voor wat men bezat, dan voor wie men was.

De wereld die door de yuppies bewoond werd, en die anderen nog steeds najagen, is niet wat hij schijnt te zijn. Tengevolge van hun door rijkdom gedeformeerde mentaliteit en hun verslaving aan overwerk, lijden yuppies in groten getale aan overspannenheid, maagzweren, hartkwalen, alcoholmisbruik, en drugsverslaving. Om dit allemaal aan te kunnen waren veel yuppies, sommigen alleen maar om de laatste trends te kunnen volgen, in therapie. In Noord-Amerika waren er gespecialiseerde therapeuten voor advocaten, dokters en zelfs therapeuten voor therapeuten van yuppies.

Harold, tien jaar geleden zaten we samen op de universiteit. Waarom ben je in hemelsnaam taxichauffeur?

Ik was een succesvolle yuppie, maar ik heb mijn zenuwtics, tandpastaglimlach en therapeut opgegeven en daardoor mijn carrière verknald.

Wat betreft vrije tijd waren de Noord-Amerikaanse yuppies niet veel beter af dan de Japanse. Ondanks hun overvloedige salaris was voor yuppies vrije tijd het moeilijkst om aan te komen. Volgens een opinieonderzoek is de hoeveelheid vrije tijd die de gemiddelde Amerikaan geniet met 37 procent geslonken sinds 1973. Bij yuppies, met hun lange werkdagen, is de vrije tijd zelfs nog meer achteruitgegaan. Velen van hen leidden een leven dat zo vol beslommeringen zat, dat zelfs vrije tijd helemaal gepland moest worden, als er sowieso al ruimte voor was.

Veel kinderen in yuppiegezinnen hadden helemaal geen jeugd omdat hun ouders het te druk hadden met het najagen van geld, materiële goederen en status. Sommige yuppies maakten afspraken met hun kinderen om ze door de week ergens te ontmoeten. Andere yuppies leidden hun kinderen vanaf vroege leeftijd op om net zo "geslaagd" als zij te worden. De agenda's van de kinderen zaten zo boordevol activiteiten, dat ze nooit leerden wat het is om gewoon te ontspannen en "niets te doen".

Gezien al deze complicaties zijn mensen die voor een yuppielevensstijl kiezen en deze koste wat kost proberen te handhaven, niet bepaald verstandig en ze lopen niet over van logische gedachten. Hoewel ze opscheppen over hoe hard ze werken, ziet het er niet naar uit dat ze veel overwerkte hersencellen hebben. Pamela Ennis, een industrieel psycholoog in Toronto die veel yuppies in therapie had die in het begin van de jaren negentig ontslagen waren, werd geciteerd in het tijdschrift *Report on Business:* "Bij deze generatie zit een steekje los. Ze begrijpen niet dat een luxe appartement of een BMW hun geen voldoening zal schenken."

Ik geef al mijn bezittingen voor een ogenblik tijd.
—Koningin Elizabeth I

Het succes dat deze yuppies najoegen stond zichzelf in de weg. Gezien al hun bijkomstige problemen zou het toepasselijker geweest zijn om ze *yuffies (young urban failures)* in plaats van *yuppies (young urban professionals)* te noemen.

Draait je leven om spullen?

Hoe belachelijk het ook lijkt, ons voornaamste levensdoel, volgens onze maatschappij, is het verwerven van materiële goederen met de monetaire vruchten van ons werk. Yuppies hebben dit doel tot het uiterste nagestreefd. Wijzelf zijn niet veel beter; we zijn opgehouden na te denken over ons echte levensdoel.

George Carlin, een Amerikaanse komiek, zei het ongeveer zo: Vanaf dat we jong zijn krijgen we spullen. Naarmate we opgroeien, willen we zelfs nog meer spullen. We vragen onze ouders voortdurend om geld, zodat we spullen kunnen kopen. Als we eenmaal volwassen zijn, nemen we een baan om spullen te kunnen kopen. We schaffen een huis aan om onze spullen in te stoppen. Het spreekt vanzelf dat we een auto moeten kopen om onze spullen in rond te slepen. Omdat we al gauw te veel spullen vergaren, wordt ons huis te klein. Dus nemen we een groter huis. Nu hebben we niet genoeg spullen voor het grote huis, dus kopen we meer spullen. We hebben een nieuwe auto nodig omdat onze oude auto versleten is vanwege het vervoeren van die spullen. En zo gaat het verder. Maar we krijgen nooit alle spullen die we willen hebben.

Dit verhaal over spullen is grappig, maar tegelijk vervult het je met ontzetting. Het laat zien hoe onze werkverslaving onze verslaving aan spullen, waarvan we veel beslist niet nodig hebben, ondersteunt.

Waar de "B" in BNP echt voor staat

Economen, zakenlieden en politici vertellen ons dat we allemaal beter af zullen zijn, als in onze landen het bruto nationaal product (BNP) aanzienlijk toeneemt. Het bruto nationaal product is de waarde van alle diensten en producten die in een gegeven jaar in een land zijn verkocht. Het is de maatstaf die ons vertelt of we als natie succesvol zijn geweest. De wijze mannen en vrouwen uit het zakenleven en de economie vertellen ons dat het doel van de economie van een land de groei van het BNP is.

> Als alle economen achter elkaar gezet zouden worden, zouden ze nog niet tot een conclusie komen.
> —George Bernard Shaw

Een ander doel van de economie is het uitbannen van werkloosheid. Het vermogen om nieuwe banen te scheppen hangt af van economische groei. Op een bepaald niveau van het BNP zou er voor iedereen werk zijn die in staat is te werken, of men nu wel of niet wil.

Ik heb economiecursussen gegeven aan particuliere vakscholen en universiteiten en heb altijd moeite gehad met het BNP als maatstaf voor welvaart. Het BNP wordt verhoogd door toename in twijfelachtige activiteiten als het consumeren van sigaretten en het produceren van wapens. Een flinke toename in auto-ongelukken zal het BNP gunstig beïnvloeden, omdat er meer begrafenissen, ziekenhuisbezoeken, autoreparaties en autoverkopen zullen plaatsvinden.

Aangezien de groei van het BNP als zo'n belangrijke maatstaf wordt beschouwd, verbaast het me dat de kapitein van de "Exxon Valdez" niet de Nobelprijs voor de economie heeft gekregen. Het BNP in de Verenigde Staten nam met € 1,7 miljard toe tengevolge van de olievlek van de Exxon. Meer van zulke enorme olievlekken zouden wonderen doen voor het BNP. Er zouden ook veel meer mensen werk krijgen.

De groei van het BNP om de groei zelf vormt op zich geen afspiegeling van iets gunstigs voor de maatschappij. Groei omwille van de groei is ook de filosofie van kankercellen. In plaats van voor Bruto zou de "B" eigenlijk moeten staan voor Belachelijk.

De werkelijke maatstaf voor succes van een land

Onlangs sprak ik met een echtpaar dat heel veel gereisd had. Ze hadden het geluk gehad de koning van Bhutan te ontmoeten. Als land is Bhutan tamelijk onontwikkeld. De mensen zijn arm, maar niet straatarm. Niettemin zijn de mensen in het land tevreden met hun levensomstandigheden.

Toen het echtpaar vragen stelde over het feit dat het bruto nationaal product van Bhutan zo laag was, antwoordde de koning: "We geloven niet in het bruto nationaal product; we geloven in bruto nationaal geluk."

Veel geluk gaat verloren in het nastreven ervan
—Onbekend wijs persoon

Wat denken jullie hiervan? Laten we bruto nationaal geluk (BNG) gebruiken in plaats van BNP als maatstaf voor hoe goed het gaat in de landen van de wereld. We kunnen waarschijnlijk dan een werkbaardere wereld creëren, maar eerst moeten we uit zien te vinden hoe we alle economen uit de weg kunnen ruimen.

Het rustig aan doen voor het milieu

Zorg voor het milieu is een onderwerp van uitzonderlijk groot belang geworden. Toch zijn maar weinig mensen bereid toe te geven dat hun eigen door rijkdom gedeformeerde waarden en hun buitensporig najagen van succes bijdragen aan ernstige milieuvervuiling. Als men het kalmer aan zou doen en minder zou werken, zou men een groenere wereld helpen scheppen.

Dit is afhankelijk van hoe natuurlijke hulpbronnen gebruikt worden. Al het gebruik van natuurlijke hulpbronnen draagt bij aan de vervuiling van ons milieu. De meeste toenames van het BNP gaan sterk ten koste van ons milieu.

Ten behoeve van een groenere planeet moeten we het gebruik van natuurlijke bronnen terugdringen. In Noord-Amerika kunnen we waarschijnlijk toe met de helft van de hulpbronnen die we gebruiken en toch een goede levensstandaard behouden. Dit kan ten dele bereikt worden door onze waarden te veranderen. We moeten onnozel werk en lichtzinnige consumptie uitbannen, zoals de productie van stomme snuisterijen en speeltjes die mensen kopen en een week of twee gebruiken alvorens ze weer weg te gooien.

Meer dan honderd jaar geleden voorspelde John Stuart Mill, dat als de wereld doorging op het pad van economische groei, het milieu volledig verwoest zou worden. Zijn vooronderstelling was dat rijkdom, zoals omschreven door westerse landen, afhangt van het aantasten van het milieu. Zoals sommigen van ons zich nu bewust zijn, kan het milieu de toenemende eisen die we eraan stellen niet langer het hoofd bieden. Onze verslaving aan buitensporig materialisme moet worden genezen. De meeste economen en zakenlieden zien vrije tijd alleen als positief wanneer we geld hebben, en we het gebruiken om meer vrijetijdsartikelen en -diensten aan te schaffen. Geld heeft echter zijn beperkingen, zoals John Kenneth Galbraith, de bekende econoom, beweerde, die geld en consumptie in een ander licht ziet dan de meeste economen:

Miljoenen mensen verlangen naar onsterfelijkheid, die nog niet eens weten wat ze op een regenachtige zondagmiddag moeten doen.
—Susan Ertz

Ik ben er niet helemaal zeker van wat het voordeel is van het kunnen besteden van een paar euro meer, als de lucht te vuil is om in te ademen, het water te vervuild om te drinken, de forensen de strijd om in en uit de stad te komen verliezen, de straten smerig zijn en de scholen zo slecht dat het misschien wel verstandig is dat de jongeren wegblijven, en boeven burgers van de paar euro's beroven die ze bespaard hebben door de belastingverlaging.

Om onze planeet te redden is meer nodig dan het recyclen van flessen en blikjes. Het is belachelijk om onnutte rommel en diverse andere producten alleen maar te produceren om mensen aan het werk te houden. Het is duidelijk dat individuen die in staat zijn het rustiger aan te doen, minder te werken en minder te consumeren een belangrijke bijdrage leveren aan een groenere wereld.

Op weg naar minder werk en een beter leven

Het arbeidsethos doet ons misschien wel meer kwaad dan goed. We moeten ons ontdoen van onze op werk gerichte en door rijk-

Soms krijg ik een onweerstaanbare aandrang om hard te werken zoals jullie twee, maar dan ga ik gewoon liggen tot het gevoel weer weggaat, en dan voel ik me prima.

dom gedeformeerde mentaliteit, willen we begrijpen wat werkelijk belangrijk is voor ons geluk. Studs Terkel beweert in zijn boek *Working* dat de tijd aangebroken is om ons werkethos te herzien. Veel moderne westerse overtuigingen maken mensen onnodig tot slaven. Het concept van werk, zoals we dat kennen, is hoognodig aan herziening toe.

De bescheiden waarden van de achttiende eeuw zijn geschikter voor nu, dan de twintigste-eeuwse waarden die we aangenomen hebben. We hebben het gevoel van matiging in de jaren tachtig verloren. De meesten van ons koesterden de waarden van Donald Trump van het gewoontegetrouw streven naar meer en betere spullen. In de late jaren negentig en het begin van het nieuwe millennium is het profiel van de achttiende-eeuwse heer, die een bescheiden hoeveelheid geld verdiende en zich dan terugtrok om zich met nuttigere zaken bezig te houden, waardevoller dan de Trump-stijl. Een innerlijke wereld van persoonlijke groei, ter vervanging van de uiterlijke wereld van materiële groei, zal bijdragen aan meer voldoening en welzijn.

Het einde van werk is het verwerven van vrije tijd
—Aristoteles

Minder nadruk op de behoefte om te werken en de obsessie met spullen is aan de orde. Werken voor je bestaan is noodzakelijk, maar niet in de mate die de meeste mensen denken. Het introduceren van eenvoudigere materiële doelen zal wonderen doen voor ons milieu en ons de gelegenheid geven om van een kalmere levensstijl te genieten.

Waar het echt om gaat in het leven

De commentaren in de voorafgaande gedeelten benadrukken een paar tekortkomingen van de waarden die de moderne westerse maatschappijen na aan het hart liggen. Als je deze waarden blindelings aangenomen hebt, kan het zeer bevorderlijk voor de kwaliteit van je leven zijn om ze in twijfel te trekken. Als je strikte overtuigingen hebt dat werk deugdzaam is en spel lichtzinnig, dan zal dit je vermogen om de perioden te hanteren dat je werkloos bent of met pensioen, ernstig belemmeren. Als je wel werkt, kan het zijn dat je door deze zelfde waarden onvoldaan blijft vanwege een onbalans in je levensstijl.

Dat lijkt me een goeie ruil.

Raad eens. Vandaag koop ik een dure golfuitrusting voor mijn man.

Ruimdenkender zijn en minder nadruk leggen op de waarde van het arbeidsethos en materialisme heeft voordelen. Minder werken kan heel veel opleveren. Tijd die je niet op je werk doorbrengt, kan, ongeacht je omstandigheden, een gelegenheid zijn om op nieuwe manieren te leren en te groeien als persoon. Iemand die lange werkdagen maakt en veel apparaten, speeltjes en andere rommel bezit, is geen beter mens dan degene die minder werkt en minder bezit. De verslaving aan spullen vervreemdt ons over het algemeen van andere mensen en de omgeving.

Vanuit een hoger perspectief bekeken zijn alle verschillende soorten dingen om ons heen – auto's, huizen, stereoapparatuur, banen – nuttige hulpmiddelen en niet meer dan dat. Ze vormen niet de bron van ons geluk. De dingen die we bezitten, de plaatsen waar we wonen en de banen die we hebben, zijn van secundair belang. Werkelijk succes kan niet afgemeten worden aan wat we bezitten of wat we voor de kost doen. Onze ware essentie is van een hogere orde. De enige belangrijke dingen hebben uiteindelijk te maken met hoe goed we nu leven: wat leren we, hoeveel lachen en spelen en hoeveel liefde schenken we aan de wereld om ons heen. Dat is waar het echt om gaat in het leven!

Hoofdstuk 4

MINDER WERKEN, GEWOON OMDAT HET GEZONDER IS

De muizenval zonder kaas

Als we bij een experiment met een rat consequent kaas in de derde van verscheidene tunnels plaatsen, zal de rat uiteindelijk doorkrijgen dat de kaas altijd in de derde tunnel ligt. De rat zal direct naar de derde tunnel gaan zonder in de andere tunnels te kijken. Als we dan echter de kaas in de zesde tunnel leggen, zal de rat nog slechts een tijdje naar de derde tunnel gaan. Vroeg of laat beseft hij dat er geen kaas in de derde tunnel ligt; de rat zal nu in de andere tunnels beginnen te zoeken, tot hij ontdekt dat de kaas in de zesde tunnel ligt. Hij zal nu consequent opdagen in de tunnel met de kaas.

Ik wil de kaas niet, ik wil alleen maar uit de val komen.
—Spaans spreekwoord

Het verschil tussen een rat en een persoon is dat de meerderheid van de mensen in een tunnel zal blijven, terwijl het overduidelijk is dat er zich geen kaas in bevindt. De meeste mensen komen in tunnels terecht waaruit ze nooit ontsnappen. Het is behoorlijk lastig om de kaas te krijgen als je in een val zit waar geen kaas meer in zit, of, wat ook voorkomt, waar nooit kaas in gezeten heeft.

"Kaas" staat hier voor geluk, tevredenheid en vervulling. Tegenwoordig komt verdriet in zeer ruime mate voor in de meeste managementkringen. Dit is een stellingname van Jan Halper, een Palo Alto psycholoog en management-consultant die tien jaar lang de carrières en emoties van meer dan vierduizend mannelijke directeuren heeft verkend. Halper ontdekte dat veel mannen ogenschijnlijk gelukkig waren met hun leidinggevende baan, maar het tegendeel was waar. Van degenen in het middenkader van het management had 58 procent het gevoel vele jaren van hun leven verspild te hebben in de worsteling om hun doelen te bereiken. Men was verbitterd over de vele opofferingen die ze zich in die jaren hadden moeten getroosten. Deze mensen deden niet wat ze zouden hebben moeten doen om een evenwichtig leven te leiden. Uit ander onderzoek blijkt dat wel 70 procent van de kantoormensen niet gelukkig is in zijn werk. Het is ironisch dat de meerderheid van het kantoorpersoneel ontevreden is over zijn baan, maar steeds meer gaat werken.

> Het leven is meer dan alleen maar de snelheid ervan verhogen.
> —Gandhi

We gebruiken de term "in de ratrace zitten", maar die is eigenlijk niet geschikt – hij is namelijk vernederend voor ratten. Ratten blijven niet in een tunnel zonder kaas zitten. Het zou toepasselijker zijn als ratten de term "in de mensenrace zitten" zouden gebruiken, als ze beseffen dat ze zo stom zijn om steeds dezelfde tunnel in te gaan zonder er kaas te vinden.

Het is niet nodig om dit hoofdstuk verder te lezen als je een rat bent, of een geestelijk en financieel welvarend mens die niet werkt en niet van plan is zijn verdere leven te werken. Dit hoofdstuk kan echter wel waardevol zijn als je nog steeds een baan hebt, of als je werkloos bent en van plan om ooit in de toekomst weer te gaan werken. Banen leveren niet altijd al die verschillende soorten kaas op waarnaar mensen op zoek zijn. Wachten tot het licht aan het eind van de tunnel verschijnt en onwetendheid zijn twee grote belemmeringen voor mensen die proberen voldoening en vervulling in hun leven te bereiken. Dit hoofdstuk is bedoeld om je te helpen de valstrikken te vermijden die bij vele banen opduiken. Het is ook geschreven om je te helpen evenwicht in je leven te brengen en je voor te bereiden op de tijd wanneer je met pensioen gaat.

Weet je wie je bent?

Om je te helpen beter zicht te krijgen op wie je bent en of je een workaholic bent, volgt hier een eenvoudige oefening.

Oefening 4-1. Een simpele vraag?

Neem een paar ogenblikken de tijd alvorens deze simpele vraag te beantwoorden:

Wie ben je?

Bijna alle werkende mensen zullen bij de bovenstaande oefening opschrijven wat ze doen voor de kost of welke nationaliteit ze hebben, welke religie ze aanhangen, of ze getrouwd zijn, waar ze wonen en hoe oud ze zijn. Mensen richten zich meestal op wat ze voor de kost doen. Weinig mensen associëren interesses die niets met werk te maken hebben met hun identiteit. Hieruit blijkt dat de identiteit van de meeste mensen verbonden is aan hun baan.

In de huidige generatie hebben managers veel in hun carrières geïnvesteerd, zowel emotioneel als financieel; hun identiteitsbesef ontlenen zij aan hun vaardigheden en talenten. De B.V. Amerika heeft ons verteld dat karakter gevormd wordt door te werken en "productieve" dingen in organisaties te doen. We hebben geleerd onszelf te identificeren met onze baan. Hier klopt niets van: Als we denken dat we zijn wat we voor de kost doen, zijn we het grootste deel van ons karakter kwijt.

Een van de symptomen van een naderende zenuwinzinking is de overtuiging dat je werk vreselijk belangrijk is.
—Bertrand Russell

Hoe groot is het stuk van jouw identiteit dat verbonden is aan je baan? Als je advocaat bent en zo opgaat in je werk dat je hele identiteit ermee verbonden is, zul je antwoorden dat je advocaat bent op de vraag "Wie ben je?" Dat is precies wat alle andere advocaten op deze vraag zullen antwoorden die het grootste deel van hun identiteit verbinden aan hun baan. Als je identiteit voornamelijk verbonden is aan je baan, beperk je jezelf als mens. Tenzij je zo van je baan houdt dat je er helemaal door omvergeblazen wordt, dient je baan slechts een heel klein deel van je identiteit te behelzen.

Als je je hele leven in een baan stopt, bestaat het gevaar dat dit aan je zal knagen tot er niets meer van je over is. Je betrekking zou niet moeten zijn wie jij bent. Een baan is wat je doet om geld te verdienen. Wie je bent, zou je essentie moeten zijn. Je essentie is je karakter en je individualiteit. Die kwaliteiten en elementen onderscheiden je van andere mensen.

Deze baan zal mijn identiteit beslist opwaarderen. Als ik hem krijg hoeft mijn BMW niet inbeslaggenomen te worden.

Om te ontdekken wie je bent, moet je in jezelf op zoek gaan naar je eigen beslissingen, voorkeuren en interesses. Zorg ervoor dat werk niet het enige zinvolle in je leven wordt. Ontplooi hobby's en interesses buiten je werk, die net zo zinvol, of zelfs zinvoller, dan je werk zijn. Je zelfbeeld zal dan iets anders dan alleen maar je baan zijn. Luister naar de intuïtieve stemmen in je, en niet de logische stemmen in je organisatie, de gevestigde orde of de maatschappij. De beste plaats om je uniekheid te tonen is in je persoonlijke leven. Als je gevraagd wordt wie je bent, zou het grootste deel van je identiteit dienen samen te hangen met je essentie, die je laat zien in het nastreven van persoonlijke interesses in je vrije tijd.

Onwetendheid tiert welig in het hedendaagse bedrijfsleven

In de huidige wereld dragen achterhaalde houdingen en waarden, die door veel leidinggevenden in het bedrijfsleven gekoesterd worden, bij aan het instandhouden van een werkomgeving die zich kenmerkt door werkverslaving. Dit is schadelijk voor de gezondheid van de werknemers. Onwetendheid tiert welig op alle niveaus, met inbegrip van de hogere echelons van het management, in de voornaamste bedrijven in heel Noord-Amerika. Comfortabel genesteld in deze zee van onwetendheid worden workaholics niet alleen getolereerd, maar zelfs gerespecteerd. Aangezien werkverslaving met hebzucht en macht te maken heeft, zijn veel zakelijke leiders dol op workaholics. Op vele afdelingen, waar in talloze gevallen de meeste werknemers workaholics genoemd kunnen worden, is het mode om zestig tot tachtig uur per week te werken. Het is ook mode om haast te hebben en overbelast te zijn in je werk. Er zijn managers die zich zelfs een held voelen wanneer ze voortdurend te veel verplichtingen hebben.

> Onwetendheid is nooit uit de mode. Het was gisteren mode, is vandaag een rage en morgen een trendsetter.
> —Frank Dane

Deze situatie heeft ernstige implicaties: Workaholics verschillen niet van andere verslaafden. Alle verslaafden zijn neurotici met ernstige problemen. Workaholics verkeren net als alcoholisten in een staat van ontkenning, wat betreft het bestaan van hun probleem, maar lijden toch onder de ernstige gevolgen die voortkomen uit de verslaving. Hetzelfde geldt voor mensen die verslaafden ondersteunen; ze zijn niet beter dan verslaafden, en op z'n minst neurotisch.

Waarom ondersteunen bedrijven verslaving? Anne Wilson Schaef legt dit uitvoerig uit in haar boek *When Society Becomes an Addict*. Ze beweert dat verslaafd gedrag de norm is in de Noord-Amerikaanse maatschappij. De maatschappij zelf functioneert als een verslaafde, net als veel organisaties. In haar latere boek, *The Addictive Organization*, beschrijven Schaef en haar medeauteur Diane Fassel uitvoerig waarom de meeste grote organisaties aangetast zijn door verslavingen en functioneren als verslaafde individuen.

Uit eigenbelang hebben bedrijven werkverslaving aangemoedigd en begunstigd. Onder het mom van kwaliteit en uitmuntendheid plaatst het werkethos van het bedrijfsleven het bedrijf voor alles. De nadruk op het streven naar succes van het bedrijf betekent dat het niet uitmaakt of de lichamelijke of geestelijke gezondheid van een individu weggevaagd wordt, of dat zijn of haar huwelijk op de klippen gaat.

Hij werkte keihard op het platteland zodat hij in de stad kon wonen, waar hij keihard werkte zodat hij op het platteland kon wonen.
—Don Marquis

Het begunstigen van het belang van het werk en het benadrukken van de noodzaak om haast te hebben gaan hand in hand met het begunstigen van productiviteit. In werkelijkheid wordt productiviteit er alleen maar ogenschijnlijk door begunstigd. Werknemers langer, harder en sneller laten werken en hen de vrije tijd door de neus boren, betekent niet noodzakelijkerwijs dat er meer gepresteerd wordt in de organisatie. Het resultaat kan zelfs precies omgekeerd zijn. Op lange termijn zal er minder resultaat behaald worden, omdat de productiviteit en efficiency vroeg of laat te lijden zullen hebben van de verminderde doeltreffendheid van werknemers die te kampen hebben met stress en overwerktheid. Het is interessant dat wilskrachtige personen eerder overwerkt raken dan "doetjes", omdat de kracht van wilskrachtige individuen op ontkenning berust.

Werknemers die geen tijd hebben om na te denken en die fouten maken door onachtzaamheid, kunnen er de oorzaak van zijn dat de organisatie op lange termijn minder innovatief en productief is. In tegenstelling tot wat algemeen geloofd wordt, is het niet productief om onder tijdsdruk te werken. Een razende routine laat geen tijd over om helder na te denken. Creativiteit stroomt niet als er niet genoeg tijd voor wordt vrijgemaakt. Een productieve en succesvolle werknemer heeft tijd nodig om achterover te zitten, het grote geheel te overpeinzen en de langetermijnvisie in ogenschouw te nemen.

De schadelijke gevolgen van de waanzinnige wereld van het bedrijfsleven zijn verstrekkend. Door hard werken en overlevingsdrang hebben veel mensen hun persoonlijke dromen en levenslust verloren. Een arm gezinsleven en sociaal leven zijn het gevolg van overwerk en stress. Voor degenen die totaal overwerkt zijn, heeft het leven geen doel, zin en kracht meer.

Als we terug in de tijd naar Griekenland kijken, lijkt de moderne werkverslaafde yuppie weer een typisch geval te zijn (samen met onwetendheid) van de geschiedenis die zichzelf herhaalt. Plato bekritiseerde in het vroege Griekenland de mensen die onwetend en onbezonnen genoeg waren om vrije tijd te ontduiken door te veel te werken. Hij waarschuwde hen ervoor niet te veel verstrikt te raken in luxe, macht, reputatie, invloed en buitensporig amusement. Het beschouwen van werk als het middelpunt van het bestaan, diende vermeden te worden. Plato vond dat mensen die door bleven werken nadat hun eerste behoeften vervuld waren, belangrijkere bezigheden misliepen.

Ga naar de gevangenis en je zult langer leven

Je stressvolle baan zou je wel eens meer kwaad kunnen doen dan je ooit had gedacht. Je IQ kan er zelfs door omlaaggaan. Een recente onderzoeksstudie heeft uitgewezen dat langdurige blootstelling aan stress het verouderingsproces van hersencellen kan versnellen en het leren en het onthouden kan belemmeren. Het langetermijngeheugen kan zelfs achteruitgaan door beschadiging van hersencellen tengevolge van stress.

Als je wilt ontsnappen aan de stress die zo gewoon is in de moderne wereld, moet je eens proberen een paar banken te beroven. Zorg ervoor dat je op heterdaad betrapt wordt. De gevangenis kan de beste plek voor je zijn als je wilt ontkomen aan stress. Onderzoekers aan het Institute Bustave Roussy in Villejuif in Frankrijk hebben ontdekt dat gevangenen langer leven en minder ziekten hebben, waaronder kanker en hartkwalen, dan andere Fransen. Hoe langer ze in de gevangenis zaten, hoe lager het sterftecijfer. Waarom? Het heeft beslist niets te maken met het gebruik van alcohol, sigaretten, of drugs, die door de meeste gevangen gebruikt worden. De onderzoekers stellen dat het gevangenisleven gewoonweg minder stressvol is dan het gewone leven. Gevangenen hebben een kalmere levensstijl dan de algemene bevolking.

> Door trouw acht uur per dag te werken, zul je uiteindelijk misschien baas worden en twaalf uur per dag werken.
> —Robert Frost

De Franse gevangenen zijn iets op het spoor gekomen. Ze hebben een manier gevonden om aan werk te ontsnappen en meer vrije tijd in hun leven te krijgen. Je moet een misdaad begaan, erop betrapt worden en in de gevangenis gestopt worden. Meer vrije tijd zal je gezondheid verbeteren en je levensverwachting verlengen. Natuurlijk is in de gevangenis gaan zitten niet de enige manier om meer vrije tijd in je leven te scheppen.

Gekke George is zo gek nog niet

Het meeste werk waar mensen zich mee bezighouden is routinematig en saai. Miljoenen mensen in Noord-Amerika willen wegvluchten van hun baan, maar weten niet waarheen. Deze mensen zouden eens met mijn vriend, die Gekke George genoemd wordt, moeten praten. Hij is een fantastisch rolmodel. We noemen George "gek" omdat hij anders is. Een ding waarin George afwijkt, is dat hij er niet van houdt om voor organisaties te werken. Hij beschouwt dit als vernederend voor zijn persoonlijkheid. George houdt er niet van dat anderen hem zeggen wat hij moet doen, hoe hij het moet doen en hoe laat hij op zijn werk moet verschijnen. George verafschuwt zelfs vele andere kenmerken van de doorsnee werkplek.

Levend aan de zelfkant van de samenleving doet hij hier en daar wat werk. Gekke George heeft zelden haast. Hij is iets van veertien jaar lang timmermansleerling geweest en heeft nooit langer dan een paar maanden achter elkaar een baantje gehad. Zijn persoonlijke record voor de kortste baan is vijf minuten. Hij is ook freelance autoplaatwerker. Zijn inkomen ligt vaak beneden de armoedegrens; aangezien hij echter alleen geld uitgeeft aan de allernoodzakelijkste levensbehoeften, is het George gelukt om meer geld op de bank te zetten dan veel mensen met een inkomen van anderhalve ton of meer per jaar.

Het interessante aan George is dat hij over de vijftig is en eruitziet alsof hij achter in de dertig is. Aan de andere kant ken ik "geslaagde" werkende mensen die achter in de dertig zijn en eruitzien alsof ze over de vijftig zijn. George ziet er veel jonger uit dan hij is vanwege zijn gezonde levensstijl. Net als de Franse gevangenen heeft hij niet te kampen met de stress waaronder de massa lijdt. Als Gekke George zijn conditie behoudt, zal hij als het moet kunnen werken tot hij in de tachtig is. Aangezien hij ook vrij is, is Gekke George zelfs beter af dan de Franse gevangenen. Alle factoren in ogenschouw genomen durf ik te beweren dat Gekke George helemaal niet gek is; werknemers die zich overgeven aan buitensporig veel werk zijn degenen die gek zijn.

Vrije tijd is in; werkverslaving is passé

In de jaren tachtig maakte men in de moderne westerse wereld werk tot het middelpunt van het bestaan. Hierdoor vervormde men zijn leven en kwam men in emotionele verwarring terecht. De weg naar succes in het bedrijfsleven heeft velen leeg en kleingeestig gemaakt. De dromen van gisteren zijn de nachtmerries van vandaag. Veel mensen beseften dat ze de slaaf van hun werk en hun bezittingen waren. Door vijftig tot tachtig uur te werken raakten ze zichzelf kwijt. Door zich totaal op hun werk te richten, vernitiegden veel mensen de essentie van wat ze eens waren. Om het nog erger te maken, door werkstress en overwerktheid verloren ze hun lichamelijke en geestelijke gezondheid. Ze betaalden een hoge prijs voor hun verplichting tot vrijwillige slavernij.

Het goede nieuws is dat "the times, they are a-changing". Toen de wereld de negentiger jaren inging, begonnen veel werknemers werk in een ander licht te zien. Voor het eerst in vijftien jaar zeiden werkende Amerikanen dat vrije tijd – in plaats van werk – het belangrijkste in hun leven was. In totaal 41 procent van de ondervraagden in een opinieonderzoek van de Roper Organization uit 1990 koos vrije tijd als het belangrijkste element van hun leven, terwijl slechts 36 procent werk koos. Dit is een belangrijk statistisch gegeven. In 1985 eindigde werk voor vrije tijd met een score van 46 procent tegenover 33 procent.

Ik heb nooit van werken gehouden. Voor mij is een baan een inbreuk op mijn privacy.
—Danny McGoorty

Uit studies komt naar voren dat een toenemend aantal Noord-Amerikanen hunkert naar een rustig, ongehaast leven. Vluchtelingen voor stress en overwerktheid beginnen in drommen organisaties te verlaten. De jaren negentig zijn het decennium geworden waarin werknemers proberen te ontvluchten aan de waanzin op het werk, ofwel door helemaal te stoppen met werken, of door alternatieve werkregelingen aan te nemen om een beter evenwicht tussen werk en vrije tijd te scheppen. Verschillende kranten hebben gemeld dat werkverslaving passé is. Vrije tijd is in; vrije tijd is het ultieme statussymbool voor de jaren negentig.

Er zijn zelfs organisaties die het licht gezien

Amerika is zo gespannen en nerveus geworden, dat het jaren geleden is dat ik voor het laatst iemand in de kerk heb zien slapen – en dat vind ik een trieste situatie.
—Norman Vincent Peale

hebben; hoogwaardige vrije tijd in het leven van werknemers draagt bij aan de gezondheid van de organisatie. Veel bedrijven komen erachter dat gezonde werknemers gelukkiger en productiever zijn. Als je bedenkt dat 80 procent van de ziekten toegeschreven wordt aan oorzaken die te maken hebben met de levensstijl, zal het geen verrassing zijn dat bedrijven belangstelling hebben voor verbeteringen van de gezondheid en het moreel van werknemers die meer genieten van vrijetijdsbezigheden. Het resultaat voor de organisatie kan een enorme winst in productiviteit, uithoudingsvermogen, motivatie en bedrijfsimago zijn. Diverse belangrijke bedrijven hebben trainingsprogramma's aangenomen om het welzijn en een evenwichtige levensstijl bij hun werknemers te bevorderen.

Persoonlijk heb ik niets tegen werk, vooral wanneer het stil en onopvallend door iemand anders wordt uitgevoerd.
—Barbara Ehrenreich

In de toekomst zullen organisaties geen ander alternatief hebben. Werknemers zullen een beter evenwicht tussen werk en vrije tijd eisen. In tegenstelling tot de babyboomers zullen de rekruten van tegenwoordig niet verleid kunnen worden met geld, titel, geborgenheid en carrière. Ze hebben een nieuwe houding ten opzichte van hun leven en werk. In het midden van de jaren negentig meldden tijdschriften als *Fortune* dat de nieuwe generatie zich richt op levenskwaliteit – voldoening in werk tegenover salaris. *USA TODAY* meldde in april 1996 dat 55 procent van de babyboomers in de Verenigde Staten zichzelf via hun werk uiten. Ter vergelijking: bij de leden van de nieuwe generatie is dit 46 procent. Zoals het hoort, zeggen werknemers van in de twintig en dertig dat vrije tijd, levensstijl en gezin minstens net zo belangrijk zijn als werk. Persoonlijk ben ik blij met deze verandering in waarden; de huidige generatie heeft gezondere waarden dan de babyboomers, die vinden dat hun werk hun leven is.

Vrijetijdsliefhebbers kunnen helpen de werkloosheid terug te dringen

Als meer mensen de kwaliteit van het leven en vrije tijd tot prioriteit zouden maken, is dit op de lange termijn gunstig voor zowel mensen met, als mensen zonder werk. Een onderzoek uit 1996 door Robert Half International toont aan dat mannen en vrouwen in de Verenigde Staten bereid zijn meer werk en geld in te leveren om tijd met hun gezin door te brengen dan in 1989 het geval was. Bijna tweederde van de werknemers is bereid uren en salaris in te leveren – de gemiddelde korting die ze zouden accepteren is 21 procent. Uit een soortgelijk opinieonderzoek in 1989 bleek dat ongeveer hetzelfde aantal respondenten bereid was gemiddeld 13 procent van hun werktijd en salaris in te leveren om meer tijd met hun gezin te kunnen doorbrengen.

Als er meer werkende mensen minder uren werken voor minder salaris, ontstaan er nieuwe mogelijkheden voor de werklozen. Frank Reid, een econoom aan de Universiteit van Toronto, geciteerd in een artikel in het blad *Western Living*, zei dat er vijftigduizend nieuwe banen in Canada gecreëerd zouden worden door degenen die dat willen minder te laten werken en dit extra werk over te dragen aan de werklozen. Dienovereenkomstig zou het aantal banen dat in de Verenigde Staten zou worden geschapen, enkele miljoenen belopen.

We maken ons altijd klaar om te leven, maar leven niet echt.
—Ralph Waldo Emerson

Helaas ontstaan er door organisatorische en maatschappelijke onbuigzaamheid ten opzichte van nieuwe dienstverbandopties barrières tegenover het benutten van deze kans om de werkloosheid te verminderen. Laten we hopen dat deze barrières in de toekomst verwijderd zullen worden. Als deze barrières verdwenen zijn, zullen veel werkende en werkloze individuen gelukkiger zijn omdat ze meer evenwicht in hun leven hebben.

Om topwerknemer te kunnen worden: werk minder en speel meer

Een thriller lezen, in de tuin werken of gewoon dagdromen terwijl je in je hangmat ligt, zijn manieren om je productiviteit op je werk te verhogen. Als je topprestaties op je werk wilt leveren, probeer dan minder te werken en meer te spelen. Een ruime hoeveelheid vrije tijd in je leven zal je rijkdom vergroten. Ik heb het over geestelijke rijkdom. Op de lange duur zal je financiële rijkdom waarschijnlijk ook toenemen als je meer vrije tijd neemt.

Je overgeven aan vrijetijdsbestedingen en hobby's heeft veel voordelen. Hobby's en interesses buiten je werk helpen je vernieuwend in je werk te zijn. Terwijl je je bezighoudt met vrijetijdsactiviteiten, maakt je bewuste geest zich los van alle problemen die met je werk te maken hebben. Hierdoor kan je bewuste geest zich richten op andere dingen dan werk. Je geest zal veel creatiever zijn in het produceren van nieuwe ideeën die bijdragen aan de inventiviteit van je organisatie. Enkele van de meest creatieve doorbraken zijn gemaakt toen het verstand van mensen geen dienst had of spijbelde.

Het leven van de gemiddelde werkende persoon is uit balans. Dit geldt vooral in het zakenleven, waar veel kantoormensen veel langer dan een normale veertigurige werkweek werken. Mensen die regelmatig buitensporig veel uren werken, zijn workaholics. Perfectionisme, dwangmatigheid en obsessie zijn allemaal trekjes die horen bij de mentaliteit van de werkverslaafde. Het is belangrijk op te merken dat workaholics geen topprestaties leveren: workaholics presteren slecht. Het volgende overzicht laat de verschillen tussen werkverslaafden en topwerknemers zien.

Workaholic	**Topwerknemer**
Maakt veel uren	*Werkt normale werktijd*
Heeft geen vastomlijnde doelen – werkt om bezig te zijn	*Heeft vastomlijnde doelen — werkt naar een hoofddoel toe*
Kan niets delegeren naar anderen	*Delegeert zoveel mogelijk*
Geen interesses buiten het werk	*Veel interesses buiten het werk*
Slaat vakanties over om te werken	*Neemt en geniet van vakantie*
Heeft oppervlakkige vriendschappen op het werk ontwikkeld	*Heeft hechte vriendschappen buiten het werk ontwikkeld*
Praat altijd over werk	*Praat zo min mogelijk over werk*
Is altijd druk in de weer	*Kan genieten van duimendraaien*
Vindt het leven zwaar	*Vindt het leven een feest*

Workaholics zijn eraan verslaafd om voortdurend lange dagen te maken en ze ruimen geen tijd voor ontspannende bezigheden. Gezien de overvloedige hoeveelheid werk waaraan workaholics zich te buiten moeten gaan om zeer matige resultaten te bereiken, zijn de meesten behoorlijk incompetent. Het is zelfs zo dat de carrière van menig workaholic eindigt met ontslag. Werkverslaving is een ernstige ziekte. Als werkverslaving niet tijdig wordt behandeld, kan hij tot geestelijke en lichamelijke gezondheidsproblemen leiden. Volgens Barbara Killinger, schrijfster van het boek *Workaholics: The Respectable Addicts*, zijn werkverslaafden emotioneel gehandicapt. Hun werkobsessie zorgt ervoor dat ze maagzweren, rugklachten, slapeloosheid, depressies en hartaanvallen krijgen en in vele gevallen vroegtijdig sterven.

Hard werken is de gezondste investering. Je verschaft er de volgende echtgenoot van je weduwe prima zekerheid mee.
—Onbekend wijs persoon

Aangezien topwerknemers zowel van werk als van spel houden, zijn zij doelmatige werkers. Indien nodig kunnen zij een paar weken achter elkaar op topsnelheid draaien. Topwerknemers kunnen echter ook lui zijn (waar ze trots op zijn) als ze alleen maar routinewerk hoeven te verrichten.

Voor topwerknemers is succes in het leven niet beperkt tot het kantoor. Als je een topwerknemer bent met een evenwichtige levensstijl betekent dit dat je baan jou ten dienste staat, in plaats van dat jij je baan ten dienste staat. Consultants op het gebied van leven en werk pleiten voor een evenwichtige levensstijl waarin behoeften op zes verschillende levensgebieden worden vervuld. De zes gebieden zijn: intellectueel, lichamelijk, gezin, maatschappelijk, spiritueel en financieel.

Figuur 4-1: Je levenswiel in evenwicht brengen

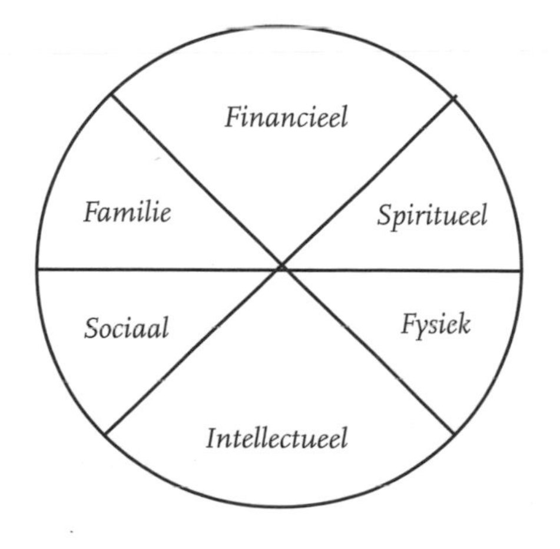

Aangezien veel bedrijven de filosofie erop nahouden dat veiligheid, salaris en pensioenregelingen de enige dingen zijn die werknemers motiveren, vervult je baan misschien alleen maar je behoeften op het financiële en maatschappelijke gebied. Je andere vier behoeften moeten dan buiten je werk worden bevredigd.

Vrijetijdsverslaafden hebben meer lol

Door veertig jaar lang of meer ijverig te werken (hoewel, soms niet zo ijverig), hopen veel werknemers op een goede dag hun beloning van vijftien tot twintig jaar vruchtbare vrije tijd te incasseren. Veel mensen zijn niet voorbereid op vrije tijd als ze met pensioen gaan, omdat ze zich er niet echt aan hebben durven overgeven toen ze nog werkten. De meeste mensen veranderen niet, tot ze moeten veranderen. Ze wachten tot hun pensionering een feit is en proberen dan wanhopig de aanpassing te maken. Voor degenen die onvoorbereid zijn, is deze aanpassing uiterst moeilijk vanwege de drastische verandering in omstandigheden. Terwijl je nog werkt, moet je al beginnen veel interesses te ontwikkelen en van vrije tijd te genieten. Het is veel makkelijker om een geleidelijke aanpassing te maken. De volgende brief werd aan mij geschreven door Carrie Ollitac uit Toronto.

Beste Ernie,

Ik heb net je fantastische boek, "Nietsdoen, een levenskunst", gelezen.

Ik ben een workaholic van vierentwintig en ik wou je gewoon even vertellen dat je me het leven in een heel ander licht hebt leren zien! Ik ben blij dat ik je boek heb kunnen lezen terwijl ik nog zo jong ben, zodat ik al zo gauw kan beginnen te "leven"!

Dank je wel,

Carrie Ollitac

Dit is een van de kortste brieven die ik ooit ontvangen heb, maar de boodschap is heel krachtig. Het bedrijfsleven zou liever werkverslaving ondersteunen ten koste van de evenwichtige levensstijl van werknemers. In organisaties worden werknemers beloond voor gestructureerd denken en een vernauwde blik die de bedrijfsmissie ondersteunt. Als vrijetijdsactiviteiten al aangemoedigd worden, moedigen de meeste organisaties activiteiten aan die met het werk samenhangen of die werknemers helpen beter te presteren. De meeste organisaties zijn er niet in geïnteresseerd dat werknemers een ruime belangstelling buiten het werk hebben.

Ook is het zo dat veel Noord-Amerikanen vrijetijdsactiviteiten hebben die weinig of geen kwaliteit bezitten. De activiteiten die ze ondernemen hebben tot doel te recupereren van een hectische werkdag of -week, en het gaat er niet om er gewoon van te genieten. Veel activiteiten zijn helemaal niet rustgevend. In plaats van spanning te verlichten, dragen ze nog bij aan de spanning ook.

Het is in je eigen belang, vooral als je uiteindelijk een gemakkelijk leven wilt leiden, om er veel interesses op na te houden die niets met je carrière te maken hebben. Vrije tijd is niet iets dat je op moet sparen tot je helemaal zonder werk zit. Een evenwichtig leven leiden betekent je overgeven aan vrije tijd gedurende je hele leven. Als je dan toch aan iets verslaafd wilt raken, raak dan verslaafd aan vrije tijd – vrijetijdsverslaafden hebben meer pret dan workaholics.

Als vrijetijdsverslaafde zul je niet alleen meer lol hebben, je bereidt je ook vast voor op de tijd dat je je baan zou kunnen kwijtraken. Vrije tijd waar rustig mee omgegaan wordt, maakt je niet alleen gelukkiger terwijl je nog werkt, maar bereidt je tevens voor op een beter leven als je zonder werk komt te zitten. Pensioenadviseurs raden werknemers aan zich voor te bereiden op hun pensionering en hiervoor plannen te maken als ze vijfendertig of jonger zijn. Hobby's en nieuwe vaardigheden die niet zijn gecultiveerd voor men met pensioen gaat, zijn heel moeilijk te cultiveren als men al met pensioen is.

Helen Thomas, meer dan vijfentwintig jaar lang perschef van United Press International aan het Witte Huis, zegt dat van alle voorgaande presidenten die zij gekend heeft – Johnson, Nixon, Carter en Reagan, alleen Jimmy Carter zijn pensionering werkelijk aanvaardde en deze bevredigend vond (geciteerd uit het boek *Are You Happy*, door Dennis Wholey). Jimmy Carter is het meest succesvol in zijn pensioentijd omdat hij zijn identiteit niet liet afhangen van zijn baan en van voortdurende erkenning door anderen. Carter had ook vele groeiende interesses – zoals schrijven, houtbewerken en meubelmaken – die hij actief beoefent sinds hij geen president meer is. De burgers van de Verenigde Staten schijnen te weten dat Carter het beste af is. In een recent opinieonderzoek noemde 45,1 procent van de respondenten Carter als de nog levende ex-president die zich het effectiefst en meest passend gedraagt sinds het verlaten van zijn ambt, terwijl 18,5 procent Ronald Reagan koos en 9 procent Richard Nixon.

Figuur 4-2. Voor en Na voor een workaholic

Workaholic voor pensionering	**Workaholic na pensionering**
Werk Relatie	*~~Werk~~ Relatie*

Figuur 4-2. Voor en Na voor een vrijetijdsverslaafde

Vrijetijdsverslaafde voor pensionering	**Vrijetijdsverslaafde na pensionering**
Werk Relatie *Golf Tennis Jogging* *Postzegels verzamelen Kerk* *Lezen Tuinieren* *Vrijwilligerswerk Vrienden*	*~~Werk~~ Relatie* *Golf Tennis Jogging* *Postzegels verzamelen Kerk* *Lezen Tuinieren* *Vrijwilligerswerk Vrienden*

Figuur 4-2 laat het gevolg van het verliezen van een baan zien als je geen interesses hebt. Als je alleen maar je baan en een relatie hebt (huwelijk of iets anders), zal je leven zeer beperkt worden als je je baan verliest. Zonder baan heb je alleen maar je relatie om je bezig te houden. Figuur 4-3 laat het effect van het kwijtraken van je baan zien als je veel interesses en hobby's hebt. Als vrijetijdsverslaafde ben je niet helemaal afhankelijk van je relatie om vervulling te vinden, want je kunt je extra tijd aan een scala aan activiteiten en interesses besteden.

Uiteenlopende interesses hebben is belangrijk. Het leven kan heel leeg voelen als je geen ruime variëteit aan interesses hebt. Als je werkt is het belangrijk om veel verschillende interesses buiten je loopbaan te hebben. Alleen maar een enkele interesse, zoals bijvoorbeeld golfen, zal niet voldoende zijn om je tijd te vullen. Verzeker je ervan dat je een ruime en gevarieerde combinatie van bezigheden hebt, van het schrijven van boeken tot golfen, tot vrienden opzoeken, tot het volgen van een cursus die niets met je werk te maken heeft. Het is ook belangrijk dat je bezigheden kiest die enigszins doel- en prestatiegericht zijn.

Ik kan niet wachten om weer naar kantoor te gaan en iedereen te vertellen hoe geweldig ik het naar mijn zin heb gehad, zelfs al was dat niet zo.

Vrijetijdsbesteding zou rustig en enthousiast moeten gebeuren, gewoon omdat het leuk is om te doen en helemaal niets met werk te maken heeft. Als je de tijd voor ontspannende bezigheden neemt, gebruik die dan niet, wat gebruikelijk is in Noord-Amerika, om je batterijen op te laden om weer verder te kunnen werken. Vrije tijd is een doel op zichzelf en heeft niet als doel beter te kunnen werken. Het voornaamste doel van vakantie is genieten van je vrije tijd, niet om op te laden. Dit is een instelling die je in Europa kunt vinden, waar al vele eeuwen een hoogwaardige vrijetijdstraditie bestaat die ooit begon in de hogere klassen.

Na twee weken vakantie glimlach je eindelijk eens.

Om doeltreffend met vrije tijd tijdens je loopbaan om te gaan, kun je deze het beste op je gemak besteden en niet door competitie. Het kan zelfs gebeuren dat je, door op de verkeerde manier met je vrije tijd om te gaan, meer stress oploopt dan met werken. In Noord-Amerika is vakantie heel vaak een compleet volgeplande week met een reisschema dat veel weg heeft van een week op kantoor. De week wordt in een kuuroord of ashram doorgebracht, met weinig tot geen spontane mogelijkheden. Een skivakantie in de Rocky Mountains of Alpen zit zo boordevol activiteiten dat ontspanning nauwelijks mogelijk is. Om de stress nog te verhogen, houden veel werknemers op vakantie nog regelmatig contact met het kantoor. Uit onderzoek is gebleken dat veel mensen vakanties stressvoller vinden dan de tijd rond kerst, hoewel men toch heel wat stress ervaart voor Kerstmis. Vakanties zouden heel wat minder spanning opleveren als mensen de tijd zouden nemen om een boek te lezen, met de buren kennis te maken, of gewoon voor de lol een roman te schrijven. Rustigere vakanties zijn ook een betere manier om je op je pensioentijd voor te bereiden.

Weinig vrouwen en nog minder mannen hebben genoeg karakter om niets te doen.
—E.V. Lucas

Een ander voorbeeld van competitieve vrije tijd zie ik op mijn tennisclub. Ik tennis om in vorm te blijven en plezier te hebben. Veel van de mensen op tennisbanen daarentegen zijn zelfs nog competitiever dan ze in het bedrijfsleven zijn. De blik op hun gezicht vertoont een niveau van ernst dat normaal gesproken voorbehouden is aan begrafenissen en oorlogen. Ze hebben er alles voor over om te winnen: de meest getalenteerde partners uitzoeken, minder goede tegenstanders uitkiezen of vals spelen. Als ze niet winnen, zullen ze tegen een vriend liegen over de uitslag van de wedstrijd. Voor mij zijn dit geen mensen die van hun vrije tijd genieten; dit zijn mensen met ernstige problemen.

Waarom je een vrijetijdskenner zou moeten zijn

Elizabeth Custer, vrijetijd-redacteur bij het blad *Glamour*, belde me onlangs op uit New York om mijn mening te vragen over waarom de lezers van het tijdschrift in een enquête aangaven dat ze meestal op zondag meer uitgeput waren dan op vrijdag. Verbaasd over de uitkomst van het onderzoek moest ik eerst even nadenken over de vraag voor ik een gepast antwoord kon geven.

Het antwoord is te vinden in het protestantse arbeidsethos. Iemand die op bezoek komt van een andere planeet zou denken dat bij de meeste mensen een behoorlijk steekje los is om zo met hun vrije tijd om te gaan. Vanwege het protestantse arbeidsethos voelen veel mensen angst of schuld als ze zich proberen te ontspannen. In plaats daarvan gaan ze druk in de weer met van alles. De weekends worden gebruikt om allerlei klusjes te doen en persoonlijke zaken te regelen. Er wordt tijd besteed aan het repareren van het huis, grasmaaien en zorgen voor de kinderen. De drukdoenerij tijdens het weekend draagt nog eens bij aan de overwerktheid die al tijdens de werkweek opgebouwd werd. Vanwege de zelfopgelegde eisen die men aan zijn tijd stelt, wordt er minder tijd aan de eerste levensbehoeften besteed, zoals slapen en eten. Het is dan ook geen wonder dat werknemers zich op zondag meer uitgeput voelen dan op vrijdag.

We worden verondersteld in het weekend en als we met pensioen zijn makkelijk met vrije tijd om te gaan. Niets is minder waar. Onder druk van de maatschappij werken we hard en voelen we ons schuldig als we niet werken. Veel mensen zijn bang voor vrije tijd of weten gewoon niet hoe ze ervan kunnen genieten. Volgens sommige onderzoekers willen de meeste Amerikanen niet meer vrije tijd; ze vinden alleen voldoening en zin in het doen van dingen.

Om vrije tijd goed te benutten, zijn discipline en een bepaalde houding vereist. Om een vrijetijdskenner te worden, moet je regelmatig even stoppen en de geur van de rozen opsnuiven. Vrije tijd zou meer moeten zijn dan alleen maar een tijd waarin je bijkomt van en voor je werk. Ware vrije tijd wordt besteed aan activiteiten als innige gesprekken, tennis, seks of naar een zonsondergang kijken; het gaat om genieten van de activiteit op zich. Ware vrije tijd is alles wat je gewoon voor je plezier doet; niet om productiever op je werk te zijn.

Als je geen vrijetijdsbesteding kunt bedenken, werk je te hard en heb je niet genoeg tijd besteed aan het leren kennen van jezelf. Het is nooit te laat om een nieuwe interesse te ontplooien of een nieuwe sport of vaardigheid te leren. Het vermogen bezitten om te genieten van niet werken, kan op verschillende tijden handig van pas komen tijdens je werkjaren.

Vier belangrijke redenen om een vrijetijdskenner te zijn

> Als je naar een sollicitatiegesprek gaat en je wilt wanhopig een baan hebben, zullen degenen die het gesprek afnemen dit waarschijnlijk opmerken. Als je gelukkig bent zonder baan, zit je in een veel betere gemoedstoestand terwijl je op zoek bent naar werk. Als je niet wanhopig naar een baan zoekt, zal je positieve houding duidelijk zichtbaar zijn en zul je veel meer kans hebben om aangenomen te worden.

> Aangezien de werkloosheidscijfers hoog blijven, zullen de meeste mensen vaker en langer zonder werk zitten. Daarom is het alleen maar verstandig om te leren zo gelukkig mogelijk te zijn als we geen baan hebben.

> Als je je identiteit op je werk baseert, raak je jezelf kwijt wanneer je je baan kwijtraakt. Als je identiteit op andere elementen gebaseerd is, heb je je identiteit met of zonder baan.

> Als je leert gelukkig te zijn zonder baan, zul je niet zo bang zijn om hem te verliezen. Je zult erop vertrouwen dat je het leven aangenaam blijft vinden, ongeacht je situatie.

Leer, om het kalm aan te kunnen doen, vrije tijd op een ongebruikelijke manier te benaderen. Wees niet als de snelheidsduivels in het bedrijfsleven die in hun vrije tijd net zo competitief zijn, of zelfs nog erger, als op hun werk. Ze hebben totaal niet door waar het eigenlijk om gaat. Houd vakantie thuis en weiger contact op te nemen met kantoor. Trakteer jezelf op een onverwachte snipperdag om wat meer spontaniteit in te brengen in je

De eerste helft van het leven bestaat uit het vermogen te genieten zonder de kans ertoe te krijgen; de laatste helft bestaat uit de kans zonder het vermogen.
—Mark Twain

leven. Als je even geen baan hebt, ga dan een paar maanden op vakantie. Het doel is om het zo kalm mogelijk aan te doen. Je zult tijdens je werkleven meer ontspannen zijn en beter voorbereid op je pensioentijd.

Veel futuristen voorspellen nu dat werk zoals we dat sinds de industriële revolutie kennen waarschijnlijk nagenoeg zal verdwijnen. Naarmate meer robots en computers gebruikt worden in plaats van menselijke arbeid, zal er minder werk beschikbaar zijn voor de doorsnee bevolking. De toekomst eist dat je leert hoe je een vrijetijdskenner moet zijn.

Ontsla jezelf als je werkgever het niet doet

Het is fijn om geld te hebben en de dingen die je ermee kunt kopen. Maar het is ook fijn om je af en toe even af te vragen, of je de dingen niet bent kwijtgeraakt, die niet voor geld te koop zijn.
—George Horace Lorimer

Werk kan een onbalans in je leven scheppen. Sommige banen vereisen constante aandacht en geven je niet de gelegenheid om er een evenwichtige levensstijl op na te houden. Het gevolg is vaak een ongelukkige partner, onopgevoede kinderen, geen sociaal leven en je voelt je ellendig. Als je ongeveer net zo beloond wordt voor je baan als de kapitein van de Titanic, dan moet je iets doen aan de omstandigheden in je leven.

Hier volgen enkele signalen dat je leven niet in balans is en dat je waarschijnlijk de verkeerde baan hebt:

> Je neemt meer ziektedagen op dan gemiddeld vanwege hoofdpijn, spanning en andere stressgerelateerde klachten.

> Je vindt het bijna elke morgen vreselijk om naar je werk te gaan.

> Je verricht veldwerk op de koudste winterdagen, ook al heb je een kantoorbaan.

> Je houdt gewoon niet van deze baan omdat je creatieve kant niet aan bod komt.

> Je voornaamste doel om deze baan nog zestien jaar te houden, is een goed pensioen te incasseren.

> Het eerste uur op je werk besteed je aan het lezen van de saaie stukken uit de krant van gisteren.

> Je bent getrouwd met je werk; je leven bestaat alleen maar uit werken zonder spelen.

> Je kunt je niet herinneren wanneer je voor het laatst enthousiast was over je werk.

> Je vindt het moeilijk om je bestaan te rechtvaardigen.

> Je baan ondermijnt je gezondheid door slapeloosheid, buitensporige stress en geen tijd om te ontspannen.

> Je zit de halve werkdag te dagdromen.

> Je probeert, zonder succes, jezelf en anderen te overtuigen dat je werk stimulerend is.

> Je doet alleen maar wat je moet doen.

> Je hebt moeite je te concentreren en kunt geen nieuwe ideeën bedenken voor je projecten en problemen.

> Je steelt van je werkgever en probeert dit te rechtvaardigen.

> Wat je ooit wel kon verdragen in je werk maakt je nu boos.

> Als je aan je werk denkt, word je neerslachtig.

> Je hebt alle betrokkenheid bij je werk verloren.

> Je verlangt ernaar om weer te studeren op de universiteit of op school, zelfs al vond je geen van beide leuk.

> Om vijf uur op zondagmiddag neemt je spanningsniveau drastisch toe omdat je maandag weer naar je werk moet.

> Je hebt niets goeds te melden over je bedrijf, hoewel het onlangs zelfs opgenomen werd bij de honderd personeelsvriendelijkste bedrijven van het jaar.

We hebben allemaal de neiging om ons te gaan nestelen in bestaande omstandigheden, zelfs als die onaangenaam voor ons zijn (er zijn vele soorten geesteszieken). Op het werk blijven we hangen in uitzichtloze banen, beroepen die we niet leuk vinden en bij bedrijven die ons slecht behandelen. De werkplek kan een belangrijke bron van verveling zijn. Een enquête van Lou Harris heeft uitgewezen dat 40 procent van de Amerikanen hun werk oersaai vindt. We verzetten ons tegen verandering omdat we bang zijn voor het onbekende. Dat gold zeker voor mij toen ik nog ingenieur was. Onwillig om mijn baan op te zeggen, bleef ik tot ik ontslagen werd. Achteraf besef ik dat ik onbewust mijn ontslag zelf in de hand gewerkt heb.

Er is iets mis mijn gezichtsvermogen.
Ik zie de zin van werken niet.
—Teddy Bergeron

De dag waarop je in de gaten krijgt dat je baan je niet vervult of enthousiast maakt, is de dag waarop je moet gaan overwegen weg te gaan. Ontsla jezelf als je werkgever het niet doet. Zelfs als je over het geheel je baan leuk vindt, wordt het tijd actie te ondernemen als er meer dan vijftig uur per week van je leven door opgeslokt wordt en je niet blij bent met je onevenwichtige levensstijl. Als je partner je een vreemde noemt, je kinderen aan de drugs zijn en jij je ellendig voelt, waarom zou je dan niet iets anders gaan doen? Mijn advies is: neem ontslag! Vergeet deze smoesjes: ik kan geen ontslag nemen omdat ik de zekerheid nodig heb, ik moet mijn grote huis afbetalen, ik wil de kinderen laten studeren, en alle andere excuses die opkomen. Wacht het juiste moment om je baan op te zeggen niet af. Doe het nu, want het juiste moment komt nooit; de juiste tijd afwachten is weer zo'n smoes die goed van pas komt om uitstel te rechtvaardigen.

Hoeveel geld je ook verdient, je zult de veertig uur die je in een baan steekt die je niet inspireert, nooit terug kunnen krijgen. Het is onmogelijk genoeg plezier terug te kopen tijdens je pensioen om het plezier dat je gemist hebt terwijl je dat rotwerk deed, goed te maken. Vraag jezelf af: "Wat heeft geld voor zin als het werk mij mijn gezondheid kost?" Zelfs rijke mensen kunnen hun gezondheid niet terugkopen.

Alle betaalde banen nemen de geest geheel in beslag en degraderen het verstand.
—Aristoteles

Veel mensen werken tot aan hun pensioen bij hetzelfde bedrijf, zelfs als ze het werk of het bedrijf niet leuk vinden, omdat ze hun goede salaris niet willen opgeven. Anderen, zoals de onderwijzers die ik ken, hebben een hekel aan wat ze doen, maar veranderen niet van loopbaan vanwege het uitstekende pensioen. Door een onaangename baan of ongewenste carrière aan te houden, gaan deze mensen ver onder hun optimale niveau functioneren. De kans om overwerkt te raken voor hun pensioen wordt er ook door verhoogd en dan kunnen ze niet eens de vruchten van hun pensioenregeling plukken.

Je bent gevangene van het systeem als je alleen maar voor het geld werkt. Laat het idee van de maatschappij over financiële zekerheid niet je leven dicteren. Alleen maar om het geld tijd besteden aan een baan waar je een hekel aan hebt, zal je levensplezier vergallen. Hoe vreemd het misschien ook klinkt, je vermogen om geld te verdienen wordt er ook door belemmerd. Er bestaat een algemene opvatting dat door je financiële situatie op orde te brengen, je andere behoeften ook geregeld worden. Het tegenovergestelde is meestal het geval. Uit studies is gebleken dat individuen die doen wat ze leuk vinden, over het algemeen uiteindelijk veel meer verdienen dan individuen die een hekel aan hun baan hebben en die alleen voor het geld werken. Het is belangrijk dat je groeit in je werk, te doen wat je leuk vindt en je favoriete talenten in te zetten. Houding komt nu weer in beeld. Als je het gevoel hebt dat je werk waardevol is en plezierig, dan bestaat de kans dat je genoeg geld naar je toe zult trekken om van het leven te genieten.

Werk is het mooiste wat er is,
dus moeten we er altijd wat
van bewaren voor morgen.
—Don Herold

Het is niet onmogelijk om een baan op te zeggen, alleen maar moeilijk. Houd jezelf niet voor de gek door te denken dat iets onmogelijk is, terwijl het alleen maar moeilijk is. Als je iets wilt doen, en je verplicht jezelf ertoe, dan kun je het. Je zult er een prijs voor moeten betalen, maar op de lange duur zal dat het waard zijn. Doe je man of vrouw een plezier, doe je kinderen een plezier, doe je organisatie een plezier, en doe jezelf een plezier. Als je onderwijzer bent, docent aan een middelbare school of universiteit en je hebt een hekel aan je werk, doe dan ook de maatschappij een plezier door ontslag te nemen, want je hebt niets te zoeken voor de klas.

Als je overweegt je baan op te zeggen, vraag jezelf dan af: "Wat is het ergste dat er kan gebeuren als ik mijn baan opzeg?" Nadat je het ergste dat kan gebeuren hebt vastgesteld, vraag jezelf dan af: "Wat dan nog?" Als de keerzijde geen dood of terminale ziekte is, zeg dan: "Wat kan het schelen, het is niet het einde van de wereld." Plaats de dingen in het juiste perspectief; richt je op het positieve in plaats van het negatieve, en je leven verandert drastisch. In de eerste plaats ben je gezond en leef je. Denk nu na over alle opties in je leven. In Noord-Amerika heb je zelfs zonder baan meer mogelijkheden dan miljoenen mensen op deze aarde

Leer even stil te staan ... of er zal niets dat de moeite waard is je inhalen.
—Doug King

ooit zouden kunnen dromen. Wat betreft zorgen over zekerheid, er bestaat niet zoiets als echte zekerheid die voortkomt uit het vastklampen aan een baan. Weten dat je het vermogen en de creativiteit bezit om altijd de kost te verdienen, is de beste financiële zekerheid die je hebt.

Denk eens aan de fantastische bezigheden waaraan je deel kunt nemen als je tussen deze baan en de volgende in zit. Je kunt alles wat je bezit verkopen en van de opbrengst de wereld rondreizen. Je kunt naar China gaan en Rio de Janeiro en naar Mexico. Je kunt naar Spanje gaan en daar gaan zitten schilderen. Je kunt het boek gaan schrijven waar je altijd al van gedroomd hebt. Je kunt tot tien uur uitslapen. Als het tijd wordt om weer te gaan werken, vind je misschien wel een veel betere baan dan je ooit had. Als je jezelf eenmaal ontslagen hebt, wil je misschien geen andere baan als dat enigszins mogelijk is zonder ernstige financiële ontbering te hoeven lijden. Veel mensen krijgen een beter gevoel over zichzelf als ze uit het bedrijfsleven stappen. Zelfs mensen die geen goede financiële positie kunnen vinden, zeggen dat ze het heel moeilijk zouden vinden om naar hun oude bedrijf terug te keren.

Er zal altijd enig risico verbonden zijn aan het verlaten van je baan; alles wat de moeite waard is brengt risico's met zich mee. Bovendien kun je vroeg of laat sowieso ontslagen worden. Aangezien bezuinigingen zoveel voorkomen in deze tijd, is de kans groot dat je bedrijf je zal laten gaan, of je wilt of niet (een duidelijk teken dat dit op het punt staat te gebeuren is als je een secretaresse krijgt die niet kan lezen of schrijven). Door je baan vrijwillig op te geven, word je gedwongen om te gaan met het feit dat je zonder baan zit. Je zult meer bedreven zijn in het omgaan met zo'n moeilijke situatie als deze zich nogmaals voordoet.

Voor de herziening van deze uitgave van dit boek schreven veel mensen me op blijde toon dat ze hun baan hadden opgezegd na het lezen van “Nietsdoen, een levenskunst”. Het materiaal op de voorafgaande bladzijden heeft mensen, zoals bijvoorbeeld Les uit Londen, erg geholpen om weg te gaan bij hun baas. Hier volgt de complete brief van Les.

Beste Ernie,

Ik heb zojuist je boek “Nietsdoen, een levenskunst” uit. Je inspirerende woorden hebben mij het leven met andere ogen doen zien. Ik heb altijd het gevoel gehad dat harder werken mijn problemen uit de weg zou ruimen, maar het enige dat het ooit heeft opgeleverd is dat mijn leven nog gecompliceerder werd en dat ik meer problemen kreeg. Je hebt me de moed gegeven om ontslag te nemen. Ik was belastingadviseur. Nu ben ik weer een mens.

Jazeker. Ik liep vanochtend binnen en vertelde hun dat ik ontslag nam omdat mijn vrouw, mijn kinderen en mijn gezondheid (zowel geestelijk als lichamelijk) belangrijker waren. Ik heb zekerheid gezocht in steeds meer te werken, maar dat is niet het antwoord. Er zijn zoveel dingen die ik heb willen doen, maar waarvan ik dacht dat ik het niet kon. Ik ben dol op lezen en ik heb altijd het gevoel gehad dat schrijven een natuurlijk verlengstuk van mijn persoonlijkheid zou zijn. Als je tijd hebt, zou ik graag vernemen hoe je bent begonnen met schrijven. Ik ben ook gezakt voor mijn eerstejaars Engels aan de universiteit.

Dank je,

Les

Het grootste risico ligt misschien wel in het niet opzeggen van je baan, zoals blijkbaar bij Les het geval was. Hij heeft me tweemaal geschreven na zijn oorspronkelijke brief en het ging heel goed met hem de laatste keer dat ik iets van hem hoorde. Als je niet kunt riskeren om helemaal te leven, wat kun je dan wel riskeren? De verplichte figuren afwerken in je baan betekent dat je acht tot tien uur per dag besteedt op een saaie, vreugdeloze en matte manier. Als je baan zijn tol eist van je spirit, lichaam en verstand, wordt het tijd om weg te gaan, of je nu wel of niet een andere baan hebt. Er zijn dingen die je niet op moet geven voor welke baan dan ook. Je waardigheid en zelfrespect moeten op de eerste plaats komen. Als je vrijheid in het geding is, geef die baan dan onmiddellijk op. Geen baan is de moeite waard, als de persoonlijke offers die je moet maken, je levensplezier in de weg staan.

Geef je gehoor aan je roeping?

Een van de voornaamste bronnen van geluk voor iemand is het hebben van een speciaal doel of persoonlijke missie. Als je moeite hebt met opstaan 's morgens, heb je je persoonlijke missie nog niet gevonden. Een belangrijk doel in het leven hebben, betekent werkelijk te leven. 's Morgens, als je een doel hebt, kun je je hoge staat van opwinding en enthousiasme voor de dag die aangebroken is niet in bedwang houden. Je staat te popelen om aan de slag te gaan, of het nu regent, sneeuwt of dat de zon schijnt. Je persoonlijke missie is een roeping in je leven die voortkomt vanuit je ziel; het is je essentie en de reden van je bestaan. Je persoonlijke missie is de reden waarom je op deze wereld bent gekomen.

De reden waarom zoveel mensen van de generatie van de babyboomers lijden aan een midlifecrisis, is dat ze nooit hun hartstochten gevolgd hebben. In de jaren tachtig jaagden de meesten van deze mensen carrières of banen na die het meeste geld opleverden, zodat ze er de yuppielevensstijl van buitensporig materialisme op na konden houden. Ze hebben misschien succes in hun carrière behaald, althans in hun termen: aan de top van de bedrijfsladder komen en materiële bezittingen vergaren. Maar hun huwelijk ligt misschien in puin, hun kinderen zijn verpest en zijzelf lijden aan grote stress en ontevredenheid.

De diepste persoonlijke nederlaag door mensen geleden wordt gevormd door het verschil tussen wat iemand had kunnen worden en wat hij in feite geworden is.
—Ashley Montagu

Geluk betekent je persoonlijke missie vinden en deze met hartstocht volgen. Het is belangrijk dat je je persoonlijke missie vindt, als je een leven wilt leiden met een overkoepelend doel. De meeste ongelukkige mensen hebben hun ultieme doel of persoonlijke missie niet gevonden. Velen hebben het niet gevonden omdat ze er niet naar gezocht hebben; sommigen hebben het niet gevonden omdat ze niet weten hoe ze het kunnen vinden.

Je leven zal veel meer de moeite waard zijn, als je de tijd en de moeite neemt om je persoonlijke missie te vinden en deze dan met hartstocht na te streven. Je ultieme doel of persoonlijke missie verwaarlozen zal je veel ontevredenheid bezorgen. Vermijden waar je van houdt, kan emotionele verwarring en fysieke klachten tot gevolg hebben. Mensen die hun ware interesses en verlangens onderdrukken, hebben de meeste kans om verslaafd te raken aan alcohol, drugs, werk of televisie, in een vruchteloze poging de pijn en ontevredenheid in hun leven te verlichten.

Het is niet voldoende om het druk te hebben ... de vraag is: waar maken we ons druk over?
—Henry David Thoreau

Een persoonlijke missie is van een hogere orde dan een doel. Een doel, zoals algemeen directeur worden van je organisatie, laat je met niets om voor te leven achter als je het eenmaal bereikt hebt. Een persoonlijke missie, zoals de wereld leefbaarder maken door iedereen zijn vervuiling te laten terugdringen, is een hogere roeping. Je kunt deze je hele leven lang nastreven.

Iedere roeping is fantastisch, als deze enthousiast wordt nagestreefd.
—Oliver Wendell Holmes Jr.

Iedereen kan een primair levensdoel ontdekken. Je persoonlijke missie kan uitgedrukt worden door middel van je carrière of werkzaamheden, maar hoeft niet noodzakelijkerwijs met je werk te maken te hebben. Ze kan ook uitgedrukt worden door middel van vrijwilligerswerk, een bepaald tijdverdrijf, een hobby of een andere vrijetijdsbesteding. De uiteindelijke roeping in je leven kan uitgedrukt worden door middel van een combinatie van de diverse facetten van je leven, waaronder je interesses, je diepgaande relaties, je werk en je vrijetijdsbezigheden.

Ik lig hier soms een beetje te mediteren over mijn grotere levensdoel, maar meestal fantaseer ik gewoon over wat ik ga doen als ik een miljoen in de loterij heb gewonnen.

De *Vancouver Sun* bracht onlangs verslag uit van de non Zuster Beth Ann Dillon, die haar missie via basketbal, haar lievelingssport, tot uiting bracht. Het is natuurlijke overbodig te vermelden dat haar persoonlijke missie is God te dienen door anderen te dienen. Ze leidt een eenvoudig leven, vrij van materiële opsmuk, maar vol vreugde. Het schijnt dat Zuster Dillon al net zo lang van basketbal houdt als van God. Tijdens haar vrijwilligerswerk leert ze meisjes aan een lagere school basketbal. Ze gelooft dat basketbal spelen mensen dichter bij God kan brengen. In 1989 ontmoette ze Paus Johannes Paulus in Chicago; ze heeft ook Moeder Teresa ontmoet. Nu Vancouver zijn eigen team heeft – de Grizzlies –, verheugt ze zich erop om Michael Jordan te ontmoeten.

Deepak Chopra geeft in zijn boek "De Zeven Spirituele Wetten tot Succes" zeven wetten om moeiteloos succes te behalen. Zijn zevende wet is "dharma", wat betekent je plicht, unieke talenten en belangrijk levensdoel. Het zal je niet ontbreken aan levenslust als je je persoonlijke missie ontdekt hebt. Je wezenlijke aard zal je doel bepalen en wat je werkelijk in je leven tot stand wilt brengen.

Je persoonlijke missie heeft niets met geld verdienen te maken. Een persoonlijke missie of doel hebben, betekent je unieke talenten zodanig benutten, dat de omstandigheden van de mensheid erdoor verbeteren. Jouw leven verbetert ook van-

Een musicus moet musiceren, een kunstschilder schilderen, een dichter dichten, om uiteindelijk vrede met zichzelf te hebben.
—Abraham Maslow

Muziek is mijn minnares en ze speelt bij niemand de tweede viool.
—Duke Ellington

wege de voldoening en het geluk dat je ondervindt. Tijdens het benutten van je talenten in het nastreven van je missie, kunnen er verschillende nevenproducten ontstaan; een nevenproduct kan zijn veel geld verdienen.

Een persoonlijke missie zal nauw verbonden zijn met je waarden en interesses. Een baan die je aanneemt met als enig doel geld verdienen of een vrijetijdsbezigheid die je onderneemt om de tijd te doden, is geen persoonlijke missie. Je persoonlijke missie is iets dat verschil maakt in deze wereld. Als je een overkoepelend levensdoel hebt, weet je dat de mensheid de vruchten plukt van jouw inspanningen. Een missie kan in de ogen van anderen heel bescheiden zijn. De vader van een vriend, bijvoorbeeld, is conciërge aan een school en zijn missie is de schoonst mogelijke school te creëren voor de leerlingen en leraren. Hier volgen nog een aantal voorbeelden van persoonlijke missies:

> De wereld leefbaarder maken door vervuiling terug te dringen

> Geld inzamelen om voor anderen die hulpbehoevend zijn te zorgen

> Kinderen helpen een speciaal talent helpen te ontplooien, zoals bijvoorbeeld pianospelen

> Ontspannende kinderboeken schrijven om jongens en meisjes te helpen de wonderen der wereld te ontdekken

> Buitenlandse reizigers de best mogelijke rondleiding door de Rocky Mountains te geven

> Een vruchtbare relatie scheppen en deze opwindend en energiek houden

Je persoonlijke missie zal je sterk verbinden met wie je bent en de wereld om je heen. De tijd nemen om de volgende vragen te beantwoorden zal je helpen achter een persoonlijke missie te komen die je zou willen nastreven.

Ik heb nooit aan iets presteren gedacht. Ik heb gewoon gedaan wat zich aandiende om gedaan te worden – datgene wat me het meeste plezier verschafte.
—Eleanor Roosevelt

1. Wat zijn al je passies? Ontdekken wat je opwindend vindt, is het belangrijkste element om je persoonlijke missie te herkennen. Je passies schenken je grote vreugde; het lijkt wel of je onbeperkte energie hebt als je je hartstochten volgt. Schrijf alle dingen op die je plezierig vindt. Je lijst kan uiteenlopende dingen bevatten als vissen, paardrijden, anderen helpen, onderzoek verrichten in de bibliotheek, mensen aan het lachen maken en reizen in het buitenland. Besteed aandacht aan de dingen waarvoor je een paar uur eerder zou willen opstaan dan je gewoon bent.

Het doel van het leven is niet om gelukkig te zijn. Het is om nuttig, eerzaam, mededogend te zijn, zodat het wat uitgemaakt heeft dat je geleefd hebt.
—Ralph Waldo Emerson

2. Wat zijn je sterke punten? Kijken naar je sterke punten zegt iets over jezelf en waar je je energie op wilt richten. Als je artistiek bent en je door je creatieve stroom kunt laten leiden, wil je misschien wel schilderen of muziek maken of beeldhouwen. Sterke punten ondersteunen gewoonlijk passies.

3. Wie zijn je helden? Besteed wat tijd aan nadenken over je held of helden die goede rolmodellen zouden zijn. Helden kunnen mensen uit het verleden of heden zijn die je hebt bewonderd of zelfs vereerd. Het kunnen beroemde of onbekende mensen zijn die iets speciaals of uitmuntends doen. Als je de kans zou krijgen, welke drie rolmodellen zou je uitkiezen om mee uit eten te gaan? Wat hebben deze mensen bereikt dat je bewondert? De kwaliteiten en daden van je helden bestuderen zal je aanwijzingen geven over je eigen aspiraties.

4. Wat wil je ontdekken of leren? Het is belangrijk te kijken naar wat je nieuwsgierigheid prikkelt. Welk onderwerp of gebied zou je nader willen verkennen? Denk na over de cursussen of seminars die je zou willen doen als een rijk familielid uit het niets zou opduiken en je zou aanbieden om twee jaar studie te financieren, waar ook ter wereld.

Deze vragen beantwoorden kan je op het juiste spoor zetten om je persoonlijke missie te ontdekken. Als je contact krijgt met je diepste verlangens, verbind je je met je persoonlijke missie. Niemand anders kan jouw ultieme levensdoel ontdekken.

Gegarandeerd werk is een utopie

De musical *How to Succeed in Business Without Really Trying* uit 1961, een parodie op het bedrijfsleven in Amerika, verscheen in maart 1995 opnieuw op Broadway. Er wordt in gesuggereerd dat als je succesvol carrière wilt maken, je bij je baas in het gevlij moet trachten te komen, je het juiste werkteam moet uitkiezen en de juiste mensen een mes in de rug moet steken. Om te slagen is het noodzakelijk een jaknikker te zijn tegenover de juiste mensen. Het is ook onontkoombaar om een corporatie uit te zoeken die zo groot is dat niemand precies weet wat een ander doet – een grote overheidsinstelling is ook voldoende. Hoewel bedrijfsmemo's niemand echt van nut zijn, moet je om succesvol te zijn er heel veel lezen en schrijven om je naam zoveel mogelijk te verspreiden. Succes hangt meer af van het vermijden van risico's dan van intelligentie en feitelijke werkproductie.

Is dit hoe het er bij jou momenteel voor staat? Zoek je zekerheid in je baan bij een groot bedrijf of overheidsinstelling, waar je werk tot aan je pensioen gegarandeerd krijgt in ruil voor je loyaliteit en toewijding? Je kunt in de loop van je carrière verwachten dat je werkgever zal opmerken hoe waardevol je bent vanwege het feit dat je de kunst van het memo's schrijven meester bent en dat je een jaknikker bent. Je kunt ook verwachten financieel goed beloond te worden en vaak promotie te krijgen.

Als dit je verwachtingen zijn, ben je volgens bepaalde management-consultants een domkop in het gezelschap van vele andere domkoppen. Volgens deze management-consultants hebben veel mensen – jong en oud – verrassend genoeg nog steeds deze verwachtingen. De verwachting van een gegarandeerde fulltime baan en de kans om op te klimmen op de bedrijfsladder werd tot voor kort aangemoedigd door de meerderheid van de onderwijzers, ouders en de maatschappij. Als je vandaag de dag deze verwachtingen koestert, heb je het contact met de realiteit verloren en een leuke fantasie hiervoor in de plaats gesteld.

Tegenwoordig is gegarandeerd werk een utopie. De traditionele werkplek is de afgelopen paar jaar bezig te verdwijnen; de vaste baan gaat de kant van de dinosaurussen op. Geef niemand behalve jezelf de schuld van het koesteren van deze valse verwachtingen. Een dienstverband van de wieg tot het graf is al enkele jaren een fantasievoorstelling en zal tijdens jouw leven niet meer terugkeren, en misschien wel nooit.

Wees niet zoals veel mensen tegenwoordig die nog steeds een veilige plek om te vertoeven zoeken bij grote bedrijven. In tegenstelling tot wat veel mensen geloven is de wereld zonder gegarandeerd werk geen plek vol onheil. Uiteindelijk ben jij degene die de wereld aan moet kunnen zonder de zekerheid van een vaste baan, of die tenminste het concept van gegarandeerd werk zoals we dat vroeger kenden, moet veranderen.

Je allereerste loyaliteit moet jezelf gelden. Dit klinkt misschien egoïstisch, maar het is niet egoïstischer dan de werkgever die jouw loyaliteit eist ten bate van het bedrijf. Je opvatting van gegarandeerd werk zal opnieuw omschreven moeten worden, als je succesvol wilt zijn. Zekerheid wat betreft werk zou omschreven moeten worden als de zekerheid die jij over jezelf hebt dat je de moed bezit om elke situatie aan te kunnen. Jij moet de bron van de zekerheid in je werk zijn; jouw creativiteit en vindingrijkheid zullen ervoor zorgen dat je het zal redden.

Van twee walletjes willen eten

Als je je huidige baan of carrière wilt aanhouden, maar tegelijk een kalmere levensstijl wilt, behoor je tot de groep mensen die van twee walletjes willen eten. Dan volgt hier goed nieuws: In tegenstelling tot wat algemeen wordt aangenomen, dit is inderdaad mogelijk.

Hoewel maar weinig mensen met een snelle baan in het Amerikaanse bedrijfsleven optimale vrije tijd bereiken, kun jij dat wel, als je je ertoe zet. Als je een evenwichtige levensstijl wenst, moet je eerst leren een topwerknemer te worden door minder uren te werken. Zoals in hoofdstuk 3 was te lezen, waren enkelen van degenen die het meest bereikt hebben in de geschiedenis, creatieve lanterfanters. Topwerknemers komen vooruit door het langzamer aan te doen. Ze hebben het niet altijd druk, omdat ze kunnen niksen. Om een topwerknemer te worden, moet je slimmer werken, niet harder. Hoe je dit kunt bereiken in je werk valt buiten het bereik van dit boek, maar er zijn enkele uitstekende boeken aan dit onderwerp gewijd.

Uit sommige studies over vrije tijd die de gemiddelde werknemer tot zijn beschikking heeft, blijkt dat een onbuigzame loopbaan weinig gelegenheid tot het goed omgaan met vrije tijd biedt. Een zo'n studie, een enquête van Louis Harris uit 1988, geeft aan dat de gemiddelde Amerikaanse werkweek van eenenveertig uur tussen 1973 en 1988 omhoog gesprongen is naar zevenenveertig uur. Vrije tijd liep terug met 37 procent. Dit betekent minder tijd voor hobby's, vakanties en gewoon nietsdoen.

Andere studies weerspreken deze bevindingen. Een studie geeft aan dat, vanwege minder kinderen en minder huishoudelijk werk, de meerderheid van de Noord-Amerikanen nu meer vrije tijd heeft – ongeveer vijf uur – dan in het recente verleden. Het probleem is volgens deze studies niet onvoldoende vrije tijd. De meeste mensen onderschatten de hoeveelheid vrije tijd die ze ter beschikking hebben en gebruiken deze niet constructief. Over het algemeen hebben Noord-Amerikanen ongeveer veertig uur per week vrije tijd. Gedragsonderzoeken tonen aan dat er vrije tijd beschikbaar is maar dat de meeste Noord-Amerikanen deze verspillen. Ongeveer 40 procent van hun vrije tijd gebruiken ze om tv te kijken. Veel van de resterende tijd gebruiken ze voor dingen als koken, schoonmaken, boodschappen doen, klusjes in huis doen, rekeningen betalen en werk dat meegenomen is van kantoor thuis doen. Het is gewoon een kwestie van te veel dingen ondernemen. Als gevolg daarvan voelen de werkende Amerikanen zich op zondag minder uitgerust dan op vrijdag.

Ondanks wat uit deze studies blijkt, ben ik niet overtuigd dat de gemiddelde Amerikaan of Canadees geen zeggenschap heeft over de vermindering van zijn of haar vrije tijd. Als je niet genoeg tijd hebt om even een luchtje te scheppen, laat staan aan de rozen te ruiken, is dit waarschijnlijk je eigen schuld. Nagenoeg alles in je leven is een kwestie van keuze. Het gebrek aan vrije tijd heb je meestal jezelf opgelegd; iedereen die te weinig tijd heeft, heeft gewoonweg te veel werk op zijn schouders genomen of te veel materiële bezittingen vergaard.

Om meer balans te krijgen, moet je ontspannen naar je werk gaan. Tijd inruimen voor ontspanning zou een prioriteit moeten zijn. Veel oplossingen zijn heel basaal. Een is gewoon je kantoor om half vijf of vijf uur te verlaten. Je zult meer energie hebben om je met andere interesses bezig te houden. Door dit te doen laat je zien dat je een interessant, competent mens bent en een van de ware leiders van de jaren negentig. Leer ook om minder taken op je te nemen thuis. Besteed minder tijd aan boodschappen doen, koken, schoonmaken en klusjes. Velen van ons laten deze zaken veel te veel tijd opslokken.

Conventionele werkregelingen die in de jaren zeventig en tachtig overheersend waren, verschaffen ons niet de beste gelegenheid tot optimale vrije tijd en bevredigende levensstijlen. Progressieve organisaties beseffen dat een evenwichtige levensstijl inhoudt dat vrije tijd en werk vermengd moeten worden. Vrije tijd moet genoten kunnen worden wanneer de werknemer dit wenst, en zou niet voorbehouden moeten zijn aan weekends, vakanties of pensioen. Hier volgen enkele programma's voor het verbeteren van de levensstijl van werknemers, die in de jaren negentig opgang maakten:

> Verlofjaren (betaald of onbetaald) voor alle werknemers

> Gefaseerde pensioenregelingen om vrije tijd geleidelijk te vermeerderen

> Teleforensen om reistijd te verminderen

> Flexibele werktijden ten behoeve van vrije tijd en om reistijd te verminderen

> Banenbanken

> Vrije tijd sparen, om uitbetaald te worden in snipperdagen

> Duobanen invoeren om werkuren te reduceren

> Deeltijdbanen om werkuren te reduceren

Deze alternatieve werkopties zijn manieren om de kwaliteit van onze vrije tijd te verbeteren. Bedrijven zoeken die deze programma's ondersteunen kan moeilijk zijn, maar steeds meer bedrijven zijn er ontvankelijk voor. Als je bedrijf er niet over denkt om deze opties aan te nemen, wordt het tijd om een nieuwe werkgever te zoeken. Er zijn meer dingen die je kunt doen als je echt meer vrije tijd wilt hebben: van baan of carrière veranderen kan nieuwe mogelijkheden openen voor vrije tijd. Dichter bij je werk wonen en reistijd verminderen is een andere optie.

Een evenwichtige levensstijl betekent dat ten minste een kwart van je waaktijd ongepland is. Anders win je het levensspel niet. Gun jezelf ruime hoeveelheden tijd om jezelf te leren kennen en te ontplooien. Het is verkeerd om sport, reizen en actieve bezigheden aan de kant te zetten vanwege je vrouw of man, kinderen, baan en de kost te moeten verdienen. Je kunt altijd vrijetijdsbezigheden ergens tussenschuiven als ze de moeite waard zijn.

Ik zou mijn vrije uren niet voor alle rijkdom in de wereld willen ruilen
—Comte de Mirabeau

Alleen al vanwege je gezondheid kun je je het niet permitteren om creatief lanterfanten buiten beschouwing te laten. Plezier hebben in je persoonlijke leven zal overslaan op je werk; je baan zal aangenamer zijn omdat je meer ontspannen bent.

Het belangrijkste punt van dit hoofdstuk is dat je nu moet beginnen met vrijetijdsbestedingen te ondernemen. Je moet misschien opmerkelijke evenwichtskunsten verrichten om een evenwichtigere levensstijl te krijgen, en misschien moet je jongleren met je carrière, schulden en zelfs je kinderen. Als je een baan hebt waar je dit niet kunt doen, zoek dan een andere baan. Wat je ook doen moet, doe het. Het leven is te kort om te wijden aan vrijwillige slavernij.

Als je naar je werk gaat, moet je de nadruk leggen op het in het in balans brengen van je werk en je vrije tijd. Een uitgebalanceerde levensstijl met een bevredigende loopbaan en veel andere vervullende bezigheden, betekent van twee walletjes eten. Dit is niet voor iedereen weggelegd – alleen voor diegenen die hun leven in eigen hand nemen.

Het genot van het niet werken van negen tot vijf

In 1982 was Ben Kerr een geslaagd persoon volgens de maatschappelijke definitie van succes. Toen zegde hij zijn baan op als assistent-kredietmanager bij de havencommissie van Toronto, nadat hij door een kantoorreorganisatie naast een man die rookte kwam te zitten. Kerr kon niet tegen de rook, en toen het hogere management niet op zijn klachten inging, nam hij ontslag. Sindsdien heeft hij voor niemand anders gewerkt. Hij is nu straatmuzikant op de kruising van Yonge en Bloor in Toronto.

Toen ik Ben ontmoette, was het eerste dat me opviel dat hij een bijzonder gelukkig mens is. Terwijl hij de hele middag zijn liedjes zingt, zeggen mensen uit allerlei lagen van de bevolking hem gedag en geven hem geld. Geïnspireerd door dit boek heeft Ben een lied geschreven, getiteld "Het Genot van het Niet Werken van Negen tot Vijf". Hier volgt de tekst van het lied.

The Joy of Not Working Nine to Five

I know the joy of not working nine to five
Singing every day at Yonge and Bloor
Strumming my old five-string guitar
It's the joy of not working and that's for sure

People say that I'm a lucky guy
And they wish that they could be like me
To know that joy of not working from nine to five
To be foot-loose and fancy-free

But they'll never lose the treadmill that they're on
And it's sad to see dejection in their eyes
The joy of not working could be there
But they're just too afraid to try

Ernie J. Zelinski wrote a book
'The Joy of Not Working' is its name
'Cause Ernie is a fellow just like me
And the joy of not working is his game

I know the joy of not working nine to five
Singing every day at Yonge and Bloor
Strumming my old five-string guitar
It's the joy of not working and that's for sure
The joy of not working and that's for sure

© 1994 by Ben Kerr

[vertaling]

Het genot van niet werken van negen tot vijf

Ik ken het genot van niet werken van negen tot vijf
Zing elke dag hier op deze hoek
Speel op mijn oude kapotte gitaar
Het is het genot van niet werken, absoluut

Ze zeggen dat ik een geluksvogel ben
En ze zouden willen zijn zoals ik
En het genot van niet werken van negen tot vijf kennen

Vrij als een vogel in de lucht te zijn

Maar ze raken de tredmolen waarin ze zitten nooit kwijt
En het is triest ze zo bedroefd te zien
Het genot van niet werken moeten ze kennen
Maar ze zijn te bang het te proberen

Ernie J. Zelinski schreef een boek
'Nietsdoen, een levenskunst'
Omdat Ernie net is zoals ik
En het genot van niet werken zijn kunst is

Ik ken het genot van niet werken van negen tot vijf
Zing elke dag hier op deze hoek
Speel op mijn oude kapotte gitaar
Het is het genot van niet werken, absoluut
Het genot van niet werken, absoluut

Ben heeft banen aangeboden gekregen, maar hij heeft geen belangstelling meer om voor iemand anders te werken. Hij heeft te veel pret. Hij put meer voldoening uit zingen op straat dan de meeste mensen uit hun werk.

Als je onlangs wegbezuinigd bent, of op het punt staat dit te worden, kan het een verborgen zegen zijn. Nu is misschien de tijd aangebroken om je behoefte aan zekerheid en je onwilligheid om risico te nemen te betwisten. Zoeken naar een vaste baan kan een veilige optie lijken, maar het is goed mogelijk dat je jezelf tekortdoet. Het is in feite heel goed mogelijk dat je veel meer zekerheid verkrijgt door een carrière na te streven met je persoonlijke missie voor ogen. En als je werkelijk van je werk houdt, zul je geen dag van je leven meer hoeven "werken".

Hoofdstuk 5

Werkloos: Nu blijkt wie je werkelijk bent

De kans van je leven om de tijd van je leven te hebben

De bedoeling van dit hoofdstuk is je te helpen een makkelijke en comfortabele overgang te maken naar een leven met meer vrije tijd. Veel jaren van voorbereiding worden gewoonlijk gebruikt om aan je werkende leven te kunnen beginnen, maar er worden meestal weinig voorbereidingen getroffen om dit weer te verlaten. De kans van je leven om de tijd van je leven te hebben, is als je met pensioen bent of tijdelijk werkloos. Zonder werk zul je een geheel nieuwe en opwindende wereld daarbuiten ontdekken. Door weg te zijn van je werk zul je van het leven kunnen genieten op een manier die niet voor je was weggelegd toen je nog werkte. Doordat je geen werk hebt, zul je een tijd beleven zoals je nog nooit hebt beleefd.

> Vrije tijd op intelligente wijze kunnen vullen, is het beste wat de beschaving heeft voortgebracht.
> —Bertrand Russell

Op de dag dat je opeens een grote hoeveelheid vrije tijd hebt, doordat je gepensioneerd bent of werkloos bent geraakt, zal blijken wie je werkelijk bent. Extra vrije tijd zal een geschenk uit de hemel zijn, als je tijd genomen hebt om als mens te groeien en als je niet je hele identiteit aan je baan hebt verbonden. Leren ervan te genieten dat je werkloos bent, houdt in dat je alles door je eigen essentie moet kunnen ervaren, in plaats van via de eisen en aanwijzingen van de maatschappij, de zakenwereld en de media.

Het is net zo belangrijk dat je vrije tijd goed hanteert als je tijdelijk werkloos bent, als wanneer je voorgoed met pensioen bent. Loopbaandeskundigen zeggen dat het algemene vooruitzicht is dat mensen verscheidene keren in hun leven hun carrières opnieuw zullen moeten opbouwen. De gemiddelde tijd die mensen nu een baan hebben is slechts 3,6 jaar. Werknemers zullen vaker dan ooit tevoren blootstaan aan ontslag of afvloeiing; geen enkele baan is nog zeker. De gemiddelde veertigjarige kantoorbeambte kan verwachten drie keer van werkgever in zijn of haar loopbaan te veranderen; waaronder ten minste een keer vanwege ontslag of een afvloeiingsregeling. Als je momenteel tussen twee banen in zit, maak er dan het beste van. Goed omgaan met werkloosheid zal je meer vertrouwen geven als het weer gebeurt in de toekomst, ook als je met pensioen gaat.

Deze tijd is net als elke andere tijd, heel erg goed. Als we maar weten wat we ermee moeten doen.
—Ralph Waldo Emerson

Je houding en je motivatie bepalen hoe goed je extra vrije tijd benut. De overgang naar meer vrije tijd is niet altijd makkelijk. Terwijl je hard werkt en probeert rijk en beroemd te worden, leer je niet hoe je vrije tijd moet hanteren. Je bent aan het leren hoe je hard moet werken en hoe je rijk en beroemd kunt worden. Die vaardigheden vergeet je niet gauw. Zelfs als je de gelegenheid hebt om te ontspannen en van het leven te genieten, kan het moeilijk voor je zijn om je los te maken van je gewoonte om hard te werken.

Een nieuw scenario voor je leven schrijven

Nagenoeg iedereen die een baan kwijtraakt vanwege pensioen of werkloosheid raakt op de een of andere manier behoorlijk aangedaan. Degenen die zeggen dat dit niet zo is, zijn of gek of ze liegen. Ik heb zelf ontdekt dat het beslist niet makkelijk is.

De mate waarin men zich met zijn baan heeft geïdentificeerd, is een factor die bepalend is voor hoeveel moeite iemand ermee zal hebben dat hij geen baan meer heeft. Het grootste identiteitsverlies dat gepaard gaat met het kwijtraken van een baan wordt door mensen ondervonden die totaal zijn opgegaan in hun werk. Voor degenen die hun identiteit helemaal hebben opgehangen aan hun baan kan het rouwproces over het verlies ervan enige tijd in beslag nemen. Directeuren en andere leidinggevenden hebben het meestal moeilijker met werkloosheid en pensionering dan fabrieksarbeiders en handarbeiders, omdat kantoormensen zich meer vereenzelvigen met wat ze doen.

> Een stijve houding is een van de verschijnselen van rigor mortis.
> —Henry S. Haskins

De meesten van ons hebben zich uitsluitend op krachten van buitenaf verlaten, zoals de zakenmedia, universiteiten en bedrijven, om een scenario te schrijven voor wat de maatschappij als een geslaagd leven beschouwt. De meeste maatschappelijke instellingen hebben niet in hun scenario geschreven hoe mensen een leven van alleen maar vrije tijd kunnen hanteren. We moeten allemaal inspanning leveren om een nieuw scenario te schrijven voor het leiden van een waardevol en voldoening gevend leven, als we opeens geconfronteerd worden met een drastische toename van vrije tijd.

Hoewel mensen die de pensioengerechtigde leeftijd naderen bang zijn doelen en activiteiten kwijt te raken, slagen de meesten van hen er vroeg of laat in de overgang te maken naar een gemakkelijk leven. Helaas zijn sommige mensen zo sterk geïndoctrineerd met starre, onwerkbare puriteinse waarden, dat ze het moeilijk, weerzinwekkend en deprimerend vinden om zonder baan te zitten. Vanwege hun ongezonde houdingen en hun onwilligheid om te veranderen, ondervinden onbuigzame personen een ernstig verlies van eigenwaarde, zoals het aantal zelfmoorden onder Amerikaanse mannen laat zien, dat vier maal hoger is tijdens de pensioentijd dan in enig ander levensstadium.

Mensen die beweren dat het voor hen uitzonderlijk moeilijk of zelfs onmogelijk is om een waardevol leven te leiden zonder werk, zeggen in feite dat ze geen individualiteit bezitten. Ze geven eigenlijk toe dat hun persoonlijkheden bijzonder oppervlakkig zijn en dat het fundament van hun bestaan geheel op de buitenkant gericht is.

Ik ga er niet vanuit dat je zo star maatschappelijk aangepast bent dat er geen enkele hoop voor je is; dit kunnen we veilig aannemen aangezien onbuigzame mensen normaal gesproken een boek als dit niet lezen. Tegelijk neem ik aan dat je een nieuw scenario voor je leven kunt schrijven dat je zal helpen de overgang naar meer vrije tijd goed te maken. Als je je sterk met je baan vereenzelvigd hebt, verwacht dan geen onmiddellijke doorbraken. Laat het proces zich in zijn eigen tijd voltrekken, want je bent bezig je zelfbeeld te vernieuwen. Je voelt je aanvankelijk misschien een verliezer, maar hier zal verandering in komen naarmate je zelfbeeld zich verbetert. Je gerichtheid op geld verdienen zal vervangen moeten worden door gerichtheid op vrijetijdsbestedingen. Wat je moet doen is de voldoening van iets bereikt te hebben putten uit je vrijetijdsbezigheden. In de loop van de tijd zal je zelfbeeld veranderen in dat van een overwinnaar.

Je ware essentie opnieuw ontdekken

Als er een einde aan je baan of carrière komt, eindigt daarmee tegelijk een van de bronnen van je identiteit. Is er geen nieuwe baan of carrière om de plaats van de oude op te vullen, dan moet vrije tijd de menselijke behoeften vervullen waarin voordien de baan voorzag. Bij het maken van de overgang naar een leven van alleen maar vrije tijd zal iemand de eerste paar dagen of weken het moeilijkst vinden. Sommige mensen ondervinden angst en paniek; anderen hebben het gevoel in een onnatuurlijke situatie te zijn beland.

Een belangrijk element bij het maken van de overgang naar meer vrije tijd is het ontdekken van je ware essentie. Als je totaal geobsedeerd bent geweest door je werk en er helemaal in op bent gegaan, heb je waarschijnlijk op het gebied van vrije tijd weinig ervaring. Het komt erop neer dat je eigenlijk nauwelijks geleefd hebt.

Het kan zijn dat je carrière je het grootste deel van je identiteit heeft verschaft. Je hebt wellicht je loopbaan gevolgd in de loop der jaren, en je geconformeerd aan de eisen en de aard van je baan, om jezelf te transformeren. Wat dierbaar is voor je bedrijf, in plaats van wat dierbaar is voor jou, is misschien ingeworteld geraakt. Het vervelende van carrières is dat ze je essentie uithollen, je ware zelf.

Het herontdekken van je essentie – wat belangrijk is voor jezelf – kan enige tijd duren. Je moet waarschijnlijk wat onderzoek verrichten – voornamelijk binnen in jezelf – om uit te vinden wat je drijfveren zijn. Je zult in deze situatie toewijding moeten tonen, door je vermogen om te groeien en te leren te benutten. Als je eenmaal je ware essentie ontdekt hebt, heb je het uiterlijk vertoon van een baan niet nodig om te bepalen wie je bent.

Het is bewezen dat mensen na verloop van tijd aangepast raken aan het feit dat ze geen baan hebben en het leven net zo bevredigend, of zelfs bevredigender vinden dan met baan. Morris M. Schnore, voormalig professor in de psychologie aan de Universiteit van West-Ontario, verrichtte een uitgebreide studie naar het welzijn van gepensioneerde mensen. Zijn bevindingen, opgenomen in zijn boek *Retirement: Bane or Blessing*, ondersteunen de opvatting dat mensen geen baan nodig hebben om geluk en tevredenheid te ervaren in hun leven.

Er zijn twee belangrijke doelen in het leven: in de eerste plaats krijgen wat je wilt; en, daarna, ervan genieten. Slechts de meest wijze mensen bereiken het laatste.
—L.P. Smith

Na hun baan te hebben opgezegd, vonden de meeste mensen hun ware essentie en ervoeren de pensioentijd als voldoening gevend. Slechts een kleine minderheid heeft te kampen met een langdurige identiteitscrisis. Schnore ontdekte dat bij een kleine groep – 10 procent – de pensionering ernstige aanpassingsproblemen oplevert. Mensen die er een negatieve houding ten opzichte van hun pensioen opnahouden, geven werk een centrale positie in hun leven.

Schnore concludeerde dat oudere volwassenen en jongere volwassenen over het algemeen even tevreden waren met hun leven. Hij ontdekte dat gepensioneerden, in tegenstelling tot de negatieve mythen die heersen over de pensioentijd, gelukkiger waren en tevredener met het leven dan werknemers van middelbare leeftijd. Bijna de helft van de gepensioneerden – 43 procent – beweerde dat hun gezondheid beter was geworden toen ze met pensioen gingen. Sommige gepensioneerden vonden hun pensioentijd beter dan ze verwacht hadden. Volgens Schnore zijn er bepaalde factoren die een goede aanpassing aan de pensioentijd bevorderen:

> Bereikbare doelen nastreven
> Waardering ontwikkelen voor wat je hebt
> Vertrouwen hebben dat je de problemen die zich voordoen, aankan

Als je de overgang naar meer vrije tijd maakt, zullen er vele veranderingen in je leven plaatsvinden. Terwijl je overgaat van werk naar meer vrije tijd in je leven, moet je je ware essentie wel opnieuw scheppen. Je zult ontdekken dat het geen zin heeft om je incompetent of waardeloos te voelen omdat je geen baan hebt. Als je eenmaal de inherente waarde in vrije tijd vindt, zul je weinig moeite hebben om nieuwe manieren te ontdekken om scherp te blijven - met of zonder hulp van iemand anders.

Een nieuw succesparadigma

Als je je altijd ongemakkelijk en schuldig hebt gevoeld over het genieten van bezigheden die niets met werk te maken hebben, is er voor jou minstens een paradigmaverschuiving nodig om meester te worden van de extra tijd die het niet hebben van een baan met zich meebrengt. Een paradigma is een overtuiging of uitleg van een bepaalde situatie die een groep mensen met elkaar deelt. Een verschuiving van een oud paradigma naar een nieuw paradigma schept een duidelijke nieuwe denkwijze over oude problemen. Gewoonlijk heeft een nieuw paradigma te maken met een principe dat de hele tijd aanwezig was, maar dat over het hoofd werd gezien.

Jouw paradigmaverschuiving moet een verandering van je overtuigingen over de aard van vrije tijd met zich meebrengen. In de allereerste plaats moet je vrije tijd beschouwen als iets dat de moeite waard is om na te streven – net zo waardevol als welke baan je ooit had. Een leven met alleen maar vrije tijd hoeft niet lichtzinnig of ongericht te zijn. Vrije tijd is niet hetzelfde als een eenzaam leven gevuld met saaie tv-soaps en herhalingen van *The Simpsons,* hoewel dit nu juist is waar het op uitdraait bij ongemotiveerde mensen die zich vastklampen aan oude overtuigingen. Het rijk der vrije tijd kan heel veel succes in je leven inhouden.

Succes is krijgen wat je wilt; geluk is willen wat je krijgt.
—Onbekend wijs persoon

Het gevoel van succes kan net zo goed bereikt worden zonder baan als met baan. Het succes dat de maatschappij ons probeert aan te smeren, betekent een goede baan, een groot huis en een dure auto. Maar succes kan op vele manieren worden omschreven. Als iemand een paradigmaverschuiving beleeft, krijgt succes een andere betekenis. Ik houd erg van Ralph Waldo Emersons definitie van succes:

Wat is succes?

Vaak lachen en veel liefhebben;
De achting van intelligente personen en de genegenheid van kinderen winnen;
De goedkeuring van eerlijke critici verdienen en het
verraad van valse vrienden verdragen;
Schoonheid waarderen;
Het beste in anderen zien;
Iets van jezelf geven zonder de geringste gedachte aan iets ervoor terugkrijgen;
De wereld een beetje beter achterlaten, door een gezond kind, een bevrijde ziel, een lapje tuin of een genezen maatschappelijke kwaal;
Met enthousiasme gespeeld en gelachen hebben en in vervoering hebben gezongen;
Weten dat jouw leven het leven van een ander verlicht heeft;
Dit betekent succesvol geweest te zijn.

—Ralph Waldo Emerson

Merk op dat Emersons definitie van succes mogelijk is buiten het werk. Zonder baan zitten hoeft niet te betekenen dat je onproductief bent of een verliezer. Je bent alleen een verliezer als je jezelf zo ziet. Zoals ik heb gezegd in Hoofdstuk 2 is waarneming alles. Je zult hoe je jezelf ziet moeten veranderen, als je jezelf onproductief vindt als je geen baan hebt. Je kunt jezelf als overwinnaar beschouwen, omdat je het voorrecht hebt zo veel vrije tijd te bezitten, dat je zelfverwezenlijking op productieve wijze kunt nastreven. Niet veel mensen in de geschiedenis van deze wereld hebben die kans gehad.

Vergeet niet dat de grote filosofen, zoals Plato en Aristoteles, de juiste houding in het vroege Griekenland aannamen. Het nastreven van vrije tijd werd niet bekeken als luiheid of nutteloosheid. Totale vrije tijd leidde tot grotere zelfkennis, wat het hoogste levensdoel was. Iedereen die de staat van vrije tijd bereikte, was beslist hoogst bevoorrecht om zelfverwezenlijking te kunnen beoefenen. Je zou het besef van bevoorrecht te zijn moeten hebben bij de kansen die een leven van vrije tijd je biedt.

Herinneringen ophalen aan zogenaamde fantastische banen

De sleutel om blij te zijn dat je je baan hebt opgezegd, is alle nostalgie die je eventueel koestert over die baan, te overwinnen. Als we aan iets uit het verleden denken, denken we vaak aan de goede dingen, en vergeten we de slechte. Ik ken mensen die zelfs herinneringen ophalen aan dingen die nooit zijn gebeurd. Bij banen is het zo dat we de dingen die we leuk vonden onthouden, en de dingen waar we een hekel aan hadden vergeten. We missen vaak die goeie ouwe tijd die nooit heeft bestaan.

Ik wil graag met je delen hoe ik erin geslaagd ben de nostalgie over vroegere banen te overwinnen. Ongeveer vier jaar geleden had ik er nog steeds moeite mee de overgang te maken van een leraarsbaan van zestien uur per week naar helemaal geen baan. Ondanks het plezier dat ik had beleefd aan de vele lange perioden van alleen maar vrije tijd en het feit dat deze baan maar zestien uur per week was, was mijn overgang naar totale vrije tijd niet zo gemakkelijk als ik had verwacht. 's Morgens maakte ik me klaar om weg te gaan, maar er was een klein probleempje: ik hoefde nergens naar toe. Ik begon de dingen die mijn laatste baan te bieden had te missen, althans, dat dacht ik.

De eerste paar dagen had ik twijfels over het opzeggen van

deze baan. Niettemin had ik zo rond de vierde dag mijn draai weer gevonden. Het gevoel van voorspoed kwam terug. Ik begon medelijden te krijgen met mensen die een hekel aan hun baan hadden. Ze konden onmogelijk net zoveel plezier hebben als ik.

Een manier om te kunnen omgaan met het opzeggen van deze baan was te denken aan alle dingen die ik niet leuk vond aan het werken bij die organisatie, alsook bij andere organisaties waar ik had gewerkt. Hierdoor kwam mijn werkloosheid al spoedig in het juiste perspectief. Alle nostalgie die ik had gekoesterd verdween snel.

Hoe beroerd de dingen nu ook zijn, morgen behoren ze tot iemands goeie ouwe tijd.
—Gerald Barzan

Oefening 5-1. De waarheid over je laatste baan vertellen

Denk aan de meest recente baan waar je weg bent gegaan. Maak een lijst van de dingen die je niet bevielen bij je baas, de organisatie of de dagelijkse gebeurtenissen die met je werk te maken hebben.

Gebaseerd op mijn ervaringen bij de organisatie waar ik een baan van zestien uur per week had en andere organisaties waar ik heb gewerkt, heb ik mijn eigen lijst samengesteld van dingen die me er niet bevielen. Hier volgen vijfentwintig goede redenen om je fortuinlijk te voelen vanwege het feit dat je geen vaste baan hebt.

Nostalgie is niet meer wat het geweest is.
—Simone Signoret

Vijfentwintig redenen om een hekel te hebben aan de doorsnee werkplek

> Een buitensporige werkbelasting tengevolge van bedrijfsbe zuinigingen

> De hele dag vastzitten op je kantoor terwijl de zon schijnt

> Minstens vijftien jaar geen kans op vooruitgang omdat de babyboomers die de leidinggevende posities innemen, blijven zitten

> Met sukkels en incompetente figuren moeten werken die al jaren geleden ontslagen hadden moeten worden

> Machtsstrijd binnen het kantoor die gepaard gaat met felle competitie, messen die in ruggen gestoken worden en vals glimlachen

> Minder salaris ontvangen dan iemand die veel minder productief is maar die gewoon langer meedraait

> Elke dag een paar uur in de verkeersjungle heen en weer pendelen

> De hele dag achter een bureau zitten – onnatuurlijk inactief zijn

> Voortdurend onderbroken worden en geen tijd om na te denken hebben vanwege de dagelijkse druk

> Papierwerk – memo's die niets om het lijf hebben en verslagen die niemand ooit leest

> Geen medewerking van andere afdelingen

> Achterbaks gedrag van superieuren

> Regelmatige twee uur durende vergaderingen die weinig opleveren

> Moeten werken met dwangmatige workaholics die weigeren vakantie te nemen, zelfs wanneer ze hiertoe worden aangemoedigd door de werkgever

> Te strakke vakantieschema's waardoor het onmogelijk is om in de beste tijd van het jaar vakantie te nemen (de maanden zonder "r")

> De organisatie die er bij werknemers op aandringt geen volledige vakantie op te nemen vanwege te veel werk

> Chefs die met de eer gaan strijken van het werk en de ideeën van anderen

> Gebrek aan goede parkeerplaatsen voor werknemers (behalve voor overbetaalde managers)

> De volledige werkdag moeten blijven terwijl je tweemaal zo productief bent als iemand anders en voorligt op je werkschema

> Bureaucratie, administratieve rompslomp, belachelijke regels, onlogische procedures en ongemotiveerde mensen die gespecialiseerd zijn in dynamische lethargie

> Discriminatie op grond van ras, geslacht, lichamelijke kenmerken of alleenstaand te zijn

> Organisaties die zichzelf afficheren als innovatief maar die geen innovatieve mensen ondersteunen

> Kantoor-airconditioning die het alleen in de winter goed doet

> Geen erkenning voor uitmuntendheid in werk

> Werken met weerzinwekkende jaknikkers die zichzelf prostitueren voor een salarisverhoging en promotie

Aangezien de bovenstaande situaties in de meeste Noord-Amerikaanse organisaties gangbaar zijn, is het geen wonder dat veel mensen hun werkplek mensonterend vinden. Als je je oude werk mist, denk dan aan alle bovengenoemde situaties waarmee je te maken hebt gehad. Als de meeste situaties op je oude werk van toepassing zijn, en je mist het desondanks nog steeds, dan heb je eerlijk gezegd een groot probleem. Leg dit boek nu neer en laat een afspraak met een psychiater je volgende doel zijn – voor het te laat is. Hopelijk zal hij of zij je kunnen helpen.

Door de lijst van tijd tot tijd door te lezen zouden de zaken razendsnel in het juiste perspectief moeten komen en er zou een glimlach op je gezicht moeten verschijnen als je niet werkt. Als je wel werkt, zal de glimlach, als je die al had, snel verdwijnen na het lezen van de lijst.

Drie behoeftes die je op je gemak moet vervullen in je vrije tijd

De meesten van ons vertellen niet de waarheid over de baan die we achterlaten. Nadat we zijn weggegaan, missen we niet het werk als zodanig; we missen de dingen die de baan met zich meebracht. Hoewel de meeste mensen dit niet beseffen, is een baan meer dan een inkomstenbron. Een baan vervult vele andere behoeften naast geld. Vooral als we een leidinggevende functie hebben, verschaft de baan ons vele beloningen: eigenwaarde, status, prestatie, erkenning, ruimte tot groei, en macht. Als we de baan opzeggen, raken we deze beloningen kwijt. Vrije tijd kan alleen bevredigend zijn als deze in onze ogen lonend is. Al onze behoeften, die voorheen op het werk bevredigd werden, zullen nu op andere manieren vervuld moeten worden.

Er zijn drie belangrijke menselijke behoeften die de meeste banen onwillekeurig vervullen. Deze behoeften zijn structuur, doel en gemeenschapsgevoel. Zelfs als we een baan hebben die niet echt begerenswaardig is, verschaft de moderne werkplek de middelen om deze drie behoeften te vervullen. Als we weggaan bij het werk, moeten al deze behoeften door onze vrije tijd bevredigd worden.

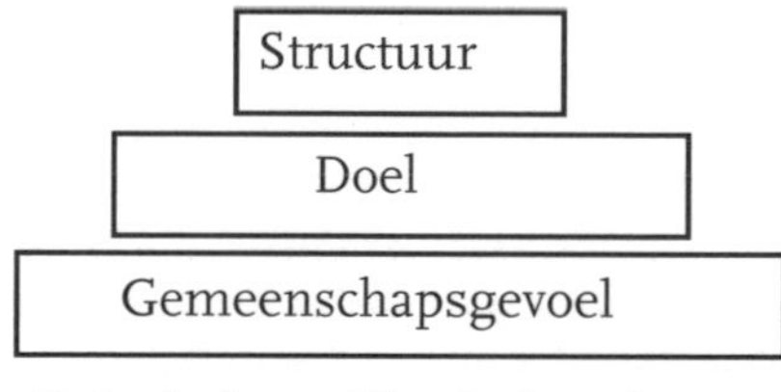

Drie belangrijke behoeften

1. *Nieuwe structuren opzetten*

Structuren worden door de maatschappij opgezet vanaf de tijd dat we kinderen zijn tot aan ons pensioen. Alle taken, zoals onderwijs krijgen, een baan hebben, trouwen en een gezin stichten, hebben kant-en-klare structuren die ermee samenhangen. Het probleem ontstaat pas als we geen werk hebben en veel vrije tijd tot onze beschikking hebben. Bij onze pensionering of als we onze baan verliezen, verdwijnt de structuur die we in onze baan hadden, abrupt. Nu moeten we onze eigen structuur bedenken.

We moeten ons leven reorganiseren, wat enige inspanning vereist.

Aanvankelijk klinkt het kwijtraken van kant-en-klare structuren geweldig: je hoeft niet vroeg op te staan, niet te haasten met het ontbijt, niet naar vergaderingen waar je op tijd moet verschijnen en niet reizen in de spits. Met andere woorden, de klok regeert ons leven niet langer. Het probleem is dat de meesten van ons, hoe creatief we ook zijn, ervan houden om ten minste enige structuur en routine in ons leven te hebben. Aangezien we gewoontedieren zijn, raken we verslaafd aan structuur. Onze routines bieden ons heel wat comfort. En we houden natuurlijk allemaal van comfort.

Structuur en routine verliezen kan een ravage veroorzaken, vooral bij heel starre en uiterst gestructureerde mensen. De tijd moet gevuld worden om de dag door te komen, maar ledige tijd kan uiteindelijk regel worden in plaats van uitzondering. Ledige tijd leidt tot verveling en vreugdeloos leven. Starre mensen kunnen zich zelfs uit de maatschappij terugtrekken en een wanhopig leven leiden, omdat ze weigeren zich aan een bestaan aan te passen waarin ze de persoonlijke vrijheid hebben om te doen wat ze willen. In extreme gevallen gaan verstandelijke en lichamelijke vermogens snel achteruit.

Als je onafhankelijk bent, creatief en gemotiveerd, zal het verlies van structuur eerder een zegen dan een vloek zijn. Nu is de tijd aangebroken om van je vrijheid te genieten en je eigen nieuwe structuren in je leven te scheppen. Structuur kan op velerlei manieren tot stand gebracht worden. Ik moest bijvoorbeeld mijn eigen structuren en routine scheppen toen ik de kant-en-klare structuren opgaf die de organisaties waarvoor ik werkte verschaften. Tweemaal per dag lichamelijke oefeningen om fit te blijven en om structuur in mijn dagen te brengen. Ik doe meteen aan het begin van de dag ongeveer vijftig minuten rek- en strekoefeningen. Laat in de middag doe ik ongeveer anderhalf uur aan lichaamsbeweging door te gaan fietsen, joggen of tennissen. Naast alle andere grote voordelen die deze lichaamsbeweging mij verschaft, heb ik elke dag ongeveer tweeëneenhalf uur routine. Ik geef ook meer structuur aan mijn dagen met behulp van bezigheden zoals het regelmatig bezoeken van mijn lievelingsbistro om koffie te drinken, te babbelen met de stamgasten en drie verschillende kranten te lezen. Regelmatige tijden in te stellen om dit boek te schrijven, alsmede twee andere, heeft me van nog meer structuur

Ik probeer mijn leven zo te regelen dat ik niet eens aanwezig hoef te zijn.
—Onbekend wijs persoon

voorzien.

Gemotiveerde mensen zetten hun eigen structuur op ter vervanging van die van hun vroegere baan. Zelfgemaakte structuren en routine kunnen tot stand gebracht worden door middel van de grote hoeveelheid activiteiten die in de wereld van de vrije tijd beschikbaar zijn. Hieronder volgen slechts een paar manieren om opnieuw routine en structuur in je leven te brengen:

> Volg cursussen aan een plaatselijk instituut of universiteit.

> Rammel elke middag om vier uur met je autosleutels.

> Ga in liefdadigheidsbesturen die regelmatig vergaderen.

> Doe regelmatig aan sport, zoals tennis, golf, hockey of voetbal.

> Ga vrijwilligerswerk doen.

Als je oude structuren kwijtraakt, moet je nieuwe opbouwen. Niemand zal dit voor jou doen; ik zeker niet (ik moet naar te veel koffiebars). Hoe je zelf je routines en structuren opzet, is aan jou. Als je je als mens ontwikkeld hebt, zouden je interesses zo gevarieerd moeten zijn, dat gebrek aan routine en structuur geen probleem zal zijn. De opgave om routine en structuur te scheppen zal veel makkelijker zijn als je jezelf bepaalde doelen hebt gesteld en een krachtig overkoepelend levensdoel hebt gecreëerd.

2. *Je doel volgen*

Veel hardwerkende mannen en vrouwen weten hoe ze dingen voor elkaar kunnen krijgen op het werk, maar weten zich geen raad als ze eenmaal meer vrijheid verworven hebben. Met het kwijtraken van een baan, wordt het gevoel van eigenwaarde dat deze mensen voorheen ontleenden aan productief te zijn en doelen te bereiken, aan diggelen geslagen. Hun doel is voor hen uitgezet op het werk en het verdwijnt met het verliezen van hun baan. Deze mensen hebben nooit de tijd genomen om zichzelf te verkennen om erachter te komen welk hoger doel ze willen nastreven.

Een doel hebben als je werkloos bent, kan een kwestie van

leven of dood zijn. Mensen zonder doel leven minder lang dan degenen met een doel. Statistieken geven aan dat gepensioneerde mensen zonder doel in hun leven over het algemeen niet lang leven. Zeven van de tien mensen sterven binnen twee jaar; gemiddeld ontvangen deze mensen maar dertien keer hun uitkering voordat ze deze wereld voorgoed verlaten. Het blijkt dat deze mensen, die verslaafd zijn geweest aan hun werk, hun doel en eigenwaarde kwijtraken als ze hun baan kwijtraken. Als ze zichzelf een ander doel in hun leven gesteld hadden, zou hun doel de drijvende kracht tijdens hun pensioen zijn geweest, waardoor ze vele jaren langer zouden hebben geleefd.

Maak je geen zorgen dat je werkloos bent, pa. Ik ben mijn hele leven al werkloos en het is hartstikke leuk!

Het kan zijn dat je werk heel belangrijk voor je was voor je met pensioen ging. Het kan een geweldige creatieve uitlaatklep zijn geweest; je kunt echter vrije tijd net zo belangrijk maken. Vele bezigheden kunnen een creatieve uitlaatklep vormen. Een doel hoeft niet alleen met het werk te maken te hebben, waar iemand anders jouw doelen bepaalt. Zonder baan is een gevoel van productief te zijn en iets te presteren toch mogelijk, maar het moet uit andere bronnen voortkomen.

Toen ik meer dan tien jaar geleden werd ontslagen, was mijn doel voor de volgende twee jaren van mijn leven te genieten zonder een baan te hebben of een onderwijsinstelling te bezoeken. Ik ontwikkelde een passie voor vrije tijd en kreeg uiteindelijk een gevoel van iets bereikt te hebben, terwijl veel capabele en intelligente mensen knettergek zouden zijn geworden onder dezelfde omstandigheden. Ik durf te beweren dat ik twee jaar zonder werk heb gezeten en bijna van elke minuut genoten heb. Aangezien ik niet de afleiding van werk had gedurende die twee jaren nadat ik was ontslagen, leerde ik meer over de wereld en mezelf dan in enige andere periode van mijn leven.

Je moet leren je te richten op je doel of gebrek aan doel. Het ontdekken van je doel is van cruciaal belang voor het ontwikkelen van je creativiteit. De grootste uitdaging zal zijn binnen in jezelf te zoeken, je doel te vinden en naar dat doel te leven. Een goede manier om je doel te vinden is om de lege plekken in te vullen in deze verklaringen over zelfontdekking:

Om de wereld te veranderen zou ik graag

____

Zou het niet fantastisch zijn als ik

____

Iemand met een doel die ik bewonder
is______________________________________

Als ik vijfennegentig ben, zou ik willen terugkijken en zeggen, dit is wat ik heb bereikt: ______________________

____

Ik zou bevrediging in mijn leven ervaren als ik

____

Alle geslaagde mensen, in werk of in spel, hebben een doel voor zichzelf gevonden. Hier volgen enkele manieren waarop mensen een doel in hun vrije tijd hebben ontdekt:

- Belangrijk zijn voor andere mensen
- Een bijdrage leveren -- bijvoorbeeld gemeenschapswerk
- Creatieve expressie vinden
- Uitdagingen aangaan en ontdekkingen doen
- Helpen het milieu te beschermen
- Anderen laten zien hoe je van het leven kunt genieten
- Een uitdagende taak volbrengen
- Je gezondheid en welzijn verbeteren
- Persoonlijk geluk en persoonlijke vervulling scheppen

Je kunt in vele vrijetijdsbezigheden betekenis vinden. Je kunt een opvoedkundige missie ontwikkelen of een missie om andere mensen te helpen of een missie om jezelf te verwezenlijken. Met een overkoepelend doel zul je meer energie hebben dan je kunt opmaken. Je zult minder stress ondervinden en je leven zal evenwichtiger zijn.

De sleutel is een doel te scheppen waarvoor je een passie hebt. Als je een ultiem doel of missie in je leven kunt bepalen, zul je een vurige drijvende kracht hebben, waardoor je leven opwindend en interessant blijft. Hierdoor zul je voortdurend groeien en leren; je leven van vrije tijd zal nooit doelloos zijn. Je doel zou te maken moeten hebben met je essentie en je dromen. Je doel volgen betekent dat elke taak, handeling en situatie je totale aandacht waard is.

3. Gemeenschapsgevoel ontwikkelen

Het geheim van succes is doelbewustheid
—Benjamin Disraeli

Naast zaken, prestatie en macht is het kantoor een gemeenschapscentrum geworden. Het kantoor is meer dan alleen maar een plek waar werknemers hun brood verdienen. In tegenstelling tot vroeger is het kantoor ook een plek waar je vrienden maakt en waar 's middags activiteiten georganiseerd worden. Een belangrijk deel van het geluk van mensen wordt bepaald door het gevoel dat ze een bijdrage aan de gemeenschap leveren. Banen geven individuen het gevoel dat ze worden gewaardeerd door hun collega's en geliefd zijn. Bij sommige werknemers wordt de behoefte aan liefde ook vervuld op het werk.

Voor veel mensen is het werk de enige bron van maatschappelijke betrokkenheid. Een gevoel van ergens bij te horen kun je krijgen in werkgroepen, teams, commissies, afdelingen en activiteiten na het werk. Werk verschaft ook de middelen om sociale contacten te leggen. De meeste werkende mensen sluiten bijna alle vriendschappen op het werk. Als we vijfendertig tot veertig jaar lang veertig uur per week onze sociale contacten op het werk hebben gehad, is het niet makkelijk als we die kwijtraken. Bij het verlies van de baan, verliezen we ook de beste gelegenheid om nieuwe vrienden te maken.

Ik wil bij geen enkele club horen die mij als lid aanneemt.
—Groucho Marx

De meesten van ons hebben ook bepaalde ondersteunende systemen nodig voor onze psychologische en emotionele gezondheid. Bij de meeste werkende mensen komen die voornamelijk vanuit het werk. Als ze hun baan kwijtraken, verdwijnen deze ondersteunende systemen.

Als je de sociale contacten en ondersteunende systemen die je op je werk had kwijt bent, kun je niet achterover gaan zitten en wachten tot iemand je opmerkt. Je aansluiten bij nieuwe groepen, verenigingen en organisaties is dé manier om nieuwe sociale contacten te leggen. Bekijk collega-'s, vrienden, buren, familie, clubs, liefdadigheidsorganisaties en gemeenschapsverenigingen als een middel om je gemeenschapszin te ontwikkelen.

Blijf niet weg uit de kerk omdat er zoveel huichelaars zijn. Er is altijd nog wel plek voor een.
—Onbekend wijs persoon

Bij welke groepen je je aansluit, hangt van je behoeften en interesses af, maar het belangrijkste is ten minste twee of drie avonden per week je huis uit te gaan en de wereld om je heen te verkennen. Probeer betrokken te raken bij een groep – groot of klein – die een duidelijk omlijnd doel heeft. De organisatie waar je je bij aansluit kan gemeenschapsgericht zijn, of kan te maken hebben met kerk, hobby's of actuele zaken. Op deze wijze kun je nieuwe maatschappelijke banden smeden. Bovendien stel je een doel vast voor jezelf en schep je de gelegenheid om erkenning te krijgen.

Houd goed in gedachten, terwijl je aan het socialiseren bent, dat leren van anderen een doeltreffende manier is om levenswijsheid te verkrijgen. Zoek mensen die zich uitstekend vermaken buiten hun werk. Kijk goed wat zij doen. Het is gewoon verstandig en logisch om het gezelschap te zoeken van degenen die hun vrije tijd goed hanteren en een vol leven leiden. Je zult zien dat ze hun eigen doel, structuur en gemeenschapsgevoel scheppen.

Een carrière van je vrije tijd maken

De dag waarop je werkloos of gepensioneerd wordt, is de dag dat je vrije tijd als carrière moet zien. De beloningen van deze nieuwe carrière zijn tevredenheid, zelfverwezenlijking en het bereiken van zinvolle doelen. Je hoeft je niet waardeloos te voelen omdat je geen baan hebt. Zie in dat je een ongelooflijk waardevolle bijdrage aan de maatschappij levert doordat je goed kunt omgaan met het feit dat je geen baan hebt.

Het concept van vrije tijd tot carrière maken zal ingaan tegen veel waarden waarmee je vrienden en kennissen doordrongen zijn. Negeer alle negatieve opmerkingen die je naar je hoofd krijgt omdat iemand denkt dat je geen bijdrage aan de maatschappij levert als je geen deel uitmaakt van het werkvolk. Deze opmerkingen zijn afkomstig van

Grote geesten zijn altijd gestuit op hevige tegenstand van middelmatige mensen.
—Albert Einstein

middelmatige en bekrompen geesten. Beschouw de zegslieden van deze commentaren als volkomen onbelangrijk voor je leven.

Als men nog steeds niet tevreden is met jouw bijdrage aan de wereld, geef dan te kennen hoe veel meer motivatie je moet hebben om te doen wat jij doet, dan wat zij doen. Er is heel weinig vindingrijkheid en motivatie voor nodig om naar een baan te gaan waar een structuur en doel voor je zijn uitgestippeld door iemand anders. Een gestructureerde baan met een vastgelegde routine vormt een veel kleinere uitdaging dan een leven van vrije tijd, waarin je je eigen structuur en doel moet scheppen. Je moet veel gemotiveerder zijn om je eigen dagen te plannen met constructieve bezigheden, dan te beantwoorden aan iets dat andere mensen voor je hebben geschapen.

Tijdens mijn langdurige perioden van niet werken, hebben mensen mij vaak gevraagd wat ik doe voor de kost. Ik antwoordde dan: "Niets. Op het ogenblik ben ik veel te welvarend om te werken. Ik ben momenteel een vrijetijdskenner."

Als iemand doorvroeg en wilde weten of ik financieel onafhankelijk was, pareerde ik met mijn trefzekere antwoord: "Ik bedoelde geestelijk (en niet financieel) te welvarend te zijn om te werken. Het is heel jammer voor je dat je deze staat van geestelijke welvarendheid nog niet bereikt hebt, maar ik weet zeker dat je er met veel werk en inspanning kunt komen." Gewoonlijk doet de betreffende vraagsteller er dan het zwijgen toe en vertrekt in volledige verwarring. Zo zie ik iedereen graag die zo bekrompen is te denken dat ieders carrière werken voor de kost betekent.

Onlangs ontving ik de volgende brief van Karen uit Toronto:

Beste Ernie,

Ik heb net je boek "Nietsdoen, een levenskunst" voor de tweede keer gelezen en ik moest gewoon een dankbrief schrijven.

Afgelopen juli heb ik een baan opgezegd die zowel frustrerend als uiterst stressvol was. Er werd een zware wissel op mijn gezondheid getrokken. Toen zag ik je op CBC-TV en las ik je boek. Alles wat ik al een flinke tijd voelde, stond in het boek. Het was zo verfrissend om te weten dat iemand anders dezelfde kijk op het werkleven had als ik.

Een halfjaar heb ik een gemakkelijk leven geleid dat zowel opwindend als ontspannend was. Ik was in de gelegenheid om naar het oosten van Canada en naar Thailand te reizen, alsmede stapels boeken en tijd-

schriften te lezen. Ik heb mijn familie en vrienden opnieuw leren kennen. En het belangrijkste, ik heb mezelf leren kennen. Anderen waren natuurlijk vreselijk jaloers op mijn situatie – die in feite gelijk staat aan VRIJHEID.

Jammer genoeg is mijn financiële situatie niet zodanig dat ik zonder vaste fulltime baan kan leven. Helaas, ik heb een nieuwe baan en begin in januari weer te werken. De belangrijkste verandering is mijn houding, omdat ik nu besef dat het prima is om geen workaholic te zijn, en ik ben vast besloten om weer een gemakkelijk leven te gaan leiden (op z'n minst deeltijdpensioen).

Met vriendelijke groet,

Karen Hall

Merk op dat Karen een vrijetijdskenner is. Voor haar is werkloos zijn een voorrecht. Meer vrije tijd zou je het gevoel moeten geven bevoorrecht te zijn, in plaats van dat je je zorgen maakt. Als je je ware essentie kan ontdekken, kan je leven veel inhoud krijgen zonder werk. Een gezonde houding verzekert je ervan dat je zult vasthouden aan je persoonlijke waarde en waardigheid. Zonder de beperkingen van het werk verwerf je bepaalde vrijheden: vrijheid van denken, vrijheid van bespiegeling, vrijheid van handelen. Je tijd kan gevuld worden met oneindige mogelijkheden. Onthoud dit: geen baan te hebben betekent de ware test van wie je werkelijk bent – en een echte gelegenheid om te worden die je wilt zijn.

Hoofdstuk 6

IEMAND VERVEELT MIJ; IK GELOOF DAT IK HET ZELF BEN

Een bijzonder vervelende ziekte

Twee rentenierende heren, een Noord-Amerikaan en een Europeaan, bespraken de genoegens van het leven, toen de Europeaan achteloos beweerde dat hij honderd verschillende manieren kende om de liefde te bedrijven. De Noord-Amerikaan, enigszins onder de indruk door wat hij zojuist gehoord had, antwoordde dat hij er slechts een kende. De Europeaan vroeg welke dat was. De Noord-Amerikaan beschreef de meest natuurlijke en conventionele manier. De Europeaan zei hierop tegen de Noord-Amerikaan: "Hoogst interessant, daar was ik zelf nooit opgekomen! Dank je hartelijk. Nu ken ik 101 manieren."

Hij stond bekend om zijn onwetendheid; want hij had maar één idee, en dat was verkeerd.
—Benjamin Disraeli

Ben jij zoals de Noord-Amerikaan of de Europeaan? Zie je slechts één manier om dingen te doen, of zoek je naar vele? De gewoonte om naar een manier te zoeken, en bovendien de meest conventionele, maakt je vatbaar voor de ziekte die in de volgende oefening wordt beschreven.

Oefening 6-1. Zorg dat je deze ziekte niet krijgt

Meer dan twintig miljoen Noord-Amerikanen lijden aan deze

ziekte. Je kunt er hoofdpijn of rugpijn door krijgen. Je kunt aan slapeloosheid gaan lijden of impotent worden. Hij is genoemd als oorzaak van gokken, overeten en zwaarmoedigheid. Welke kwaal is dit?

Als jij, op dit ogenblik, hoofdpijn hebt, dit boek leest omdat je niet kunt slapen, diep hunkert naar een vijfdubbele boterham nadat je er net een hebt gegeten, dan is de kans groot dat je je verveelt. De kwaal die hierboven wordt beschreven is niets anders dan verveling.

Verveling wordt nu erkend als een van Noord-Amerika's ernstigste gezondheidsproblemen en vormt de wortel van veel psychologische stoornissen en fysieke problemen. Enkele van de meest voorkomende lichamelijke symptomen van verveling zijn kortademigheid, hoofdpijn, overvloedig slapen, huiduitslag, duizeligheid, menstruatieproblemen en seksuele stoornissen.

Verveling ontneemt mensen de zin van hun bestaan en ondermijnt hun levenslust. Hoewel het logisch lijkt dat met name degenen die nietsdoen en geen baan hebben erdoor aangetast zijn, kunnen mensen met werk er net zo goed aan lijden.

Mensen die zich chronisch vervelen vertonen bepaalde kenmerken; dit zijn:

> Uit zijn op zekerheid en materiële dingen

> Hoogst gevoelig voor kritiek

> Conformisme

> Piekeraars

> Gebrek aan zelfvertrouwen

> Niet creatief

Verveling slaat het vaakst toe bij mensen die voor het veilige, risicoloze pad kiezen. Aangezien ze geen risico's nemen, oogsten mensen die zich vervelen zelden de beloningen van prestaties, tevredenheid en vervulling.

Mensen die het pad van variatie en stimulatie kiezen, lijden zelden aan de kwaal van verveling. Voor creatieve individuen, die op zoek zijn naar veel dingen om te doen en vele manieren om ze te doen, is het leven geweldig opwindend en leuk. Vraag het maar aan de Europeaan die nu 101 manieren kent om de liefde te bedrijven als je hem ooit mocht tegenkomen.

Hoe je echt vervelend kunt zijn voor andere mensen

Vervelende mensen zijn slachtoffer van hun eigen gedrag. Helaas wordt iedereen waarmee ze omgaan ook slachtoffer van hun vervelende gedrag. Als het opwindendste dat ooit in je leven gebeurde, was dat je iemand kent die John Grisham bij het signeren van een zijn boeken heeft ontmoet, dan zou je wel eens ietwat vervelend kunnen zijn.

Sommige mensen zijn zo saai, dat ze in vijf minuten je hele dag verpesten.
—Jules Renard

Mensen die zichzelf beklagen en het over pietluttigheden hebben, zijn vervelender dan mensen die zich te veel van platte taal bedienen of te veel hun best doen om aardig te zijn. Dit wordt gesuggereerd in een artikel in de novembereditie uit 1988 van *Personality and Social Psychology*. De onderzoekers, Mark Leary, assistent-professor in de psychologie aan de Wake Forest University, en Harry Reis, professor in de psychologie aan de University of Rochester in New York, stelden zelfs een vervelingindex vast om te bepalen welke gedragswijzen bijzonder vervelend geacht werden. De volgende gedragswijzen werden in de studie van Leary en Reis aangehaald:

Verveling floreert ook, wanneer je je veilig voelt. Het is een symptoom van zekerheid.
—Eugène Ionesco

> Te veel over koetjes en kalfjes praten en platte taal gebruiken

> Zichzelf beklagen

> Proberen aardig te zijn en aardig gevonden te worden door anderen

> Geen belangstelling voor anderen tonen

> Leuk proberen te zijn om indruk te maken op anderen

> Plotselinge gedachtesprongen maken

> Praten over pietluttige of oppervlakkige zaken

Zorg ervoor dat je je al deze bovenstaande punten eigen maakt, als je echt vervelend voor andere mensen wilt zijn. Alle bovenstaande gedragswijzen zijn voor de meeste mensen over het algemeen vervelend. Sommige van deze gedragingen zijn vervelender dan andere. Reis en Leary ontdekten dat de meest vervelende gedragswijzen waren praten over pietluttige of oppervlakkige dingen en geen belangstelling voor anderen tonen. De minst vervelende gedragingen van de bovenstaande lijst waren proberen aardig te zijn en leuk proberen te doen.

Plato is een zeurpiet.
—Friedrich Nietzsche

We zijn allemaal op z'n tijd vervelend, en de meesten van ons zijn op z'n tijd interessant. Sommige mensen zijn vervelender dan anderen. De vraag is hoe vervelend we voor anderen zijn. Als dit het geval is, zijn we waarschijnlijk ook vervelend voor onszelf.

Je ondermijnt je kansen op plezier in je vrije tijd waarbij sociaal contact te pas komt, als je vervelend of twijfelachtig bent voor anderen. Hier volgen enkele trekken en gedragingen die mensen vervelend vinden.

> Jouw idee van hoogwaardige tijdsbesteding is een paar uur tegen je paard praten en een paar blikjes bier van een onbekend merk drinken.

> Je idee van luxeaccommodatie is slapen op de achterbank van het wrak van een Mercedes-Benz.

> Je kunt niet bedenken waarom iemand die sterk, groot en gespierd is, lid van een mannengroep is.

> Je bent lid van een fitnessclub waar de helft van de leden een pitbull heeft en de andere helft dit ook zou willen.

> Je houdt meer van je auto, stereoapparatuur, je hond of je slang dan je ooit van een huwelijkspartner zou kunnen houden.

> Jouw idee van een wilde zaterdagavond is een ritje met de bus maken en dan een tijdje rondhangen in de wasserette.

> Op je lievelingsshirt staat: "Ik hou van seks, tv-kijken en bier drinken."

> Je bent drie keer gescheiden en je bent pas vijfentwintig.

> Ongeacht welke van je drie truien je draagt, iemand zegt

altijd wel zoiets als "Hoe lang moet je die trui dragen voor je de weddenschap hebt gewonnen?"

> Je idee van een smulpapenmaaltijd is een magnetronmaaltijd met een paar blikjes bier van een onbekend merk.

> Je schept op over hoe grondig je bent opgeleid omdat je drie maal bent blijven zitten.

Als een van de bovenstaande beweringen op jou slaat, is het niet best gesteld met je imago. Of je vervelend bent of niet hangt af van hoeveel mensen zeggen dat je het bent. Hier volgt een goede manier om te bepalen of je bent wat iemand zegt dat je bent. Als je twintig mensen op een dag tegenkomt, en eentje noemt je een paard, maak je dan geen zorgen. Als je twintig mensen op een dag tegenkomt, en twee mensen noemen je een paard, is er nog niet veel met je aan de hand. Als je echter twintig mensen tegenkomt op een dag en zeventien of meer noemen je een paard, dan moet je onmiddellijk een zadel aanschaffen en hooi beginnen te eten! Het alternatief is natuurlijk ophouden een paard te zijn.

Als je een negatief charisma hebt, en je bent pas het middelpunt van een feestje als je weggaat, moet je iets aan je persoonlijkheid doen. Je moet de prijs betalen die nodig is om de tekortkomingen te herstellen. Psychologen bevestigen dat charismatische mensen niet met hun charisma zijn geboren. Hun speciale aantrekkingskracht die anderen als een magneet naar hen toe trekt en hun energie geeft, kan geleerd worden. Wat je moet doen is een innerlijke glans ontwikkelen en liefde voor het leven uitstralen als je met andere mensen samen bent. Charisma toont zich als je een hoog gevoel voor eigenwaarde hebt; het weerspiegelt zich in je hoge positieve energie en levensvreugde.

Om vrij en gelukkig te leven, moet je verveling opofferen. Het is niet altijd een gemakkelijke opoffering.
—Richard Bach

De werkelijke oorzaak van verveling

Bij ons allemaal slaat de verveling wel eens toe in ons leven. Hoe ironisch dit ook mag zijn, veel dingen waarnaar we streven kunnen ons uiteindelijk gaan vervelen: Een nieuwe baan zal in de loop van de tijd vervelend worden. Een opwindende relatie kan saai worden. Vrije tijd die ooit uiterst kostbaar werd geacht, kan doods worden.

Als we verveeld raken, zijn veel zaken hieraan schuldig: de maatschappij, onze vrienden, onze familieleden, slechte tv-programma's, oninteressante steden, een ingezakte economie, die rothond van de buren of een sombere dag. De schuld aan krachten en machten buiten ons geven is de makkelijkste manier om te reageren; we hoeven dan zelf geen verantwoording te nemen.

Psychologen melden dat bepaalde factoren verveling in de hand werken. Enkele van de meest voorkomende oorzaken die psychologen noemen zijn:

> Onvervulde verwachtingen

> Banen die geen uitdagingen bieden

> Gebrek aan lichaamsbeweging

> Te veel toeschouwer zijn

> Zelden deelnemer zijn

We moeten ons afvragen: Wie is verantwoordelijk voor ons gebrek aan lichaamsbeweging, onvervulde verwachtingen, een baan zonder uitdagingen hebben of een toeschouwer zijn in plaats van een deelnemer? We raken alleen verveeld als we deze dingen toestaan zich te manifesteren in ons leven.

Natuurlijk zijn wij uiteindelijk zelf de auteurs van onze verveling. We moeten zelf ons leven interessant maken. Andere mensen, dingen of gebeurtenissen de schuld geven lost zelden of nooit onze problemen op. Niemand anders kan onze problemen voor ons oplossen. Verveling uit de weg ruimen hangt af van de bereidheid om de verantwoording te nemen en er iets aan te doen. Als we stappen ondernemen om ervoor te zorgen dat we niet verveeld raken, is verveling geen probleem meer.

Dylan Thomas zei: "Iemand verveelt me, ik geloof dat ik het

zelf ben." Als je ooit verveling ervaart, vergeet dan niet wie deze veroorzaakt heeft; jij alleen hebt de verveling veroorzaakt. Als je je verveelt, komt dat omdat jij vervelend bent.

De gemakkelijke levenswet

Mensen die lijden aan verveling nemen de route zonder risico's omdat die het comfortabelst is. We hebben allemaal de neiging om in een bepaalde periode de comfortabele weg te kiezen. Het probleem bij het kiezen van de comfortabele weg is dat deze op de lange duur heel oncomfortabel blijkt te zijn. Dit kan het beste verklaard worden met wat ik de "Makkelijke Levenswet" noem:

Figuur 6.1

Wat de Makkelijke Levenswet voorschrijft is dat wanneer we de makkelijke en comfortabele route kiezen, het leven uiteindelijk moeilijk wordt. Negentig procent van ons kiest deze route omdat kortstondig comfort aantrekkelijker lijkt dan het alternatief. De andere mogelijkheid is de moeilijke en oncomfortabele route te nemen. Wanneer we deze route kiezen, is het leven makkelijk. Tien procent van ons neemt deze route omdat wij weten dat we kortstondig ongemak moeten ervaren om op lange termijn winst te boeken.

Het grootste obstakel voor succes is het ongemak dat gepaard gaat met het doen van de noodzakelijke dingen om succes te behalen. Als mensen neigen we tot het kiezen van minder pijn en meer genoegen. De makkelijke weg kiezen is een zekere manier om in een sleur te raken. Tussen de sleur en het graf zit maar weinig verschil. Als je in een sleur zit, bevind je je onder de levende doden, en in het graf onder de dode doden.

Ik wil je erop wijzen dat de Makkelijke Levenswet net zoiets is als de wet van de zwaartekracht. Als je de wet van de zwaartekracht tart door van het dak van een gebouw te lopen, moet je eens zien wat er met je gebeurt. Je valt hartstikke op je donder. Hetzelfde geldt voor de Makkelijke Levenswet. Tart deze wet door de gemakkelijke weg te kiezen en je krijgt ook op je donder. Het blijkt steeds weer te werken.

Alles in het leven heeft zijn prijs. Hoogwaardige vrije tijd vereist inspanning. De meeste mensen volgen de weg van de laksheid omdat die het makkelijkst lijkt. Uiteindelijk lopen ze hierdoor grote beloningen mis. Volg mijn raad en wees niet een van de velen die voor comfort kiezen ten koste van iets te bereiken en van echte voldoening.

De Gemakkelijke Levenswet heeft Lynn Tillon uit New York enigszins beïnvloed. Ze stuurde me de volgende brief nadat ze de eerste editie van dit boek had gelezen:

Beste Ernie,

In de afgelopen paar minuten heb ik enkele suggesties gevolgd uit "Nietsdoen, een levenskunst".
Wilde je schrijven – en ben het ook echt aan het doen.
Wat "moeilijk" is nu doen, zodat het leven makkelijk zal zijn.
De regels doorbreken van naar een "vreemdeling" schrijven – alleen maar de zakelijke briefvorm gebruiken.
Een brief schrijven – wat ik in geen eeuwen gedaan heb (hoewel ik mezelf constant beloofd heb dat ik het zal doen).

In tegenstelling tot sommigen kon ik het boek wel neerleggen - omdat ik de informatie tot mij wilde laten doordringen, klaar wilde zijn om de oefeningen te doen – en op andere momenten kon ik het weer niet. De woorden trokken me verder – het was gewoon verslavend. Gisteravond hield "Nietsdoen, een levenskunst" me uren uit mijn slaap – dwong me tot nadenken, plannen en uitpuzzelen wat ik echt met mijn leven wil doen. Toen eindelijk, vanochtend, was ik klaar. En net toen ik dacht dat het fantastisch zou zijn om jou een brief te schrijven, zag ik de pagina met je adres.
Ik geef les aan jeugddelinquenten in een jeugdgevangenis. Ik heb kopieen gemaakt van de gemakkelijke levenswet. De kinderen waren geïnteresseerd en enthousiast en kwamen met verbazingwekkende parallellen uit hun eigen leven; bijvoorbeeld, snel geld verdienen door drugs te verkopen leidt tot gezinsleed, gevaar, dood, gevangenis. Als ik had geprobeerd om deze dingen ter sprake te brengen, zou dit heel moraliserend zijn geweest.

Eerlijk gezegd wil ik van die baan af en van de reistijd van meer dan drie uur per dag – waardoor heel weinig tijd overblijft voor ontspanning – om het over de stress nog maar niet te hebben. Je boek heeft me hoop gegeven en veel gereedschappen om mezelf te bevrijden zodat ik echt kan gaan leven, en ook om meer van het heden te genieten.

Ik zou heel graag van je horen. Ik zal je laten weten wat voor vorderingen ik maak met het opzeggen van mijn baan.

Met vriendelijke groeten,

Lynn Tillon

Met mensen omgaan die zelfs een heilige vervelend zou vinden

We hebben allemaal wel een paar vervelende kennissen die experts schijnen te zijn op het gebied van verveling. Het kan gewoon wat onaangenaam of moeilijk zijn om bij deze individuen in de buurt te verkeren. Als je bent zoals ik, ga je al na een paar ogenblikken bij zulke figuren in je stoel draaien en begin je naarstig te zoeken naar een manier om te ontsnappen.

Er zijn veel meer vervelende figuren dan toen ik nog jong was.
—Fred Allen

Om je verveling bij deze mensen te verdrijven, moet je verantwoordelijkheid nemen. Allereerst moet één ding duidelijk zijn: De vervelende persoon is niet verantwoordelijk voor jouw verveling; dat ben jij.

Een alternatief om met vervelende mensen om te gaan, is een manier te vinden om je zienswijze te veranderen over degenen die jij vervelend vindt. Je eigen oordelende stem kan hieraan schuldig zijn. We verwachten vaak te veel van andere mensen en geven geen eer aan wie eer toekomt. Om jezelf te helpen je verveling tegenover andere mensen te overwinnen, moet je oefenen een heilige te zijn. Zoek iets interessants en opwindends in hen. Je kunt dan tot de ontdekking komen dat die vervelende persoon helemaal niet zo vervelend is.

Je denkt misschien dat dit alternatief voor de meeste mensen prima is, maar jij kent die ene uitzonderlijk vervelende persoon die de heiligheid van iedereen tot het uiterste op de proef zou stellen. In dat geval moet je zo veel mogelijk bij die persoon uit de buurt blijven. In het uiterste geval moet je hem of haar misschien wel helemaal uit je leven laten verdwijnen. Uiteindelijk is het helemaal jouw beslissing.

Als je de hele dag vervelend werk doet, word je uiteindelijk zelf ook vervelend

Als je naar echt gelukkige mensen kijkt die midden in het leven staan, zul je opmerken dat ze bezig zijn met hun levensdoel. Vaak is hun doel hun werk; hun doel kan echter ook samenhangen met een vrijetijdsbesteding of een hartstocht. Veel levenslustige mensen hebben een overweldigende hartstocht voor hun werk. Als jij werkt, werkt je werk dan voor jou? Als dit zo is, is je werk je hartstocht en vormt het een deel van het belangrijke doel in je leven. Je belangrijke doel zal gemanifesteerd worden via je roeping als je je talenten en je creativiteit gebruikt om iets te betekenen voor deze wereld.

Clyde, je verveelt me mateloos. Ik zet je een tijdje in de wachtstand.

Net zo, als je niet werkt vanwege werkloosheid of pensioen, werkt je vrije tijd dan voor jou? Als je deelneemt aan eentonige vrijetijdsactiviteiten, zul je waarschijnlijk uiteindelijk ook saai en eentonig worden. Je moet actieve vrijetijdsbezigheden ondernemen die meer uitdagingen en risico's in je leven brengen.

Als je werkt en je werk bestaat hoofdzakelijk uit taken die je uiterst vervelend vindt, moet je overwegen om veranderingen aan te brengen in je werk of om je baan op te zeggen. Bob Black biedt interessante stof tot nadenken in zijn essay "Schaf werk af: Werkers aller landen, ontspan u". Hij beweert: "Je bent wat je doet. Als je saai, dom, eentonig werk doet, is de kans groot dat je uiteindelijk saai, dom en eentonig wordt."

Ik had een saaie kantoorbaan. Ik lapte de vensters in de enveloppen.
—Rita Rudner

Als je vastzit in je carrière, is het niet makkelijk om zelfs maar een slecht betaalde baan op te zeggen. Je hebt het geld misschien nodig en geen tijd om ander werk te zoeken. Als je echter de kans hebt om een saaie en mensonterende baan op te zeggen, moet je dat meteen doen omwille van je gezondheid en geluk op de lange termijn. Te veel compromissen sluiten ten koste van je levensstijl voor je baan, maakt je een verveeld (en dus ook vervelend) persoon.

Je hoeft niet rijk te zijn om met verlof te kunnen gaan

Hoewel een korte vakantie voldoende is om wat tot rust te komen, is het vaak niet genoeg om op het werk verveling en overspannenheid te vermijden. Je moet zien te vermijden dat je vastgeroest raakt in je beroep. Als je min of meer hetzelfde doet als drie tot vijf jaar geleden, overweeg dan een verlofjaar op te nemen.

Alleen maar werk en niet spelen maakt Piet tot een saaie jongen – en Marie een rijke weduwe.
—Evan Esar

Hoe hard je ook probeert uit te rusten tijdens je vakantie van twee of drie weken, je zult er niet door losgeweekt raken uit de situatie waarin je vastgeroest zit. Een goed uitgeruste en frisse geest kan het beste verkregen worden door middel van een behoorlijke verlofperiode.

Overweeg serieus om een verlofjaar op te nemen, zodat je je kunt omringen met andere mensen en de wereld met nieuwe ogen kunt bekijken. Als je in geen jaren langer dan drie weken per jaar met vakantie bent geweest, dan is nu de tijd aangebroken om een andere wereld te gaan ervaren.

In deze razendsnelle wereld zou iedereen moeten proberen elke vijf tot tien jaar een verlofjaar te nemen. Dit is een periode waarin je je lichaam en ziel kunt verjongen, zodat je je carrière fris kunt voortzetten. Verlof van je werk is een periode waarin je de geest kunt verjongen. Het verlof zou minimaal een half jaar moeten duren. Een verlofperiode van twee tot drie jaar kan benut worden om een nieuwe graad te behalen, een nieuw vak te leren of een nieuw talent te ontwikkelen.

Richard Procter uit Toronto stuurde me deze brief in de zomer van 1995:

Beste Ernie,

Ongeveer een jaar geleden slaagde ik er op de een of andere manier in om een prijs te winnen op het kantoor waar ik werkte, hoewel ik nooit ben komen opdagen voor het feest! Ik vond het nogal vreemd, maar ik aanvaardde niettemin de boekenbon. Ik snuffelde wat rond in de boekhandel en ten slotte viel mijn oog op de titel van je boek, dus pakte ik het beet.

Welnu, je vindt het misschien interessant te vernemen dat je boek mijn leven niet veranderd heeft. Het kristalliseerde en bevestigde echter wel veel principes volgens welke ik al jarenlang geleefd had. Je bent erin geslaagd om op uitstekende wijze de vele goede ideeën te verwoorden die ik al in mijn hoofd had sinds ik met het vooruitzicht geconfronteerd werd om de kost te moeten verdienen, ongeveer twintig jaar geleden.

Ik werk als softwareconsultant. Momenteel doe ik werk op basis van kortlopende contracten. Deze methode van werken met één tot meerde-

re maanden vrije tijd tussen twee contracten in, stelt me in staat veel vrijetijdsideeën uit je boek na te streven en bovendien een aantal die er niet in staan. Ik kan me geen andere levenswijze voorstellen. Ik ben dankbaar dat de computerrevolutie kwam en mij de kans gaf om zo te leven! Reizen is mijn voornaamste hobby. Ik ben net terug uit Mexico en het zuidwesten van de Verenigde Staten, maar ik doe ook een hele hoop andere dingen waar niemand anders de tijd voor schijnt te hebben.

Hoe dan ook, ik ben van plan om deze zomer rond 24 augustus Edmonton te bezoeken voordat ik een kanotocht ga maken op de Nahanii rivier. Als je tijd hebt, zou ik je graag uitnodigen om uit eten te gaan en een praatje te maken over je boek en vrije tijd. Laat me weten of dit je uitkomt.

Bedankt voor het schrijven van zo'n goed boek.

Richard Procter

Omdat ik aan een ander boek werkte heb ik Richard niet geantwoord voor hij al uit Toronto naar Edmonton vertrokken was. Synchroniciteit sloeg echter weer toe. Terwijl ik met een vriend koffie zat te drinken in een van mijn favoriete koffieshops in Edmonton, liep Richard toevallig voorbij met zijn nicht Nancy en herkende me van de foto achterop het boek. Het draaide eropuit dat Richard en Nancy me een paar dagen later mee uit eten namen.

Om niemand te zijn, doe niets
—B.C. Forbes

Ik ontdekte dat Richard een vrijetijdskenner was. Richard had ontdekt dat minder meer is; minder werk betekent meer tijd voor vrijetijdsbestedingen. Voor Richard is een verlofperiode ten minste eenmaal per jaar een geweldige manier om ten volle van het leven te genieten. Verveling komt niet voor in Richards leven. Ik hoorde voor het laatst iets van hem voor ik begon aan de herziening van dit boek. Hij was op een van zijn verlofreizen in het Midden-Oosten met een vroegere vriendin uit Australië; hij schreef me vanuit Egypte.

Merk op dat verlof niet alleen voor rijke mensen is weggelegd. Hoewel ik niet erg veel geld verdiend heb in de loop van de jaren, heb ik slechts de helft van mijn volwassen jaren hoeven werken. De andere helft heb ik besteed aan naar de universiteit gaan of verschillende soorten verlof te nemen. Wees creatief in het bedenken van een levensstijl met weinig materiële behoeften en je zult beter in staat zijn je een verlofperiode te veroorloven. Je frisheid kan ertoe leiden dat je veel meer geld verdient dan wanneer je niet met verlof was gegaan.

Heb jij even geluk als je problemen hebt

Onwilligheid om problemen te verwelkomen en op te lossen, kan de verveling in ons leven vergroten. Creatieve mensen zien de meest complexe problemen als kansen om te groeien. We zouden allemaal problemen in ons leven moeten verwelkomen om de bevrediging te ervaren van het oplossen ervan.

Hoe zie jij je dagelijkse problemen? Vind je grote of gecompliceerde problemen altijd onaangenaam? Welnu, dat zou je niet moeten doen. Het gaat hierom: hoe groter het probleem, hoe groter de uitdaging; hoe groter de uitdaging, hoe meer bevrediging je ervaart door het oplossen van het probleem.

> Er bestaat geen probleem dat geen verborgen geschenk is. Je zoekt problemen op omdat je deze geschenken nodig hebt.
> —Richard Bach

Creatief zijn betekent problemen als kansen verwelkomen om meer voldoening te bereiken. De volgende keer dat je een groot probleem tegenkomt, let dan op je reacties. Als je zelfvertrouwen hebt, zul je je goed voelen omdat je weer de kans hebt om je creativiteit op de proef te stellen. Als je je zorgen maakt, bedenk dan dat je, net als ieder ander, het creatieve vermogen bezit om je problemen op te lossen. Elk probleem dat zich voordoet is een geweldige gelegenheid om vernieuwende oplossingen te bedenken. Hier volgen enkele punten ten aanzien van het hanteren van problemen ter overweging:

Je droomt misschien van een probleemloos leven; dit is echter niet de moeite waard om te leven. Als je met een machine verbonden was die alles voor je deed, dan zouden al je problemen weg zijn. Het is onwaarschijnlijk dat je dit een aantrekkelijk alternatief zou vinden voor het leven met alle problemen die erbij horen. Onthoud dit goed als je droomt van een probleemloos leven.

Als je van je probleem af wilt, zoek dan gewoon een groter probleem op. Stel je voor dat je een probleem hebt met wat je vanmiddag moet doen. Terwijl je over je probleem nadenkt, komt er een grote lelijke beer achter je aan. Het kleine probleem van niet weten wat je die middag moest doen zal verdwijnen door het grotere probleem van de beer. De volgende keer dat je een probleem hebt, creëer dan een groter probleem; het kleinere probleem zal verdwijnen.

Een probleem oplossen schept vaak meer problemen. Hierop zijn vele variaties: Ons probleem kan zijn dat we niet zijn getrouwd. Als we eenmaal getrouwd zijn, kunnen we genieten van onze huwelijksproblemen. Een ander probleem kan te weinig kleren zijn. Als dit probleem eenmaal opgelost is, hebben we niet genoeg kastruimte en weten we niet wat we aan moeten trekken. Armoede, als die met geld uit een loterij wordt opgelost, leidt tot vele andere problemen, zoals allerlei ongewenste zogenaamde vrienden.

Grote problemen waaraan pijnlijke incidenten te pas komen of grote persoonlijke tegenslagen, zijn vaak gelegenheden tot creatieve groei en transformatie. Veel individuen melden dat een scheiding doormaken of een kluit geld verliezen in Las Vegas je geest goed door elkaar schudt. Als gevolg hiervan kun je een creatief ontwaken ervaren.

Tegenslagen zoals niet bevorderd worden op je werk, kunnen leiden tot een wedergeboorte in creatief denken, dat tijdenlang heeft gesluimerd. Veel mensen geven aan dat ontslagen worden het beste was dat hun ooit is overkomen. Zoals ik eerder vermeld heb, ben ik zo iemand. Vanwege grote problemen door het ontslag kreeg ik de kans om erachter te komen wat ik werkelijk wilde doen met mijn leven. Grote problemen schudden je geest door elkaar, zodat oude gedachtepatronen worden doorbroken.

Je verveling op het spel zetten

In het vorige gedeelte werd benadrukt dat problemen kansen zijn. Hoe groter het probleem dat opgelost moet worden, hoe groter de bevrediging van het oplossen van dat probleem. Als dat het geval is, waarom vermijden zo veel mensen problemen alsof het pitbullterriërs met hondsdolheid zijn? Een van de voornaamste redenen is faalangst bij het oplossen van problemen. De beste manier waarop wij van onze verveling af kunnen komen, is wat risico's in ons leven te nemen. Door ons aan de kans op mislukking over te geven, zetten we onze verveling op het spel.

> Om het fruit uit de boom te halen, moet je zelf op een tak klimmen.
> —Shirley MacLaine

Moe Roseb zette zijn verveling op het spel. Nadat hij mijn eerste boek had aangeschaft, belde Moe me op vanuit San Diego om over de kracht van creativiteit te spreken. We hebben het in ons gesprek gehad over het hele idee van risico's nemen in het leven. Op zesenveertigjarige leeftijd, toen de kinderen allemaal het huis uit waren, besloot Moe het risico te nemen om van Toronto naar Californië te verhuizen. Hij praatte over zijn vrienden die hij al jaren kende en die nogal vervelend waren. Sommigen zaten in een midlifecrisis. Vrienden zagen Moe en zijn vrouw nog steeds net zo als ze vijftien jaar geleden waren, hoewel beiden waren blijven groeien als individuen. Moe had het gevoel dat zijn relatie met deze vrienden gestagneerd was.

Bleef Moe dus zijn vrienden de schuld geven van deze situatie? Nee. Hij zette zijn verveling op het spel en deed er iets aan. Hij verhuisde naar Californië naar nieuwe vrienden, een nieuwe omgeving en een nieuw leven. Moe bekeek het op deze manier: "Veel van mijn vrienden zitten in een midlifecrisis. Ik ga in de plaats daarvan een midlifeavontuur beginnen."

Alleen domkoppen zijn bang om een domkop te zijn

Aan de ene kant zijn mensen in Noord-Amerika bezeten van succes behalen. Aan de andere kant zijn de meeste mensen bang voor mislukking en proberen dit te vermijden. De behoefte aan succes en het verlangen om mislukking te vermijden staan lijnrecht tegenover elkaar. Mislukking is gewoon een noodzakelijke stap naar succes. Je zult meestal veel mislukkingen moeten ondergaan voordat je succes behaalt. De weg naar succes ziet er ongeveer zo uit:

Mislukking Mislukking Mislukking Mislukking Mislukking
Succes

De weg naar het meeste succes is geplaveid met mislukking – mislukking en niets anders. Toch proberen veel mensen koste wat kost mislukking te vermijden. De angst voor mislukking hangt samen met andere angsten: de angst om voor domkop aangezien te worden, de angst voor kritiek, de angst om het respect van de groep te verliezen en de angst om financiële zekerheid te verliezen. Mislukking vermijden betekent succes vermijden.

Als je je successcore wilt verdubbelen, moet je gewoon je mislukkingsscore verdubbelen.
—Tom Watson

Velen van ons gaan risico's uit de weg vanwege onze angst om een flater te slaan. We raken zo bezeten van de drang om aardig gevonden te worden, dat we geen dingen doen waardoor we er slecht afkomen in de ogen van anderen. Het vermijden van risico's wordt de norm. Dit kan heel schadelijk voor onze creativiteit en ons enthousiasme zijn. We moeten leren om een domkop te zijn, willen we creatief zijn en het leven ten volle leven.

Als je tegenzin hebt om te falen door je angst wat anderen van je zullen denken, dan heb ik je iets nieuws te vertellen: De meeste mensen zullen toch wel slechte gedachten over je hebben. Het is zelfs zo dat als je succesvol bent, ze nog lelijkere dingen zullen weten te zeggen. Hoe succesvoller je bent, hoe meer kritiek je zult aantrekken. De meeste mensen koesteren kritische gedachten over anderen. Het maakt niet uit of je succesvol bent of niet, kritiek krijg je toch wel. Wat is er dan zo erg aan falen? Je kunt er net zo goed voor gaan! De kans is groot dat je verveling zal verdwijnen en dat je leven helemaal zal veranderen.

Figuur 6-2. Domkoppentabel

De domkoppentabel in figuur 6-2 benadrukt dat bang om een domkop te zijn op een lager niveau staat dan werkelijk een domkop te zijn. Genieën en succesvolle personen, in werk of spel, zijn goed omgegaan met de angst om een domkop te zijn. Ze beseffen dat ze, om in hun pogingen te slagen, veel mislukkingen moeten ondergaan en geregeld riskeren een domkop te zijn.

Een domkop zijn is essentieel voor het meester worden van het leven. "Een domkop" zijn zal je op een veel hoger plan plaatsen wat betreft je persoonlijke groei dan "bang zijn om een domkop te zijn". Succes in het leven vereist dat je af en toe een domkop bent.

Durf anders te zijn

Creatief zijn in vrije tijd betekent dat je iets ongewoons moet kunnen bedenken en doen. Op deze wijze kun je iets nieuws en waardevols voortbrengen in je leven. Hiervoor is moed nodig, aangezien je bekritiseerd zal worden, omdat je het lef hebt om op te vallen in de massa. Als je een gezonde houding hebt, zul je kritiek kunnen negeren of het als iets totaal onbelangrijks beschouwen.

Iets betekenen in je eigen leven en dat van anderen is een zekere manier om verveling uit de weg te ruimen. Houd in gedachten dat je niet kunt verwachten een conformist te zijn en toch veel kunt betekenen. Om veel te betekenen in deze wereld moet je om te beginnen anders zijn. Doe iets ongewoons en vergeet wat anderen ervan denken.

Ik zit liever op een pompoen, die ik helemaal voor mezelf heb, dan met vele anderen op een fluwelen kussen.
—Henry David Thoreau

Albert Einstein, Thomas Edison, Moeder Teresa, Mahatma Gandhi en John F. Kennedy hebben allemaal veel betekend voor deze wereld. Ze hadden allen iets gemeen: ze waren allemaal anders dan de meeste mensen. Ze liepen uit de pas met de maatschappij; geen van deze grote individuen was een conformist.

Wees geen kopie, maar wees een origineel. Neem de tijd om na te denken hoezeer je jezelf beperkt door te proberen net als iedereen te zijn. Als je de ongezonde behoefte hebt om er altijd bij te horen en door iedereen geaccepteerd te worden, schep je een leven vol verveling voor jezelf. Bovendien bestaat de kans dat anderen je nogal saai zullen vinden. Met andere woorden, als je een vervelend leven wilt, conformeer je dan en wees saai; als je een interessant en opwindend leven wilt, wees dan anders.

Verveling is iets dat je ondervindt in je leven omdat je het zelf uitnodigt. De beste manier om verveling te overwinnen, is er iets aan te doen. Vergeet niet: als je je verveelt komt dit doordat jij vervelend bent. De enige die je kan helpen verveling te overwinnen ben je zelf. Je hebt het creatieve vermogen om het leven opwindend te maken; gebruik dat vermogen. En dat is een bevel!

Hoofdstuk 7

HET IS BETER OM HET VUUR AAN TE STEKEN DAN JE ERDOOR TE LATEN VERWARMEN

De motivatiedans doen

Vele jaren geleden had een man genoeg moed verzameld om een jonge vrouw ten dans te vragen. Nadat hij enkele minuten met haar had gedanst, vertelde de vrouw hem dat hij niet kon dansen. Ze beklaagde zich erover dat hij danste als een vrachtwagenchauffeur.

Voor veel mensen zou deze ervaring voldoende geweest zijn om voorgoed met dansen te stoppen. Televisiekijken of zich zitten vervelen zouden veel betere alternatieven hebben geleken. Niettemin ontwikkelde deze man een passie voor dansen en ging er nog jarenlang mee door.

De jonge man ging door met dansen omdat hij het zelfrespect en de motivatie bezat om door te gaan. Hij raakte bekend als een van de grote dansers van de moderne tijd. Toen hij in maart 1991 stierf, waren er vijfhonderd dansscholen naar hem vernoemd. Op een zeker ogenblik was hij elf jaar lang achter elkaar op de televisie geweest en had hij vele verschillende mensen – waaronder vrachtwagenchauffeurs – laten zien hoe ze moesten dansen.

Ik zou met je kunnen dansen tot de koeien thuiskomen. Bij nader inzien zou ik liever met de koeien dansen tot jij thuiskomt.
—Groucho Marx

Ik heb het over Arthur Murray. Hij werd een grootheid in zijn beroep omdat hij zichzelf motiveerde. Doordat hij zich bewust was van zijn vermogen tot leren en groeien, had hij zijn ware potentieel ontdekt. Houding en motivatie gaan hand in hand. Alleen als je jezelf kunt motiveren, kun je de dingen tot stand brengen die je tot stand wilt brengen. Als je een bevredigend en ontspannen leven wilt creëren, moet je de motivatiedans kunnen doen.

Ben je gemotiveerd genoeg om dit te lezen?

Je bent dit boek aan het lezen omdat je jezelf ertoe gemotiveerd hebt. De aanleiding kan een uit vele geweest zijn: je verveelde je en had absoluut niets anders te doen; je houdt ervan om boeken te lezen die je denken stimuleren; je bent een masochist en houdt ervan om boeken te lezen waar je een hekel aan hebt; je leest een boek als dit om lekker bij in te kunnen slapen; of je voelt je verplicht om dit boek te lezen omdat ik vorige week een maaltijd voor je heb betaald. Wat de reden ook was, je moet een aanleiding gehad hebben om dit boek op te pakken en tot hier te lezen.

Motivatie is de daad of het proces van het genereren van een aanleiding of aansporing tot actie. Gebrek aan motivatie betekent dat je niet tot actie overgaat, en er kan natuurlijk niets tot stand gebracht worden zonder ten minste enige actie.

Gemotiveerde tennisser

Men is het er algemeen over eens dat een ongezonde houding en gebrek aan motivatie de belangrijkste struikelblokken zijn die het behalen van succes en het verkrijgen van voldoening in de weg staan. Hoewel vaardigheid en kennis belangrijk zijn, garanderen ze geen succes. Vaardigheid en kennis dragen slechts ongeveer 15 procent bij aan wat nodig is om succesvol te zijn. Ten minste 85 procent van succes wordt toegeschreven aan zelfmotivatie en een gezonde instelling.

Volgens David C. McClelland, een onderzoeker op het gebied van prestatie en motivatie, is slechts 10 procent van de Amerikaanse bevolking sterk gemotiveerd voor actie en prestatie. De doeners van deze wereld bezitten het “prestatiemotief”. Hoewel de meeste individuen denken dat ze een prestatiemotief hebben, zijn er slechts weinig doeners. Mensen met een sterk prestatiemotief zullen nadenken over wat ze tot stand willen brengen, wanneer ze zich kunnen ontspannen en niets anders aan hun hoofd hebben.

Het verschil tussen mensen die hoge prestaties leveren en degenen die weinig presteren, is dat de eerstgenoemden actief denken en niet passief. Onderzoeken over mensen die veel presteren geven aan dat ze veel tijd nemen om gewoon over dingen na te denken. Hun gevoel van iets tot stand te brengen berust niet alleen op lichamelijk actief te zijn, maar ook op hun vermogen om te mediteren, dingen te overpeinzen en te dagdromen.

Leren is ontdekken wat je al weet.
Doen is laten zien dat je het weet.
—Richard Bach

Mensen die veel presteren vinden het belangrijk om daadkrachtig te zijn en dingen tot stand te brengen; hier denken ze veel over na. Uiteindelijk doen ze wat ze van plan waren te doen; dit is wat het verschil uitmaakt in hun leven. Ze weten dat iets kunnen betekenen – of dit nu in vrijetijdsbezigheden is of in zaken – inhoudt dat je het vuur aan moet steken, in plaats van gewoon af te wachten tot je door het vuur van iemand anders verwarmd wordt.

Stenen zijn hard, water is nat, en een lage motivatie schenkt je geen voldoening

Ook al motiveert slechts een minderheid van ons zichzelf genoeg om voldoening in het leven te verkrijgen, volgens sommige psychologen zijn we allemaal altijd gemotiveerd. Dit lijkt met elkaar in tegenspraak te zijn. Ik ken veel personen die nog niet eens het woord "motivatie" kunnen zeggen, laat staan het ervaren.

Wat deze psychologen bedoelen is dat alles wat we doen het gevolg is van een bepaald motief. Niettemin zijn veel mensen gemotiveerd om weinig of niets te doen. Ik noem dit type motivatie negatieve motivatie, omdat het ons afleidt van het pad dat naar overwinning voert.

Ik leer van mijn fouten. De tweede keer kan ik dezelfde fouten met groter gemak maken.
—Onbekend wijs persoon

Omdat we slachtoffers zijn van onze eigen onzekerheden en mislukkingen in het verleden, draaien mensen met een negatieve instelling en lage motivatie in het leven alleen maar de verplichte figuren af. Ze klagen voortdurend. Ze beginnen aan dingen maar maken ze niet af. Ze maken telkens weer dezelfde fouten, en niets gaat goed, wat ze ook proberen. Het bedroevendste is wel dat ze niet in de gaten hebben hoe negatief ze eigenlijk zijn.

Het verlangen naar comfort en de neiging om risico's te vermijden leidt gewoonlijk tot lage motivatie of totale inactiviteit. Hoewel angst een positieve drijfveer kan zijn, spoort zij ons meestal aan tot reacties die weinig of niets bijdragen aan onze tevredenheid. Angst doet ons meestal eerder negatief dan positief reageren.

Ontken je beperkingen,
en ze zijn zeker van jou.
—Richard Bach

Andere ongezonde denkwijzen, zoals het syndroom van "je-grote-slag-slaan", fungeren als negatieve motivatie. Dit syndroom is een van die puberale reddingsfantasieën die we allemaal in onze jeugd hebben gehad. Helaas ken ik veel mensen die deze puberale reddingsfantasieën koesterden tot ze ver in de vijftig of zelfs zestig waren. Puberale fantasieën worden vooral gekoesterd door ongemotiveerde volwassenen met een laag gevoel van eigenwaarde.

Hier volgen enkele variaties op het "je-grote-slag-slaan-syndroom": Als ik de hoofdprijs van vijf miljoen eens in de loterij won, dan zou ik gelukkig zijn; als ik eens een nieuwe relatie met een opwindend persoon zou krijgen, dan zou ik me niet zo vervelen; als ik een opwindende baan met een topsalaris zou krijgen, dan zou ik echt kunnen gaan leven. Mensen die lijden aan het grote-slag-syndroom zijn op zoek naar een makkelijke manier om gelukkig te worden – die natuurlijk niet bestaat. De grote slag afwachten is een manier om de inspanning te omzeilen die nodig is om je leven echt op gang te brengen.

Er zijn vele andere denkwijzen die duiden op onvoldoende motivatie in het leven. Als je enkele van de volgende overtuigingen of gedachten koestert, onderwerp je je aan negatieve drijfveren die absoluut niets bijdragen aan je succes en voldoening.

- Ik heb unieke levensproblemen. Niemand anders heeft zulke kolossale moeilijkheden als ik.

- Je kunt mij niets nieuws vertellen.

- Ik moet door zo veel mogelijk mensen aardig gevonden worden, anders voel ik me ellendig. Als iemand een hekel aan me heeft, krijg ik een hekel aan mezelf.

- Ik heb recht op wat ik wil in mijn leven en ik hoef geen mislukkingen te ondergaan.

- De wereld moet eerlijk zijn, vooral tegenover mij.

> Alle mensen zijn heel anders dan ze behoren te zijn.

> Mezelf veranderen is onmogelijk omdat ik nu eenmaal zo geboren ben.

> Ik zal nooit de invloed van mijn kindertijd kwijtraken, omdat mijn allesbehalve volmaakte ouders schuldig zijn aan hoe ik ben.

> Regeringen doen niet genoeg voor gewone mensen als ik.

> Ik ben benadeeld omdat ik niet genoeg geld heb, niet mooi ben en niet de juiste mensen ken.

> Ik ben een goed mens en ik ben tegen iedereen aardig. Waarom gedraagt niet iedereen zich zo tegen mij?

Als je regelmatig een van de bovenstaande gedachten hebt, creëer je veel pijn en verdriet voor jezelf. Je ontwikkelt bewust of onbewust excuses om niet de stappen te zetten die noodzakelijk zijn om je leven op gang te brengen.

De wereld de schuld geven dat het hier zo slecht toeven voor je is, garandeert dat de wereld voor jou onaangenaam zal blijven. Zelfs als je licht aan het eind van de tunnel ziet, zal dit van een tegemoetkomende trein zijn. Het zal erop uitdraaien dat je geloof gaat hechten aan het oude Noorse adagium: "Niets is zo erg dat het niet nog erger kan worden."

De volgende oefening kan je helpen de zaken in het juiste perspectief te plaatsen over wie verantwoordelijk is voor jouw tevredenheid.

Oefening 7-1. Wat voldoening geeft

Besteed een paar ogenblikken aan het beantwoorden van de volgende vragen:

1. Ben je bereid een succes van je leven te maken?
2. Wil je voldoening in je leven?
3. Wie is de bron van de voldoening die je ervaart?
4. Wie geef je de schuld als je geen plezier en voldoening in je leven verkrijgt?

5. Wie geef je de eer als je succes hebt en voldoening ervaart door wat je gepresteerd hebt?

Het doel van de bovenstaande oefening is je eraan te herinneren dat jij de uiteindelijke verantwoordelijke bent voor voldoening in je leven. Als je over het algemeen andere mensen of omstandigheden de schuld geeft van je huidige geestesgesteldheid, dan geef je je over aan de genade van die andere mensen of die omstandigheden. Je moet geloven dat je zeggenschap hebt over je levenskwaliteit; als je dat niet doet, zullen mensen en omstandigheden je succes in de weg staan. Je mag niet de instelling hebben dat als het leven een beetje makkelijker was, je zou proberen om meer te bereiken. Het leven is zoals het is en niet zoals het zou moeten zijn. Stenen zijn hard, water is nat en een lage motivatie geeft je geen voldoening. Je moet actie ondernemen om dingen te veranderen.

Mijn leven zit boordevol obstakels. Het grootste obstakel ben ik zelf.
—Jack Parr

We koesteren allemaal wel eens de diepgewortelde hoop dat het ons bespaard zal blijven ons leven in eigen hand te moeten nemen. We hopen dat iemand anders het voor ons zal doen. Zo zit het leven niet in elkaar; niets gebeurt vanzelf.

Alles wat maar enigszins belangrijk is, komt alleen maar tot stand als je het zelf in handen neemt. Om positief gemotiveerd te zijn om grote hoogten te bereiken, moet je een manier vinden om je ongezonde denkprocessen uit de weg te ruimen. Gezonde denkprocessen betekenen een positieve motivatie. Als je positieve redenen vindt om actie te ondernemen, zul je goed op weg zijn om dingen tot stand te brengen en voldoening te verkrijgen.

Wat is is, en wat zou moeten zijn is een regelrechte leugen.
—Lenny Bruce

Jezelf motiveren om de ladder van Maslov te beklimmen

Er zijn verschillende motivatietheorieën ontwikkeld in de loop der jaren. De beroemdste is waarschijnlijk die van Abraham Maslow. Zijn theorie over de hiërarchie van de menselijke behoeften verklaart wat ons motiveert om de projecten te ondernemen die we in ons leven nastreven.

De theorie van de hiërarchie van behoeften is op drie aannames gebaseerd:

1. Er bestaat een duidelijke rang, orde, prioriteit of hiërarchie van behoeften die ons gedrag bepaalt.
2. De centrale veronderstelling is dat onze hogere behoeften niet

geactiveerd worden tot onze lagere behoeften redelijkerwijs zijn bevredigd.
3. We worden gemotiveerd door onvervulde behoeften.

Er bestaan vijf basisbehoeften waar mensen naar streven. Deze behoeften zijn in opklimmende volgorde:

- Psychologische behoeften hebben te maken met het normale functioneren van het lichaam en omvatten behoefte aan water, voedsel, rust, seks en lucht.

- Veiligheidsbehoeften hebben te maken met onze behoefte om ons te behoeden voor schade en omvatten bescherming tegen gevaar, ontbering, dreiging, en onzekerheid.

- Sociale behoeften omvatten verlangen naar liefde, gezelschap en vriendschap. Over het geheel weerspiegelen deze behoeften ons verlangen om door anderen geaccepteerd te worden.

- Behoeften aan achting vormen ons verlangen naar respect en vallen over het algemeen in twee categorieën uiteen: zelfrespect en respect van anderen.

- Zelfverwezenlijkingsbehoeften weerspiegelen ons verlangen om creatief te zijn en ons volledig potentieel te verwezenlijken.

Ongeacht wie we zijn, onze behoeften zijn niet statisch. Behoeften veranderen voortdurend. Maslow betoogde dat als onze huidige behoeften bevredigd zijn, andere behoeften opkomen, en vervolgens beheersen deze nieuwe behoeften ons. Hij beweerde dat we ons hele leven bijna altijd naar iets verlangen. Ongetwijfeld klinkt dit de meeste adverteerders als muziek in de oren.

We zijn het beste in staat om van vrije tijd te genieten als we onszelf verwezenlijkt hebben. Zelfs als we de staat van zelfverwezenlijking bereiken, kunnen we onszelf nooit als volledig verwezenlijkt beschouwen. We zouden ons dood vervelen bij een perfecte staat van tevredenheid. En het zou natuurlijk een nachtmerrie voor adverteerders zijn. We ervaren nooit lang een staat van volmaakte tevredenheid. Als er een verlangen verdwenen is, staat een ander te trappelen om zijn plaats in te nemen.

Alleen oppervlakkige mensen kennen zichzelf.
—Oscar Wilde

Ons vermogen om onze behoeften te bevredigen hangt in de eerste plaats af van te weten wat we nodig hebben; we zouden onze behoeften goed moeten kennen. Dit is gemakkelijker gezegd dan gedaan. Volgens Maslov kunnen we ons wel of niet bewust zijn van onze elementaire behoeften. Hij vermoedde: “Bij de gemiddelde mens zijn ze vaker onbewust dan bewust..., hoewel ze, met de juiste technieken, en bij ontwikkelde mensen, bewust kunnen worden.”

We geven allemaal onze behoeften te kennen aan de wereld. Dit gebeurt vaak onbewust. Onze behoeften kunnen een mysterie voor onszelf blijven, maar niet voor anderen.

Oefening 7-2. Heb je deze test nodig?

Je erop toeleggen om je volledig bewust te worden van je gedrag, instelling, overtuigingen en zienswijzen, zal je een heel eind op weg helpen naar het begrijpen van je behoeften en drijfveren. Hier volgt een test om te bepalen waar je je op Maslows ladder bevindt. Hoewel Maslow in veel academische werken vermeld staat, zul je deze test in geen ervan vinden. Dit komt doordat hij door een niet-academicus ontwikkeld werd. De test is niet erg wetenschappelijk, dus vat het resultaat niet op als een wet van Meden en Perzen.

Je vindt een lijst van typische signalen van elk van Maslows niveaus. Die kunnen je helpen een profiel te ontwikkelen van het type persoon dat je bent. Je kunt er ook uit afleiden hoever je moet gaan om de ideale staat van het genieten van vrije tijd te bereiken, de staat van zelfverwezenlijking.

Analyseer eerst hoe je jezelf ziet. Probeer jezelf vervolgens te zien zoals anderen je zien. Aangezien we de neiging hebben om onszelf anders te zien dan onze vrienden ons zien, laat een paar vrienden je ook evalueren.

1. *Fysiologische behoeften*
> Niet erg energiek – lijdt vaak aan vermoeidheid
> Weinig tot geen ambitie
> Slordige kleding en verzorging, rijdt in geblutste en gedeukte auto
> Vatbaar voor ziekte – zwaarmoedig
> Einzelgänger, vermijdt groepen
> Erg laag zelfbeeld en voelt zich slachtoffer van de maatschappij
> Onproductief op het werk

2. *Veiligheidsbehoeften*
> Chronische piekeraar die risico's vermijdt
> Negatief, oncreatief persoon met gebrek aan vertrouwen
> Lijdt aan het "de wereld moet mij onderhouden syndroom"
> Heeft altijd het gevoel onvoldoende inkomen te hebben
> Praat veel over geld, pensioenregelingen en verzekeringen
> Rijdt in oude auto – de waarde ervan verdubbelt als er benzine in gestopt wordt
> Draagt kleren die al jaren geleden uit de mode waren
> Onproductief vakbondslid

3. *Behoeften om erbij te horen*
> Prettig mens – wil door iedereen aardig gevonden worden
> Draagt moderne, maar doorsneekleren
> Lid van veel clubs en organisaties
> Bekleedt veel te veel functies en gaat naar veel te veel feestjes
> Conformist die zich altijd aanpast
> Neemt deel aan veel teamactiviteiten
> Goede werker maar niet erg creatief

4. *Egobehoeften of behoeften aan respect*
> Verslaafd aan het uiterlijke leven
> Schept op over onderscheidingen en trofeeën
> Uitgesproken mening en altijd op zoek naar aandacht van anderen
> Laat vaak belangrijke namen vallen

Vertel me eens! Is dit zelfverwezenlijking?

> Rijdt in een poenerige auto (volledig gefinancierd)
> Neemt mobiele telefoon mee in het restaurant om op te vallen
> Altijd in competitie met iedereen en wil steeds winnen, beter zijn dan anderen
> Draagt opvallende merkkleding met veel opschriften en reclames
> Is een doener die van uitdagende bezigheden houdt en creatief kan zijn

5. *Behoeften aan prestatie of zelfverwezenlijking*
> Heeft zelfvertrouwen en voelt zich zeker over zijn positie in de maatschappij
> Schept eigen levensdoel
> Creatief en onafhankelijk – heeft een rijk innerlijk leven
> Houdt beslist niet van poenerige auto's
> Accepteert de meningen van anderen
> Kleedt zich goed maar wel conservatief
> Houdt van sociale contacten maar ook van privacy
> Niet verslaafd aan materiële dingen ten behoeve van zelfrespect
> Zoekt naar hoogwaardige vriendschappen, in plaats van naar veel vrienden

Onthoud dat de bovenstaande oefening geen wetenschappelijke oefening is. Ik heb deze oefening in dit boek gezet om je tot nadenken over jezelf aan te zetten. Ik wil niet dat je het beetje zelfrespect dat je misschien hebt ook nog kwijtraakt, omdat jij of je vriend je op de laagste of een na laagste sport van Maslows ladder hebben ingeschat.

Maar het kan ook zijn dat je iets belangrijks moet gaan overwegen na het afleggen van de test. Je moet altijd op zoek zijn naar gebieden waarop je jezelf kunt verbeteren. Als je nog niet eens de onderste sport van de ladder hebt gehaald, mag je je wel een beetje zorgen maken. Maar er is toch nog hoop. Je zult verbaasd staan over hoeveel van ons op enig punt in ons leven zo'n laag gevoel voor eigenwaarde hadden, dat we op onze tenen moesten staan om bij de onderste sport te kunnen komen.

Mijn minderwaardigheidscomplexen zijn niet zo goed als die van jou.
—Onbekend wijs persoon

Veel mensen met een groot natuurlijk vermogen zijn verlamd geweest vanwege hun onvermogen om hun eigenwaarde uit de diepe sloot te halen waar die in lag. Als je weinig gevoel voor eigenwaarde bezit, is het noodzakelijk dat je jezelf uit de sleur haalt en je zelfbeeld opkrikt. Met een lage eigendunk zul je frustratie en mislukking blijven ervaren. Lage eigendunk is een verlammende ziekte die onveranderlijk je geluk in de weg staat.

De weg naar een hogere eigendunk is je instelling te veranderen tegenover de stand van de dingen en de toestand van jezelf. Als je iets begint te bereiken in je leven zal je zelfrespect zeker omhooggaan. Prestaties op het gebied van vrije tijd kunnen groot of klein zijn; beide zullen je zelfrespect verhogen. Met meer zelfrespect zul je gemotiveerder zijn om naar buiten te treden en te krijgen wat je wilt in je leven.

Het ware geheim van succes is enthousiasme
—Walter Chrysler

Wil je wat je denkt dat je wilt?

Alleen door middel van inspanning en actie kun je beginnen te krijgen wat je wilt in je leven. Denk eraan dat je tijd met onbeduidende bezigheden vullen niet de manier is om plezier in je vrije tijd te beleven. De kans om je leven te verfraaien hangt af van in hoeverre je kunt bepalen wat je behoeften zijn en hoe je die het beste kunt vervullen. Voor de volgende oefening moet je een simpele vraag beantwoorden.

Oefening 7-3. Nog een simpele vraag

Wat wil je werkelijk in je leven?

Na tien jaar lang reizen naar exotische, afgelegen plaatsen, besefte ik dat ik gewoon op vakantie in mijn achtertuin wilde.

In het boek *Illusions* schrijft Richard Bach: "De simpelste vragen zijn het diepzinnigst." De bovenstaande vraag is simpel, maar met diepgaande implicaties; het is geen makkelijke vraag om te beantwoorden.

Laten we zeggen dat zonder het diep van binnen te beseffen, je eigenlijk in de zomervakantie thuis wilt blijven. Voor de verandering wil je alleen maar wat rust, veel plaatselijke zon, tijd om een paar goede boeken te lezen, de gezelligheid van je eigen huis, en een dagelijks bezoek aan de bistro voor een heerlijke kop cappuccino met je man of vrouw.

Er zijn enkele problemen: je ouders willen dat je naar Florida gaat waar zij op vakantie zijn geweest. Als ze jou kunnen overtuigen om te gaan, zou je daarmee voor hen bevestigen dat zij er goed aan gedaan hebben om daar op vakantie te gaan, hoewel ze er niet zo erg van genoten hebben. Je vrienden Bob en Alice willen dat je naar de Rocky Mountains gaat omdat zij daar naar toe gaan. Het zou zo leuk voor hen zijn als ze iemand hadden om mee uit eten te gaan, omdat ze niet weten wat ze tegen elkaar moeten zeggen als ze samen uit eten zijn (ze zijn dan ook al meer dan een jaar getrouwd). Natuurlijk wil je reisagent dat je een exotische plek uitkiest, zoals Aruba, Martinique, Bermuda, Puerto Vallarta of Marokko. Je agent zegt dat ze de beste vakantie voor je wil; de waarheid is dat ze de grootst mogelijke commissie wil verdienen, zodat zij zich de beste vakantie kan veroorloven.

Je kiest ervoor om twee weken naar Martinique te gaan, omdat de reisagent je ervan overtuigd heeft dat je de best mogelijke vakantie verdient. Iedereen die iemand is gaat naar Martinique, en jij moet de mensen laten zien dat je een succesvol iemand bent.

Na twee dagen op vakantie kom je erachter dat je alles gezien hebt wat er te zien valt. Jij en je partner liggen de hele dag op het strand en hebben genoeg van het kijken naar alle mensen die er genoeg van hebben om naar jullie te kijken. Je hebt maar één goed boek meegenomen, dat je al gelezen hebt, en je kunt hier geen goede boeken kopen. Het is onmogelijk om cappuccino in het hotel te krijgen waar je verblijft. De vlucht heen en terug is vermoeiend. Als je eindelijk thuiskomt, besef je dat de vakantie je niet heeft opgeleverd wat je wilde. Het komt er uiteindelijk op neer dat je vermoeider bent dan toen je wegging, en je voelt je onbevredigd omdat je niet de vakantie hebt gekregen die je wilde.

Een van de moeilijkste processen in het leven is te ontdekken wat we werkelijk willen als individuen. Houd in gedachten, dat de meesten van ons niet echt weten wat ze willen, omdat we de tijd niet genomen hebben om erachter te komen. In plaats daarvan bepalen we onze persoonlijke behoeften en successen aan de hand van de verwachtingen van anderen. De maatschappelijke normen zijn belangrijker geworden dan onze eigen unieke behoeften.

> Het leven is een proces van behoefte naar behoefte, niet van vreugde naar vreugde.
> —Samuel Johnson

We besteden te veel aandacht aan wat anderen willen dat wij willen. Wat de maatschappij wil dat we willen. Wat adverteerders willen dat we willen. Wat onze familie wil dat we willen. Wat vrienden willen dat we willen. Wat vele anderen, zoals nieuwsverslaggevers, radiopresentatoren en reisagenten met eigenbelang, willen dat we willen. Iedereen wil dat we zo veel willen, dat de meesten van ons niet stil hebben gestaan bij wat we echt zelf willen.

Om de zaken nog ingewikkelder te maken hebben behoeften de gewoonte om met alle winden mee te waaien. Verlangens worden door verborgen behoeften gevormd en opnieuw gevormd door mysterieuze krachten. Het gebeurt maar al te vaak, dat als we krijgen wat we willen, we het niet langer willen.

Als er iets is dat het krijgen wat je wilt in de weg staat, dan is het precies weten wat je wilt. De beste bestemming bereiken is hoogst onwaarschijnlijk als je weet wat die bestemming is. Je moet enig zelfonderzoek verrichten en jezelf werkelijk begrijpen, voor je kunt bepalen wat je behoeften en verlangens zijn. Pas dan kun je verder gaan op je reis naar vervullende vrije tijd.

Vraagtekens bij je behoeften zetten

Velen van ons hebben het contact verloren met waar het in het leven om gaat. We hebben het kind in ons opgeofferd, dat wist wat ons enthousiast maakte en dat ons bevrediging en plezier bezorgde. Als we onze persoonlijke verlangens en wensen hebben opgegeven, raken we zo afgestompt dat niets ons meer kan prikkelen.

Je hebt misschien wel zo lang alle dingen opgegeven die je altijd had willen doen, dat je niet meer weet welke dingen dat zijn. Als je je niet meer herinnert wat je ware behoeften zijn, moet je meer tijd en inspanning in zelfontdekking stoppen. Vaststellen wat jouw specifieke behoeften zijn, is iets dat je zelf kunt doen of met hulp van anderen.

Wees er zeker van dat je niet najaagt wat je moeder of je beste vriend of vriendin of de laatste mode wil dat je wilt. Om te ontdekken wat je werkelijk wilt, moet je eerst opschrijven wat je denkt dat je wilt. Je behoeften vastleggen is een manier om ze zichtbaarder te maken, zodat je er vraagtekens bij kunt plaatsen.

Leg de behoeften die je hebt waargenomen vast op papier of op een schoolbord, of voer ze in de computer in. Je moet stilstaan bij wat je denkt dat je wilt en de oorsprong van die behoefte zoeken. Het is belangrijk om uit te zoeken of jij de bron van je behoeften bent, of dat het iets is dat je verteld werd dat je wilde.

Je krijgt nooit een wens zonder ook de kracht te krijgen om hem te verwezenlijken. Je moet er misschien wel wat voor doen.
—Richard Bach

Naarmate je erachter komt welke behoeften van jezelf zijn en welke geconditioneerd zijn, zul je beter voorbereid zijn om je oprechte interesses na te streven. Wellicht ontdek je dat al je behoeften er al waren, omdat je verteld is dat je ze zou moeten hebben of omdat je dacht dat je ze zou moeten hebben, maar eigenlijk wilde je ze zelf niet. Dan moet je nog beter zoeken om je echte behoeften te ontdekken. Schuw deze taak niet, want dan kan het zijn dat je de rest van je leven vergooit aan doen wat iemand anders wil dat je doet; dit zal niet bijdragen tot een voldoening gevend en gelukkig leven.

Om het even te herhalen, schrijf al je behoeften, verlangens en doelen op in termen van wat jij wilt doen en wat jij wilt worden. Als je erachter bent gekomen wat je wilt, kun je die bezigheden uitkiezen waar je echt enthousiast voor wordt.

Een vrijetijdsboom kweken

De wereld van vrije tijd zit boordevol kansen. Je kunt veel verschillende gebeurtenissen, dingen, mensen en plaatsen meemaken. De ongelooflijke variëteit in het leven biedt eindeloze mogelijkheden tot genieten en voldoening.

Een creatieve manier om de vrijetijdsbezigheden uit te kiezen die we echt willen nastreven, is eerst verkennen wat voorhanden is en wat we zouden willen doen. Aangezien ons geheugen niet zo goed is als we denken, is het belangrijk om al onze ideeën op te schrijven, voor we die activiteiten kiezen waar we ons mee willen bezighouden.

Ik zal alles ooit eens proberen, zelfs Limburgse kaas.
—Thomas Edison

Als je zoals de meeste mensen bent, gebruik je gewoonlijk een lijst om ideeën vast te leggen. Een lijst van je ideeën maken kan het aantal ideeën dat je voortbrengt beperken. Een lijst is niet het beste gereedschap voor het voortbrengen en vastleggen van ideeën. Er bestaat een krachtiger stuk gereedschap, vooral nuttig in de beginfase van een project, voor het genereren van ideeën. Dit stuk gereedschap is een ideeënboom. Het is ook bekend als een 'mind map', spakendiagram, gedachtenweb en clusterdiagram. De ideeënboom is simpel, maar krachtig. Het verbazingwekkende is, dat niemand van ons toen we op school zaten geleerd heeft hoe een ideeënboom gebruikt kon worden. Ik hoorde er voor het eerst over van een ober in een restaurant.

Een ideeënboom begint in het midden van de bladzijde met het noteren van het doel, thema of oogmerk voor de boom. In figuur 7-1 is "Vrijetijdsopties" geschreven in het midden van de bladzijde.

Figuur 7-1. Een vrijetijdsboom

Nadat het thema of doel voor de ideeënboom is vastgelegd, worden takken of lijnen vanuit het midden naar de rand van de bladzijde getekend. Op deze takken worden alle hoofdideeën die met het oogmerk van de boom te maken hebben, geschreven.

Hoofdideeën worden op afzonderlijke takken vlakbij het midden van de bladzijde genoteerd.

Drie belangrijke hoofdideeën moeten gebruikt worden om ideeën voor vrijetijdsbezigheden waaraan jij jezelf wilt overgeven, te genereren:

1. Vrijetijdsbezigheden die je nu enthousiast maken
2. Vrijetijdsbezigheden die je in het verleden enthousiast maakten
3. Nieuwe vrijetijdsbezigheden die je overwogen hebt te doen

Secundaire takken worden dan vanuit de hoofdtakken getekend om de diverse activiteiten aan te geven die samenhangen met de hoofdideeën. Zoals figuur 7-1 laat zien, kun je "Acteren", "Vrijwilligerswerk voor liefdadige doelen", en "Avondlessen" toe-

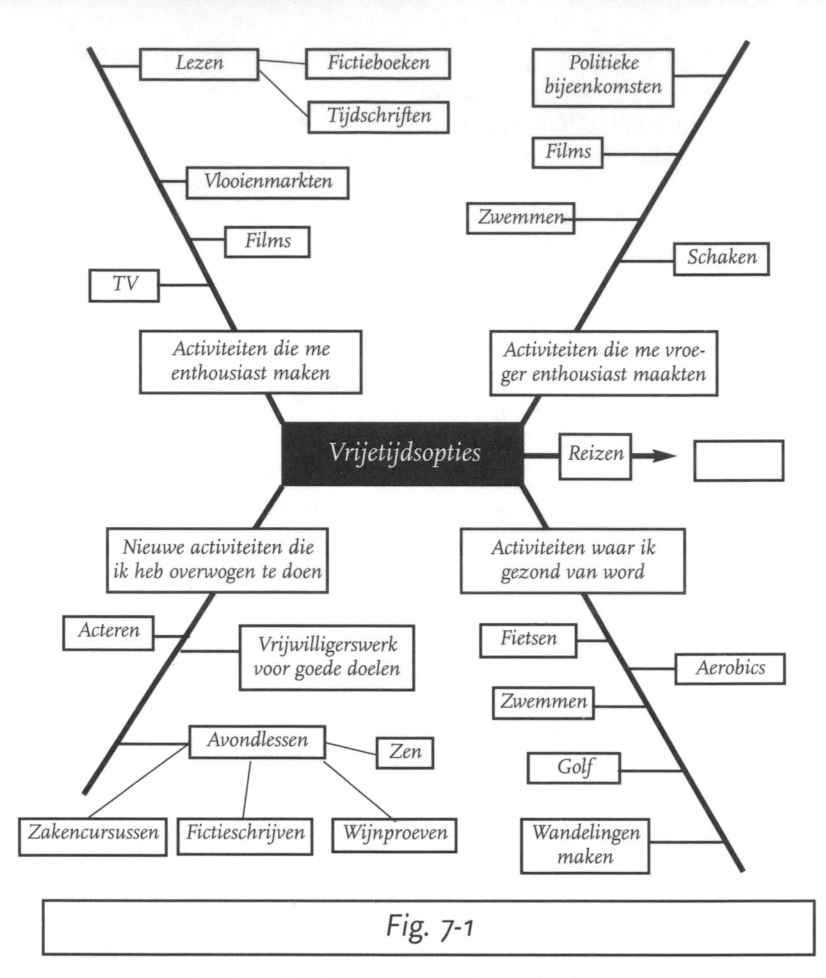

Fig. 7-1

voegen voor het hoofdidee, “Nieuwe bezigheden die ik overwogen heb te doen”. Er kunnen meer takken vanuit de secundaire takken getekend worden waarop een derde niveau ideeën wordt vastgelegd. “Zen”, “Wijnproeven”, “Fictie schrijven”, en “Zakencursussen” vormen het derde ideeënniveau en zijn de uitbreiding op de avondlessen die je kunt volgen. Een vierde ideeënniveau, zoals “Marketing” en “Boekhouden” (staan niet in de tekening) kunnen worden toegevoegd als uitbreiding op de zakencursussen die je wilt volgen.

De tijd is nu aangebroken om je eigen vrijetijdsboom te maken, waarbij je figuur 7-1 als richtlijn kunt gebruiken. Verzeker je ervan dat je, uitgaande van de eerste drie hoofdideeën, ten minste vijftig dingen genereert die je echt nu wilt doen, die je graag deed in het verleden of die je hebt overwogen te doen, maar waar je nooit aan toegekomen bent. Leg elk idee vast, hoe lichtzinnig het ook mag lijken. Oordeel nu niet over je ideeën. Je moet er minstens vijftig hebben, al doe je er twee dagen over; negenenveertig is gewoon niet genoeg!

Er kunnen andere hoofdideeën worden toegevoegd als je speciale vrijetijdscategorieën hebt die je actief wilt nastreven. Je kunt bijvoorbeeld heel geïnteresseerd zijn in gezond worden en reizen in je vrije tijd. Dan kun je, zoals in figuur 7-1, de hoofdideeën "Activiteiten waardoor ik lichamelijk gezond word" op een hoofdtak noteren, en "Reizen" op een andere hoofdtak. Merk op dat als je te weinig ruimte hebt, de ideeënboom uitgebreid kan worden naar de volgende bladzijde, aangezien deze voor reisideeën is.

Het is prima als een idee in meerdere categorieën voorkomt. Dit duidt er in feite op dat deze vrijetijdsbezigheid heel belangrijk in je leven is. In figuur 7-1 verschijnt "Zwemmen" in de categorieën "Bezigheden die me in het verleden enthousiast maakten", "Bezigheden waardoor ik lichamelijk gezond word", en "Reizen". Als dit jouw vrijetijdsboom was, zou zwemmen een van de eerste activiteiten zijn die je direct zou overwegen te ondernemen.

Het leven is een feestmaal,
en de meeste domkoppen
sterven van de honger.
—Onbekend wijs persoon

Laten we de voordelen van het gebruik van de vrijetijdsboom als een instrument om ideeën te genereren eens bekijken: in de eerste plaats is hij compact; veel ideeën kunnen op een bladzijde worden genoteerd. Indien nodig kan de ideeënboom uitgebreid worden naar volgende bladzijden. Ten tweede, ideeën worden in categorieën ondergebracht en zijn makkelijker te groeperen. Bovendien kun je uitbreidingen maken op je bestaande ideeën om vele nieuwe ideeën te genereren. Nog een voordeel is dat de ideeënboom een instrument voor de lange termijn is. Na hem een tijdje opzij gelegd te hebben, kun je erop terugkomen en een hele hoop frisse ideeën genereren. Je kunt hem regelmatig bijwerken om ervoor te zorgen dat je uit een eindeloos aantal vrijetijdsbezigheden kunt kiezen.

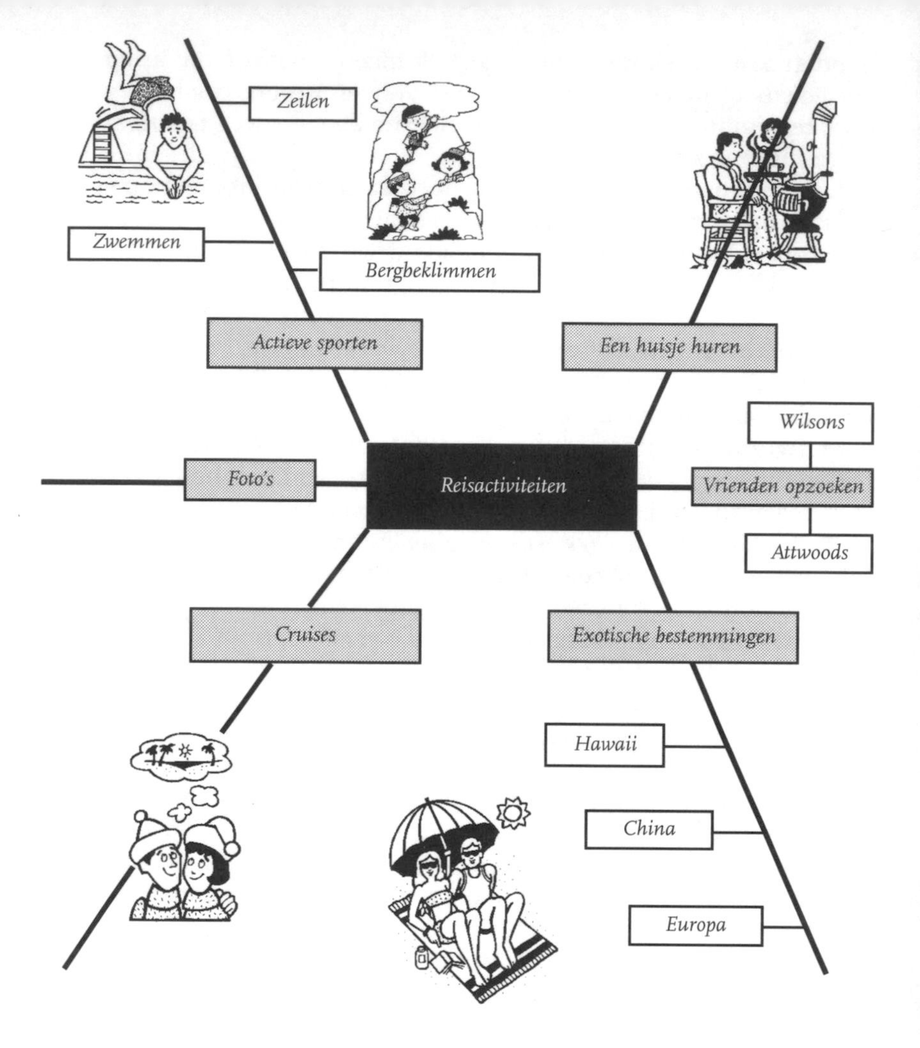

Figuur 7-2. Verfraaide vrijetijdsboom

Een ideeënboom kan worden verfraaid door kleuren en plaatjes te gebruiken die bijdragen aan onze creativiteit en ons vermogen tot onthouden. Figuur 7-2 toont een geavanceerdere ideeënboom waarin plaatjes zijn gebruikt. Zoals je kunt zien, ziet dit er veel interessanter en nuttiger uit dan een conventionele lijst.

Nadat je je vrijetijdsboom uitgebreid hebt over drie tot vijf bladzijden, kun je op elk gewenst moment kiezen uit een groot aantal verschillende dingen die je in je vrije tijd kunt ondernemen. Als je enige levenslust bezit, zou je genoeg moeten hebben om zeker vijf levens bezig te blijven. Als je niet genoeg hebt opgeschreven voor ten minste twee levens, heb je de makkelijke weg gekozen. Ga terug en doe het nu goed! Als je moeite hebt om ideeën te genereren voor je vrijetijdsboom, zoek dan in de lijst met activiteiten op de volgende drie bladzijden. Je vrijetijdsboom zou zo vol moeten zitten dat je nooit om een activiteit verlegen zit.

Oefening 7-4. Zorg ervoor dat je boom niet opraakt

De juiste activiteiten vinden voor je vrije tijd is een persoonlijke zaak. Je kunt veel activiteiten over het hoofd zien waar je bij betrokken bent geweest of die je in de loop van de tijd bent vergeten. Hierna volgt een lijst met meer dan tweehonderd vrijetijdsbezigheden die je in overweging kunt nemen. Loop deze lijst door en deel hem in volgens het volgende systeem:

1. Maakt me nu enthousiast
2. Maakte me vroeger enthousiast
3. Nieuwe activiteiten die ik heb overwogen om te doen
4. Heb geen belangstelling voor de activiteit

De activiteiten in categorie 1, 2 en 3 interesseren je en horen in je vrijetijdsboom thuis. Terwijl je deze bezigheden aan je boom toevoegt, kunnen er nieuwe ideeën opkomen die je ook in je boom wilt zetten. In een mum van tijd zou je vrijetijdsboom dan vol genoeg moeten zijn om ervoor te zorgen dat je je heel lang niet zal vervelen. Met zoveel om je bezig te houden, kom je er misschien niet eens aan toe om dit boek uit te lezen.

Als je eenmaal een vrijetijdsboom vol activiteiten hebt gemaakt, is het tijd om met enkele van deze activiteiten te beginnen. Als je voldoende hebt voor een of twee levens, moet je prioriteiten stellen voor degene die je wilt ondernemen. Het zal onmogelijk zijn om ze allemaal tegelijk te doen. Een manier om je prioriteiten te stellen, is nadenken over wat je zou doen als je nog maar korte tijd te leven had.

Activiteiten voor je vrijetijdsboom

Een instrument bespelen
Een instrument leren spelen
Wandelen
Hardlopen
Vrijwilligerswerk doen
Voor jezelf koken
Koken leren
Een nieuw recept bedenken
Vrienden van nu opzoeken
Oude vrienden opzoeken
Proberen nieuwe vriendschap te sluiten
Een wandeltocht maken
Brieven aan beroemdheden schrijven
Een enquête houden
Slapen
Mediteren
De stad rondrijden
Door het platteland rijden
De punten op deze lijst tellen om te zien of het er tweehonderd zijn
Boeken lezen
Naar de radio luisteren
Televisie kijken
Reizen
Naar de bioscoop gaan
Computerles nemen
Een computerprogramma schrijven
Tennissen
Je huis schilderen
Golfen
Vissen
Blootsvoets door een beek lopen
Kamperen
Bergbeklimmen
Fietsen

Een ritje op de motor maken
Vrienden thuis uitnodigen
Een nieuw spel bedenken
Naar de bibliotheek gaan
Je familiestamboom uitzoeken
Met kinderen spelen
Meedoen aan een praatshow
Aanbieden om voor niets te werken
Biljarten
Alleen dansen om te ontspannen
Met iemand anders dansen
Dansles nemen
Een oude auto restaureren
Een meubelstuk restaureren
Je huis renoveren
Je huis schoonmaken
Oude vrienden opbellen
Een boek schrijven
In je dagboek schrijven
Een nieuwe cartoon maken
Je autobiografie schrijven
Een jurk, hoed, enz. maken
Een interessante garderobe creëren voor slechts honderd euro
Een ...verzameling beginnen
Goud zoeken
Zonnebaden
Zwemmen
De liefde bedrijven
Naar de kerk gaan
In het water duiken
Onderwater duiken
Snorkelen
Je vliegbrevet halen
Fotograferen
Een fotoalbum opzetten
Uitzoeken wat een rebus is en er tien zelf maken
Uitzoeken wat er gebeurde op de dag dat je werd geboren
Je zolder leegverkopen
Het huiskamermeubilair anders

opstellen
Gaan acteren
Een toneelstuk schrijven
Vliegeren
Leren achteruitrennen
Leren een beroemd persoon te imiteren
Een tuin aanleggen
Paardrijden
Bloemen plukken
Poëzie schrijven
Een brief aan een vriend schrijven
Het record achteruitrennen proberen te verbreken
Leren zingen
Een liedje schrijven
Een gedicht uit je hoofd leren
Bij een encountergroep gaan
Beroemde citaten leren
Een lied van buiten leren
Naar de sterren kijken
Een zonsondergang echt beleven
Naar de maan kijken
Over nieuwe religies leren
Een huis bouwen
Een uniek huis ontwerpen
In een ander land gaan wonen
Gaan zeilen
Hockey spelen
Een boot bouwen
Interessante rechtszaken bijwonen in het gerechtshof
Meer te weten komen over de aandelenmarkt
Een betere muizenval uitvinden
Een nieuwe club beginnen
Etalages kijken
Leren je auto te repareren
Een etentje organiseren voor verschillende mensen
Erop letten hoeveel vreemden je gedag zeggen
Kleren kopen
Naar mensen kijken in het openbaar
Rolschaatsen
Kaarten
Een praatshow opbellen om je mening te geven
Een dineetje bij kaarslicht met iemand houden
Lid worden van een club om te leren spreken in het openbaar
Bij een wijnproefvereniging gaan om over wijn te leren
Teruggaan naar de universiteit om een graad te behalen
Parachutespringen
Alles over gezondheid en fitness leren
Fruit plukken in een boomgaard
Plaatselijke toeristische attracties bezoeken
Een nieuwe hobby beginnen
Je eigen palindroom creëren
Helpen vervuiling te bestrijden
Naar een vlooienmarkt gaan
Een tukje doen
Naar de uitverkoop gaan
In een boom klimmen
Naar de paardenrennen gaan met vijfentwintig euro op zak
Met het openbaar vervoer reizen voor de lol
Een nieuwsbrief beginnen
Aan een correspondentievriend schrijven in het buitenland
Door de jungle lopen
Kruiswoordraadsels oplossen
Een bed-and-breakfast beginnen
Een zwembad bouwen
Dagdromen
Naar een sportevenement gaan
Oude bezienswaardigheden bezoeken
Wildwatervaren

Met een luchtballon reizen
Grote broer/zus zijn
Naar je lievelingsrestaurant gaan
Een nieuw restaurant uitproberen
Je laten masseren
Naar een tennisclub gaan en goed leren tennissen
Je hond nieuwe trucjes leren
Een nieuwe truc leren om aan je hond te laten zien
Naar het theater gaan
Naar een concert gaan
Op retraite gaan om te ontspannen
Vandaag met een speciaal iemand echt communiceren
Je lievelingsrecept opgeven voor een wedstrijd
Een nieuw product uitvinden
Met je huisdier spelen
Je geest trainen creatief te zijn
Je opgeven voor de politiek
Een dierentuin bezoeken
Je eigen wijn maken
Je gewoonte om tv te kijken eraan geven
Je woordenschat vergroten
Financiële berichten leren lezen
Persoonlijkheden beter leren beoordelen
Je persoonlijkheid verbeteren
De avond besluiten met terugkijken op je dag
Een nieuw liefdadig doel opzetten
De wolken bestuderen
Een lijst met alle successen in je leven maken
Een vriend een poets bakken
Nieuwe streken verzinnen
Tweemaal zo lang als normaal over je eten doen
Vogels gaan kijken
Een nieuw spel bedenken
Proberen niets te doen
Een museum bezoeken
Lid worden van een nieuwe club
Vliegeren
Bingo gaan spelen
Touwtjespringen
Een twistgesprek beginnen
Iemand aan het werk zien
Op het strand liggen
Je auto schoonmaken en in de was zetten
Een pretboerderij beginnen
Deze lijst nakijken om te zien of een activiteit herhaald wordt
Helpen misdaad te bestrijden
Alles over zonne-energie te weten komen
Een boek over vrije tijd schrijven
Leren jezelf te hypnotiseren
Je hand laten lezen
Een legpuzzel doen
Een ambachtententoonstelling bezoeken
Een goochelact leren
Een maaltijd die niet te eten is voor iemand bereiden
Leren Frans, Spaans, enz. te spreken
Een zieke verzorgen
Een filosoof zijn
Lelijk tegen politici doen
Deze lijst tot vijfhonderd activiteiten uitbreiden en mij daarmee verslaan

Oefening 7-5. Jezelf een halfjaar lang vermaken

Laten we aannemen dat je te horen hebt gekregen dat je nog maar een halfjaar te leven hebt. Kies die punten uit van je activiteitenlijst in je ideeënboom die je van wezenlijk belang vindt om in dat halfjaar te doen.

De activiteiten die je uitkiest in de bovenstaande oefening zouden het meeste voor je moeten betekenen. Je zou onmiddellijk moeten beginnen met degene die je hebt opgeschreven; morgen of volgende week is te laat. Denk eraan dat het leven niet eeuwig duurt. Niemand van ons weet ooit of we maar een halfjaar of minder te leven hebben. Door je te concentreren op de lijst met je lievelingsdoelen en -activiteiten, zul je doen waar je het meest warm voor loopt en wat je de meeste voldoening schenkt.

Op je doel afgaan

Als je met de klok mee langs de wanden van het object dat hiernaast is afgebeeld moest lopen, zou je denken dat je omhoogging. Je zou het gevoel hebben dat je een hogere bestemming had. Echter, in een mum van tijd zou je beseffen dat je op hetzelfde niveau terugbent als waarop je begon. Hoeveel energie je er ook in stopt om de trap op te gaan, een hoger niveau zou slechts een illusie zijn. Je ongerichte activiteit zou je zonder dat je iets bereikt hebt en zonder voldoening achterlaten.

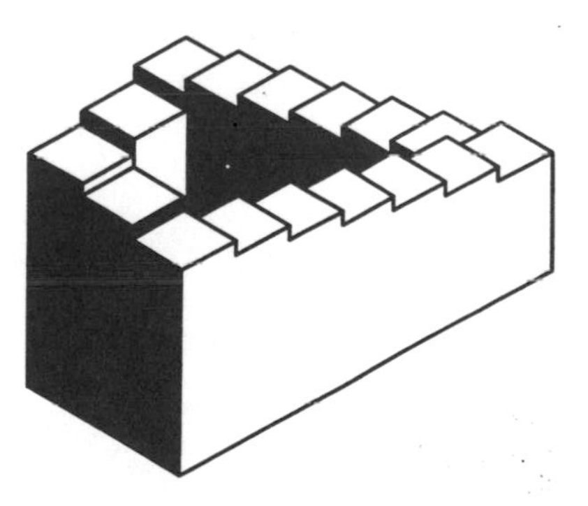

Zo is het ook gesteld met de illusie van activiteit zonder doelen en dromen. Veel mensen zien hun ongeplande activiteit ten onrechte aan voor een richting in hun leven. Zelfs als ze aanzienlijk veel energie in deze niet-doelen steken, komen ze toch nergens. Activiteit is noodzakelijk om grotere hoogten te bereiken, maar grotere hoogten worden alleen bereikt met duidelijk omlijnde doelen. Als we nieuwe en waardevolle bestemmingen willen bereiken, moeten we allereerst deze bestemmingen bepalen. De reis heeft een richting als de bestemming eenmaal is bepaald.

Vastomlijnde doelen geven ons iets om na te streven dat we anders niet zouden nastreven – ze geven ons een doel. Als we een doel en een richting hebben, hebben we redenen om vernieuwend en creatief te zijn. Het stellen van doelen vereist inspanning en discipline. Als doelen eenmaal vastgesteld zijn, is er meer inspanning en discipline voor nodig om naar deze doelen toe te werken. Dan is er zelfs nog meer inspanning en discipline voor nodig om toezicht te houden op de doelen en om nieuwe te bepalen. Vanwege alle inspanning en discipline die vereist zijn, besluiten veel mensen geen doelen te stellen om naar toe te werken. Doelen vereisen een actieplan om ons op gang te brengen. Het vertelt ons wat we gaan doen om te komen waar we naar toe gaan. Het actieplan bepaalt de activiteiten waaraan we onszelf moeten overgeven terwijl we onze doelen nastreven.

Als je je vrijetijdsdoelen vastgesteld hebt, zullen vroeg of laat je behoeften en verlangens veranderen. Sommige doelen zullen bereikt zijn en je zult niet langer warm lopen voor bepaalde bezigheden. Dit vereist een herziening van je lijst van lievelingsdoelen en -bezigheden. Het is een goed idee om elke paar weken een herziening te maken.

Een van de sterkste eigenschappen van een genie is het vermogen om zijn eigen vuur aan te steken.
—John Foster

Jouw uitdaging, en van niemand anders, is te vinden, aanvaarden en ontwikkelen wie je kunt zijn als individu. Je moet de realiteit onder ogen zien en accepteren dat absoluut alles wat de moeite van het bereiken waard is in het leven – avontuur, een ontspannen geest, liefde, spirituele vervulling, voldoening en geluk – zijn prijs heeft. Alles wat je bestaan verbetert, vereist actie en inspanning. Als je hier anders over denkt, zul je zeker veel frustratie tegenkomen.

Onthoud dat het veel bevredigender is om bergen te beklimmen, dan eraf te glijden op je achterste. Zitten afwachten tot iemand anders het vuur aansteekt, werkt niet. Je eigen vuur aansteken – in plaats van afwachten om door dat van iemand anders verwarmd te worden – zal dit leven (en andere levens na dit leven als je in reïncarnatie gelooft) de moeite waard maken.

Hoofdstuk 8

Dynamische inactiviteit leidt tot niets

Je leeft misschien wel, maar leef je ook echt?

Een saai uitziende man liep de bar binnen en zei tegen de barman: "Maak een zombie voor me!" De barman wierp een blik op hem en antwoordde: "Dat kan ik niet. God is me voorgeweest!"

Veel mensen zijn net als de klant van deze barman. Ze besteden al hun vrije tijd aan passieve bezigheden in plaats van te zorgen voor een goed evenwicht tussen passieve en actieve bezigheden.Vanwege hun inactiviteit leven ze niet echt. Ze zijn ook niet dood; ze zijn iets ertussenin, op z'n hoogst zombies.

Het is niet zo dat een handjevol bureaucraten een monopolie heeft op dynamische inactiviteit. Veel mensen beoefenen dynamische inactiviteit in hun vrije tijd, en ze komen er nergens mee. Deze mensen doen er alles aan om zich maar te kunnen overgeven aan nietsdoen of nagenoeg nietsdoen. Het probleem is dat ze na veertig of vijftig jaar verveling nog steeds in dezelfde tunnel zitten, zonder kaas, en zich afvragen wanneer er zich enige ontwikkeling in hun leven zal voordoen.

> Actie leidt misschien niet altijd tot geluk; maar er is geen geluk zonder actie.
> —Benjamin Disraeli

Dat mensen vrije tijd hebben betekent nog niet dat ze weten hoe ze deze goed moeten gebruiken; net zoals een auto bezitten ook niet betekent dat iemand goed kan rijden. In de loop der jaren zijn de genoegens van de stadsbevolking voornamelijk passief geworden: thuis video's kijken, kijken naar voetbal- en hockeywedstrijden en naar de radio luisteren. In het verleden was er een reden voor dat mensen er passieve vrijetijdsbestedingen opnahielden: de actieve energie werd tijdens de industriële revolutie geheel besteed aan handenarbeid. Dit is echter voor de meeste werkende mensen van vandaag de dag geen geldige reden; de grote meerderheid van de mensen heeft geen lichamelijk werk. Bovendien hoeven degenen die nog steeds handwerk verrichten niet zo hard te werken vanwege de machines die ze ter beschikking hebben.

De voornaamste reden dat mensen hun vrije tijd passief besteden is luiheid. De meeste mensen zoeken de makkelijkste manier om hun vrije tijd door te brengen. Zelfs in de dertiger jaren, toen mensen meer lichamelijk werk hadden, was vrije tijd actiever dan tegenwoordig. Men las, ging de deur uit voor films en om te dansen. De moderne westerse mens is eerder toeschouwer geworden dan doener. Individuen brengen tien keer zoveel tijd achter de tv door als dat ze actieve vrijetijdsbezigheden ondernemen. Als mensen wel de deur uit gaan, wil dat nog niet zeggen dat ze ook actiever zijn. Onderzoeken wijzen uit dat, na de woning en het werk, winkelcentra de voornaamste plaatsen zijn waar mensen hun vrije tijd doorbrengen. Onderzoekers hebben vastgesteld dat ongeveer 90 procent van de Noord-Amerikanen tegenwoordig reactief en passief is. In plaats van zich aan bezigheden over te geven die actief van aard zijn, kiezen ze voor de passiefste.

Vrije tijd kan eerder een vloek dan een zegen blijken te zijn, tenzij op school wordt geleerd dat een luchthartige vrijetijdswereld geen synoniem voor amusement is.
—William J. Bogan

Wat is er mis met deze passieve bezigheden? Hoogwaardige vrije tijd hangt af van iets bereiken en van zelfvervulling, wat voortkomt uit activiteiten die uitdagend zijn en een doel hebben. Met passieve bezigheden bereiken we zelden of nooit de geestelijke hoogten die verveling doen verdwijnen. Deze bezigheden kenmerken zich door het ontbreken van uitdaging en doel, weinig prikkeling, eentonigheid en gebrek aan nieuwigheid. Hoewel deze voorspelbare en veilige bezigheden geborgenheid en zekerheid bieden, kunnen we er geen voldoening en zelfvervulling uit putten. Als onze passieve bezigheden niet aangevuld worden met actieve, zullen we geen hoogwaardige vrije tijd ervaren. Hier volgen enkele voorbeelden van passieve bezigheden:

- Televisie kijken
- Dronken of stoned worden
- Veel en slecht voedsel eten
- Een ritje maken

> Winkelen
> Geld uitgeven

> Gokken
> Kijksporten

Ik wil benadrukken dat niet alle passieve bezigheden helemaal uit de weg geruimd moeten worden. Veel ervan horen er, op de juiste tijd en plaats, gewoon bij. Het kan bijvoorbeeld heel goed zijn om gewoon spontaan wat rond te lummelen zonder speciaal doel voor ogen. Passieve bezigheden zijn prima als ze in bescheiden mate ondernomen worden en als ze een hoeveelheid actieve bezigheiden complementeren.

Hij deed niets speciaals, en dat deed hij erg goed.
—W.S. Gilbert

Activiteit is van wezenlijk belang voor geluk en een lang leven. Mensen moeten beseffen dat activiteiten waar de deelnemers mentaal en fysiek bij betrokken zijn, zoals bowling of een roman schrijven, veel opwindender en bevredigender zijn dan passieve bezigheden zoals tv-kijken. Zelfs vrijetijdsbezigheden als dagdromen, meditatie, bespiegeling en fantaseren zijn actief van aard – veel meer dan tv-kijken. Studies hebben aangetoond dat volwassenen die in hun vrije tijd actief blijven, een grotere kans hebben om een hogere staat van fysiek en psychologisch welzijn te bereiken. Actievere bezigheden zijn:

> Schrijven
> Lezen

> Lichaamsbeweging
> In het park lopen

> Een schilderij maken
> Musiceren

> Dansen
> Een cursus doen

Ik heb altijd een kunstenaar in mijn vrije tijd willen zijn. Maar nu weet ik niet meer of ik mijn rechter- of mijn linkerhersenhelft moet gebruiken.

Vrije tijd zou iets moeten zijn dat we allemaal koesteren en cultiveren. We krijgen erdoor de kans om plezier, ontspanning, vervulling en succes te hebben. Voldoening in het leven wordt verkregen, als we in staat zijn onze talenten en vermogens uit te dagen en uit te breiden. Enigszins risicovolle en energieke activiteiten zullen ons meer voldoening schenken dan die waarvoor weinig tot geen risico en energie nodig is.

Maatschappelijke conditionering kan een nadelig effect hebben op de vrijetijdskeuzen die mensen maken. Een zekere manier om oud en inactief te worden, is de overheersende denkwijze in de maatschappij over wat oud worden betekent, te accepteren en over te nemen. De meeste mensen plaatsen geen vraagtekens bij wat in de media, televisie en boeken wordt gezegd. Als gevolg daarvan geloven ze dat ouder worden betekent dat je de meeste actieve bezigheden moet opgeven. Deze mensen gaan uiteindelijk geloven in leeftijdsmythen. Deze mythen ondersteunen een passieve levensstijl nadat mensen vijftig of zestig geworden zijn, terwijl een actiever en bevredigender leven nog steeds mogelijk zou zijn. Reacties van deelnemers aan pensioneringsprogramma's geven aan dat de meeste mensen verwachten dat ze hun passieve bezigheden zullen uitbreiden als ze eenmaal met pensioen gaan. Maar weinigen zijn van plan om nieuwe activiteiten te beginnen die actief van aard zijn.

Het vermogen om voor een actieve levensstijl te kiezen is voor het grootste deel een kwestie van geest boven materie. Ervan uitgaande dat de betreffende persoon niet lichamelijk geïmmobiliseerd is, zou leeftijd niet als excuus om activiteiten op te geven moeten worden gebruikt. Ook hier verschijnt iemands instelling weer op het toneel, omdat die bepaalt hoe actief iemand in zijn vrije tijd is. Ken Dychtwald keek in zijn boek *Age Wave* naar de uitdagingen en de kansen waar het ouderwordende Amerika voor staat. In het boek vermeldt hij de reacties van de deelnemers aan seminars over ouder worden op een vraag wat het geheim is om succesvol oud te worden. De deelnemers waren het er unaniem over eens, dat de belangrijkste bepalende factor bij succesvol ouder worden, iemands houding is.

Dychtwald citeert veel mensen die in de zestig, zeventig en tachtig zijn en die regelmatig, soms wel elke dag, zo'n acht uur marathons lopen, tennissen, zwemmen en fietsen. Helaas zijn deze actieve individuen nog in de minderheid; de meeste Noord-Amerikanen geven het op naarmate ze ouder worden. Dit is eerder een geconditioneerde dan een noodzakelijke respons. Uiteindelijk kan dit worden toegeschreven aan luiheid. De gemiddelde Amerikaanse oudere loopt ongeveer veertig kilometer per jaar. Zelfs de gemiddelde Canadese oudere, die ongeveer honderd twintig kilometer per jaar loopt, is lui vergeleken bij zijn Deense leeftijdsgenoot, die vierhonderdvijfentwintig kilometer per jaar loopt.

Televisie kijken kan je dood worden

Het meest tijdopslokkende tijdverdrijf van Noord-Amerika is televisie kijken. Uit onderzoek is gebleken dat Noord-Amerikanen 40 procent van hun vrije tijd voor de televisie doorbrengen. Geen wonder dat mensen onvoldoende tijd hebben voor lichaamsbeweging, vrienden opzoeken en naar zonsondergangen te kijken. De Noord-Amerikaanse volwassene tussen achttien en vijfenzestig heeft veertig uur vrije tijd per week en brengt daarvan zestien uur voor de buis door. Ter vergelijking: slechts twee uur worden aan lezen besteed en vier uur aan het praten met familie, vrienden en kennissen.

> Als een man naar drie voetbalwedstrijden achterelkaar kijkt, zou hij officieel dood verklaard moeten worden.
> —Erma Bombeck

Ironisch genoeg kwam tv-kijken op een lijst van tweeëntwintig activiteiten op de zeventiende plaats wat betreft het plezier en de voldoening die erdoor verkregen werden. Lezen kwam op de negende plaats. Waarom kijken mensen televisie als het zo weinig voldoening geeft? Mensen kiezen voor tv-kijken omdat het gewoon makkelijk is. Natuurlijk is het zo dat, omdat televisie zo laag scoort wat betreft bevrediging, de makkelijke weg op de lange termijn moeilijk en oncomfortabel blijkt te zijn.

Net als werkverslaving is buitensporig veel televisie kijken een schadelijke verslaving. Televisie is door schrijfster Marie Winn als *The Plug-In Drug* aangemerkt. Hoewel televisie educatief en informatief kan zijn, hangen er veel negatieve aspecten samen met te veel kijken: je kunt zelfs vanwege tv-kijken door je familie om zeep worden geholpen. De UPI nieuwsdienst meldde in december 1990 dat het gezin van een man uit Florida bekend had dat ze hem zonder succes een aantal keren hadden proberen te vermoorden, alvorens er uiteindelijk toch in te slagen. Ze schoten hem dood omdat hij een ellendige, ontevreden man was die al zijn vrije tijd liggend op de bank voor de tv doorbracht. De dochter van de man verklaarde: "Hij kwam altijd thuis van zijn werk en ging dan meteen op de bank liggen televisie kijken. Dat is alles wat hij deed. Hij deed echt nooit wat."

> Ik vind televisie heel educatief. Telkens als iemand het toestel aanzet, ga ik in de andere kamer een boek zitten lezen.
> —Groucho Marx

Oefening 8-1. Kan televisiekijken voldoening geven?

Hoewel televisiekijken een hoogst passieve bezigheid is, is er één zekere manier om elke maand een eindeloos aantal uren voor een tv door te brengen en toch een grote mate aan lonende vrije tijd te krijgen. Wat is die ene manier? (Zie het einde van dit hoofdstuk – bladzijde 167 – voor het antwoord.)

Behalve de inherente passiviteit van televisiekijken, is het ook om andere redenen schadelijk. Veel programma's en reclames geven een vals beeld van het leven. Dit draagt bij tot vervormde beelden van de wereld en fantasieën over het leven, die geen werkelijkheid kunnen worden.

Als je buitensporig veel tv kijkt, is je kijkuren te verminderen een kans om je vrije tijd te verbeteren. Ik kan je niet vertellen hoeveel televisie de juiste hoeveelheid voor jou is; het is jouw vrije tijd en jouw leven. Als je veel tv kijkt, en je leven is niet zoals je zou willen dat het was, doe dan iets wat uitdagender en voldoening gevender is.

"TV-free America" is een pas opgerichte nationale organisatie met Washington als basis, die de schadelijke effecten van televisiekijken onder de aandacht brengt. De organisatie beveelt aan dat mensen in plaats van televisiekijken hun tijd aan productievere activiteiten moeten besteden, zoals nadenken over het leven, sporten, gemeenschapsevenementen bijwonen en vrijwilligerswerk. Als je verslaafd bent aan de tv, wordt het tijd om bij een zelfhulpgroep zoals "Couch Potatoes" (zie bronvermeldingen) te gaan. Je losmaken van je televisie en je storten in de bezigheden die door het "Institute of Totally Useless Skills" gepromoot worden – veerbalanceren, vliegtuigjes vouwen, servetstunts, penstuiteren, of creatief bierblikjesknijpen – zal beter voor je zijn dan de meeste televisieprogramma's.

Wacht niet te lang met het controleren van je gewicht

Geen enkel mens is een eiland, maar er zijn mensen die er heel dicht bij in de buurt komen met hun constante consumptie van chips, nacho's, pinda's, gras, bomen en wat ze maar te pakken kunnen krijgen. Je volvreten is een passieve bezigheid waar veel mensen erg actief in worden. Te veel eten gaat hand in hand met televisiekijken. Beide activiteiten, vooral in combinatie met elkaar en in overdreven mate uitgevoerd, kunnen tot een vroegtijdige dood leiden.

Het leven in Noord-Amerika is te goed; veel te veel mensen zijn veel te zwaar. In het begin van de jaren zestig was minder dan een kwart van de Amerikaanse bevolking zwaarlijvig.

Volgens een onderzoek uit het begin van de jaren negentig was meer dan eenderde van de bevolking zwaarlijvig. Zelfs mensen waarvan we verwachten dat ze gezond zijn, zijn dit niet. Uit een studie uit 1996 blijkt, dat ondanks het beeld van babyboomers als een generatie die bezeten is van lichaamsbeweging, ze in bepaalde opzichten minder gezond zijn dan hun ouders toen die net zo oud waren.

Harold, je kunt niet al je problemen oplossen door naar herhalingen van 'All in the Family' te kijken en de filosofie van Archie Bunker over te nemen.

Te zwaar zijn zal je vermogen om te genieten van de vele grote geneugten van het leven in de weg staan. Een goede manier om te dik te worden is excuses verzinnen voor het toevoegen van die extra ponden. Ik hoorde onlangs een deejay op een plaatselijk radiostation zeggen, dat een dokter beweerde dat het normaal was dat mensen elk jaar drie pond zwaarder werden na hun dertigste. Dit is weer zo'n geval waarin mensen, zowel de dokter die dit verklaarde als de deejay die hem citeerde, bepaald niet hun hersencellen oververhit hebben door te veel te denken. Deze bewering is niet alleen belachelijk, maar ook gevaarlijk. Als ik mezelf toestond elk jaar drie pond zwaarder te worden, dan zou ik tegen de tijd dat ik vijfenzestig was tweehonderdvijfenzeventig pond wegen en perfect lijken op Dom Deluise in de film "Fatso". De verklaring van de arts suggereert ook dat mensen die in de tachtig zijn en een gezond gewicht van honderdzeventig pond hebben, eigenlijk slechts vijftig pond hadden moeten wegen toen ze veertig waren.

In *The Washington Post* stond in januari 1996, dat ook al worden de meeste mensen zwaarder naarmate ze ouder worden, de tailles volgens de laatste richtlijnen van de Amerikaanse regering niet automatisch zouden hoeven toe te nemen met de jaren. De nieuwe richtlijnen omvatten ook een gewichtstabel voor mannen en vrouwen en er wordt geen onderscheid gemaakt naar leeftijd bij volwassenen. Een ambtenaar zou verklaard hebben dat mensen niet meer dan tien pond zwaarder zouden moeten worden, nadat ze hun maximale lengte bereikt hebben, hetgeen normaal gesproken gebeurt rond de leeftijd van eenentwintig.

Ik ben op dieet gegaan, heb het drinken en zwaar tafelen afgezworen, en in veertien dagen ben ik twee weken kwijtgeraakt.
—Joe E. Lewis

Er zijn veel excuses mogelijk om dik te worden. Met excuses is de slag tegen de vetophoping snel verloren. Hoewel een pondje of

Ik wil niet dood gaan van de honger om wat langer te kunnen leven.
—Irene Peter

wat zwaarder worden met de jaren misschien onvermijdelijk is, kun je je gewicht controleren door middel van lichaamsbeweging en de juiste voedingswijze. Ik heb het gewicht waarbij ik me lekker voel vastgesteld en heb er vele jaren hard aan gewerkt om dit peil te handhaven. Je hebt de plicht om ditzelfde te doen, als je een goed gevoel over jezelf wilt hebben. De beste manier om dit te bereiken is door zo actief mogelijk te zijn in de actievere vrijetijdsbezigheden.

Wend je al je excuses aan om niet te oefenen?

Geef een man een vis en hij eet een hele dag. Leer hem vissen en je bent het hele weekend van hem af.
—Zenna Schaffer

Als je een goede gezondheid hebt, kun je veel meer actieve bezigheden ondernemen dan wanneer je een slechte gezondheid hebt. Een goede gezondheid is een rijkdom die je niet als vanzelfsprekend moet aannemen. De manier om je goede gezondheid te handhaven (en je juiste gewicht) is door middel van regelmatige oefeningen. Een studie door onderzoekers van het “Institute for Aerobics Research” in Dallas voerde sterke bewijzen aan voor het feit dat lichamelijk gezonde mensen langer leven. Zelfs matige lichaamsbeweging kan je gezondheid aanzienlijk verbeteren. Vergeleken met de meest gezonde mannen hadden de minst gezonde mannen viermaal het sterfterisico van de gezondste mannen.

In de Wellness Letter van de Universiteit van Californië staat dat in 1992 18 procent van de mensen in Montana en 52 procent van de mensen in het District Columbia gemeld hadden dat ze niet hadden deelgenomen aan enige lichamelijke vrijetijdsbesteding in de afgelopen maand. Ik krijg een hekel aan mezelf als ik twee dagen geen lichamelijke vrijetijdsbesteding heb, laat staan een maand. Een paar jaar geleden dacht ik dat ik weg zou kunnen komen met eten als een paard en geen lichaamsoefening. Verdorie! Dat ging mooi niet door. Ik ontdekte, toen het postkantoor op het punt stond mij mijn eigen postcode te geven omdat ik zo enorm dik was, dat buitensporig veel eten en geen lichaamsoefening mij een nieuwe garderobe zou kosten, nog afgezien van mijn gezondheid en welzijn. In de afgelopen vijftien jaar heb ik tweemaal per dag oefeningen gedaan, in totaal ten minste twee uur, door krachtige activiteiten als tennis, jogging, en fietsen, te ondernemen. Natuurlijk vertellen bepaalde luie, ongezonde mensen me dat ik zo’n mazzel heb dat ik geen problemen met mijn gewicht heb.

> Degenen die geen tijd voor lichaamsbeweging vrij kunnen maken, zullen tijd voor ziekte vrij moeten maken.
> —Onbekend wijs persoon

We hebben allemaal de kans om gezond te worden door middel van regelmatige lichaamsoefening, en toch is slechts een kleine minderheid van ons fit. Ondanks bewijs dat lichaamsbeweging een sleutel tot een robuuste gezondheid, een lang leven en fysieke aantrekkingskracht is, blijkt uit het *Report on Physical Activity and Health* dat minstens 60 procent van de volwassenen niet actief genoeg is. In *USA TODAY* staat in juli 1996: "We zijn een natie van luiaards." Slechts 22 procent van de Amerikanen voldoet aan de minimum vereiste van een halfuur matige activiteit op de meeste dagen van de week.

Je wordt niet gezond door terloops een stukje te fietsen met drie kilometer per uur of een kwartiertje te wandelen terwijl je etalages kijkt. Een studie uit 1995 van de Harvard University laat zien dat alleen krachtige lichaamsoefening die langere perioden wordt volgehouden ervoor zal zorgen dat je fit wordt. Deze studie, waarin krachtige oefeningen in verband gebracht werden met een lang leven, gaf aan dat een rondje golf niet als krachtige lichamelijke oefening kon worden beschouwd. Net zo is een halfuur tuinieren beter dan niets; je zult er echter niet erg fit door worden.

Het "American College of Sports Medicine" beveelt twintig tot zestig minuten aanhoudende aerobicsoefeningen aan, drie of meer keer per week, voor optimale fitheid. Een voorbeeld waardoor je in vorm zal komen, en dat je leven zal verlengen, is zes tot acht kilometer lopen, drie kwartier achter elkaar. Dit moet je verschillende keren per week doen. Gezondheid wordt alleen verkregen als je deelneemt aan activiteiten waarbij je hart- en vaatstelsel op gang gebracht wordt. Een half uur intensief wandelen, joggen, zwemmen, dansen, of fietsen zou het minimum moeten zijn. Je weet zeker dat je voordeel hebt van je oefeningen als je ten minste twintig minuten gaat zweten.

Het is geen wonder dat de meeste mensen niet fit zijn. Volgens de "National Sporting Goods Association" zijn er 90 miljoen Amerikanen die minder dan twee dagen per maand aan lichaamsoefening doen. Ze hebben allemaal hun excuses; de topvijf van excuses is:

1. Niet genoeg tijd
2. Niet genoeg discipline
3. Weet geen interessante activiteit
4. Kan geen partner vinden
5. Kan me geen uitrusting veroorloven

Als het aankomt op excuses, let dan op iets dat Mark Twain heeft gezegd: "Duizend excuses en geen enkele goede reden." Als je de bovenstaande excuses gebruikt, onthoud dan dat dit geen redenen zijn. Excuses zijn voor mensen die geen verantwoording willen nemen. Laten we de aard van deze excuses eens bekijken.

Het punt van "niet genoeg tijd" is meestal een kwestie van slecht tijdmanagement. Dit kan aangepakt worden door tijd te creëren. Als je onderkent hoeveel uren per dag je verspilt met tv-kijken, schep je daarmee een gelegenheid om lichaamsbeweging ervoor in de plaats te zetten. Dan moet je natuurlijk de discipline hebben om naar buiten te gaan en lichaamsoefeningen te gaan doen. Het tweede excuus, "niet genoeg discipline", duidt zonder meer op luiheid. Je moet actie ondernemen omdat niemand het voor jou kan doen. Er is inspanning en oefening voor nodig om luiheid of gebrek aan discipline te overwinnen.

Als ik had geweten dat ik zo lang zou leven, zou ik beter op mezelf gepast hebben.

"Weet geen interessante activiteit" is wel een heel schamel excuus. Gebruik om te beginnen je creativiteit. Er zijn duizend-en-één verschillende manieren om aan lichaamsbeweging te doen. Als je geen enkele fysieke bezigheid kunt vinden, betekent dit nog niet dat alle activiteiten saai en vervelend zijn; jij bent het die saai en vervelend is. Het excuus "kan geen partner vinden", is ook erg schamel. Het kan makkelijk worden overwonnen door waar mogelijk de oefeningen alleen te doen. Er bestaan veel van dergelijke activiteiten. Als je geen dingen alleen kan doen omdat je bang bent voor eenzaamheid, kun je in hoofdstuk 10 wat denkmateriaal vinden over dit onderwerp. Het excuus gebruiken van "kan me geen uitrusting veroorloven" is een voorbeeld van beperkt denken. In tegenstelling tot wat adverteerders je willen doen geloven, is er geen dure uitrusting nodig om aan lichaamsoefening te doen. Er zijn veel dingen die je kunt doen die bijna niets kosten. Als je in een betrekkelijk koud klimaat woont, zoals ik, wees dan creatief en denk na over de diverse dingen die je binnenshuis kunt doen als het koud is. De nieuwste kledingmode is niet essentieel, tenzij je gelooft dat je terecht zult komen in een modeshow terwijl je aan het joggen of ballen bent in het park. Adverteerders willen je doen geloven dat de laatste mode belangrijk is als statement over wie je bent. Als je denkt dat je de laatste mode nodig hebt om een statement over wie je bent te maken terwijl je aan lichaamsoefening doet, zijn een nieuwe uitrusting of de nieuwste mode beslist niet de dingen die je nodig hebt. Wat je nodig hebt is een cursus zelfrespect. Andere excuses om niet aan lichaamsbeweging te doen zijn:

> Ik ben te oud om te beginnen

> Het is te koud buiten

> Ik ben twintig en hoef geen lichaamsoefening te doen

> Ik wil geen blessures oplopen

Als je een van deze excuses gebruikt, houd je jezelf gewoon voor de gek. Dit zijn noch excuses, noch redenen. De sleutel hierbij is de excuses gewoon te vergeten. Ga lekker naar buiten en doe het gewoon; hiermee reken je steeds met de excuses af.

Als je denkt dat je wat te oud bent om oefeningen te doen omdat je nu al in de veertig of vijftig bent, denk dan nog eens na! Elk jaar op zijn verjaardag rent een jeugdige man uit Toronto hetzelfde aantal kilometers als zijn leeftijd. Je denkt waarschijnlijk: “Dat stelt niet veel voor, voor een man die in de twintig is, maar wacht maar eens af tot hij veertig wordt. Hij zal het nooit vol kunnen houden.” Fout! Joe Womerley begon pas te hardlopen toen hij tweeënvijftig was, terwijl hij veel te zwaar was, niet gezond en bovendien een zware roker.

Ik hoorde voor het eerst over Joe Womersley in het programma *Morningside* op CBC Radio. In september 1994 werd Joe negenenzestig en rende negenenzestig kilometer en in september 1995, op zijn zeventigste verjaardag, liep hij zeventig kilometer. In een marathonrace van de gebruikelijke tweeënveertig kilometer op Baffin Island in 1994 liep Joe zestig kilometer, omdat hij tweeënveertig kilometer een afstand voor “watjes” vond. Het is Joe’s passie om te bewijzen dat hij lange marathons kan uitlopen en om anderen aan te moedigen gezond te worden, ongeacht hun leeftijd. Joe heeft meer dan honderdtwintig marathons gelopen vanaf zijn tweeënvijftigste.

Ik hou van lange wandelingen,
vooral als ze door mensen
gemaakt worden die me ergeren.
—Fred Allen

Als je een vaste baan hebt, kan het excuus opkomen dat je na je werk te moe bent om aan lichaamsbeweging te doen. Vaak heb je beweging het hardst nodig als je er geen zin in hebt.

Gewoonlijk is het geestelijke moeheid die je voelt; die zal door lichaamsoefening verlicht worden. De strijd is al half gestreden als je de eerste tien minuten buiten bent. Daarna zijn de volgende drie kwartier of zo betrekkelijk makkelijk. Het is zelfs zo, dat na tien of twintig minuten de oefeningen zo plezierig kunnen worden, dat je uiteindelijk langer dan je van plan was bezig zal zijn.

Hier is een reden voor: terwijl we bewegen, komen er hormonen in ons lichaam vrij, endorfinen genaamd, die ons in een euforische staat brengen. Dit helpt op natuurlijke wijze het neerslachtige gevoel uit de weg te ruimen. Het is verbazingwekkend dat fysieke activiteit het gevoel van verveling doet verdwijnen waardoor we geen zin hadden om aan beweging te doen.

Als de televisie, de bank en de koelkast je drie beste vrienden geworden zijn, moet je nu meteen actie ondernemen. Stel een fitnessprogramma op en houd je eraan. Lichaamsoefening zal je gezond houden en je meer zin geven om actiever in andere activiteiten te zijn. Individuen met een goede gezondheid ondernemen vaker actieve vrijetijdsbezigheden, terwijl mensen met een slechte gezondheid vaker passieve vrije tijd nastreven. Regelmatig aan lichaamsbeweging doen en gezond worden zal een diepgaande uitwerking hebben op je geluk en welzijn. Je fysieke vaardigheden en vermogens zullen veel langer gehandhaafd blijven als je naar buiten gaat en je lichaam regelmatig oefent. Het is een zaak van het te gebruiken, of af te takelen. Je kunt het verouderingsproces niet stopzetten, maar je kunt het zeker wel vertragen met lichaamsbeweging. Het belangrijkste wat betreft lichaamsoefening is naar buiten gaan en het doen.

Slimme geesten stellen domme vragen

We onderhouden regelmatig ons huis. We onderhouden regelmatig onze auto. We onderhouden regelmatig onze fiets. Sommigen van ons onderhouden zelfs regelmatig ons lichaam, maar slechts weinigen van ons onderhouden regelmatig onze geest. Het regelmatig onderhouden van onze geest kan net zo gunstig zijn als het regelmatig onderhouden van ons lichaam. Veel mensen verkeren in een goede lichamelijke conditie, maar hun geest is bepaald niet in goede conditie. Het vermogen om kritisch en creatief te denken, is een vermogen dat slechts zelden is ontwikkeld. Wat doorgaat voor denken in onze maatschappij is gewoonlijk niet meer dan het uitbraken van oude feiten en cijfers die in de media zijn vermeld of door iemand anders.

Grote geesten hebben doelen, anderen hebben wensen.
—Washington Irving

Als kind stelden we vele domme vragen. We waren nieuwsgierig en vol verwondering over deze wereld. Als volwassenen kunnen we doorgaan onze geest te prikkelen met het nieuwe en het mysterieuze. We zouden ten minste een domme vraag per dag moeten stellen. Er zijn veel dingen om ons over te verwonderen en veel nieuwe dingen om over na te denken, tot aan de dag van ons sterven. We weten niet alles wat er te weten is (hoewel velen van ons dat wel denken). Het is in feite zo dat domme geesten overal een antwoord op hebben, terwijl slimme geesten regelmatig domme vragen stellen. Met zoveel interessante dingen om over na te denken en om vragen over te stellen, hoeft onze geest niet vastgeroest te raken. Als je je eigen mysteries niet tevoorschijn kunt halen om op dit ogenblik over na te denken, volgen er hier vijf om je op gang te helpen:

> Wat is een ander woord voor thesaurus?

> Waarom rijden we op een parkeerplaats en parkeren we op een rijweg?

> Waarom zitten je tenen aan de voorkant van je voeten in plaats van aan de achterkant?

> Waarom is deze vraag op zich een domme vraag?

Een andere manier om onze geest te conditioneren is deelnemen aan permanente educatie aan universiteiten, hogescholen en andere opleidingsinstituten. Een cursus volgen kan een zeer lonende bezigheid zijn, of je nu wel of geen werk hebt. Een van de meest lonende cursussen die ik ooit gevolgd heb, is een cursus wijnproeven. Over plezierig gesproken! Mijn geest is erdoor op een geheel andere manier geconditioneerd dan door andere cursussen. Bij welke cursus mag je elke les een half uur wijn drinken en leer je tegelijk iets?

Universiteiten zitten vol met kennis; de eerstejaars brengen wat in en de ouderejaars nemen niets mee, en zo hoopt kennis zich op.
—Lawrence Lowell

Hier volgen enkele voordelen van het volgen van cursussen:

> Verhoogd zelfrespect

> Geweldige plek om nieuwe vrienden te ontmoeten

- Verbetert persoonlijke groei en zelfbewustzijn
- Verbetering van geestelijke vaardigheid
- Helpt je voorbereiden om terug te keren naar werk
- Behulpzaam in het omgaan met de snelle veranderingen waarmee we geconfronteerd worden

Een creatieve geest is een actieve geest, en een actieve geest stelt veel vragen. Alleen door middel van actief vragen stellen kunnen we ons verstand blijven ontwikkelen en nieuwe denkwijzen ontdekken. Vraagtekens plaatsen bij onze waarden, overtuigingen en bij de vraag waarom we de dingen doen zoals we ze doen, zou normaal moeten zijn. Socrates, een groot denker in zijn tijd, moedigde zijn studenten aan om overal vraagtekens bij te zetten, ook bij wat hij onderwees. Je moet je geest op een actieve manier gebruiken om er zeker van te zijn dat hij niet zal wegroesten. Ook hier, net als met je lichaam, moet je hem gebruiken, anders takelt hij af!

Wees een reiziger in plaats van een toerist

Reizen zal, mits je het op de juiste manier doet, je kijk op het leven verbreden en verfrissen. Nieuwe mensen, gewoonten, omgevingen en levenswijzen ervaren, zullen je leven verrijken. De belangrijke overweging die je moet maken is actief te reizen.

Op mijn reis naar Saint Lucia was ik verbijsterd over het feit dat zoveel mensen op het strand er niet bepaald uitzagen of ze het naar hun zin hadden. Ik was verbaasd omdat de meeste mensen van zover waren gekomen om zich te vermaken. Behalve mijn vriendin en een gezin uit Duitsland was niemand ergens enthousiast over. Iedereen scheen een paar weken op het strand door te brengen om de anderen zich te zien vermaken.

Er zijn drie moeilijke dingen; een verwonding oplopen, een geheim bewaren en vrije tijd benutten.
—Voltaire

Als je kunt moet je niet meegaan op georganiseerde reizen met een reisgids die je van plaats naar plaats leidt. Dit is passief reizen; er is veel meer te halen uit reizen. Wees geen toerist, maar probeer een echte reiziger te zijn als Jim MacKenzie, mijn vriend de onderwijzer, die elke vier tot vijf jaar een verlofjaar opneemt.

Toeristen zijn passief en vormen de massa die op geheel verzorgde vakanties gaat. Ze kiezen voor de ontsnapping van een of twee weken. Op deze geheel verzorgde reizen zitten ze vast in vaste schema's en de verplichting om zich aan de groep te conformeren. Jim, als reiziger, is creatiever en avontuurlijker dan toeristen. Hij kiest zijn eigen bestemming en zit niet vast aan enig schema. Aangezien hij geen compromissen hoeft te sluiten ten behoeve van de groep, kan hij de tijd nemen om het land dat hij bezoekt te verkennen en ervan te genieten. Hij kan spontaan zijn en daardoor is zijn vakantie minder voorspelbaar en interessanter.

Als je iets over een land wilt leren, wees een reiziger en ga daarheen waar de meeste toeristen niet heengaan. Praat met de plaatselijke bevolking als je hun taal kent. Leer hoe zij het leven zien. Neem een camera mee en maak veel foto's. Leg alle interessante gebeurtenissen vast in je dagboek. Tussen haakjes, als je van de gebaande paden afgaat en afgelegen plekken opzoekt, maak je een goede kans om uitstekende restaurants te vinden die niet door toeristen worden bezocht. Zoek uit waar de plaatselijke inwoners uit eten gaan en je zult culinaire hoogstandjes kunnen beleven.

Een andere manier om actief te reizen is een vrijwilligersvakantie te ondernemen. Dit kan een heel plezierige en lonende ervaring zijn. Je biedt je werk aan bij organisaties die je vaardigheden kunnen gebruiken. Het profijt voor jou zijn het avontuur en de voldoening die je krijgt door anderen te helpen die minder fortuinlijk zijn dan jij.

Onthoud dat je niet ver hoeft te reizen voor je vakantie. Zie de plaats waar je woont niet over het hoofd, omdat hij niet te evenaren is ten opzichte van andere plaatsen die je bezocht hebt of waar je hebt gewoond. Elke stad heeft unieke karakteristieken die veel inwoners ervan negeren of niet waarderen. Bezoek je eigen stad om de fascinerende aspecten ervan te ontdekken. Neem de tijd om de etnische restaurants te leren kennen, de zonsondergangen, de fietsroutes, de architectuur, de winkelcentra, de verschillende buurten en de parken. Je ontdekt misschien wel een paradijs in je eigen achtertuin.

Probeer eens te lezen, schrijven, of ...

Er zijn nog twee vrijetijdsbestedingen die de kwaliteit van onze vrije tijd enorm kunnen verhogen: lezen en schrijven. Maar weinig mensen geven zich hieraan over.

Helaas is lezen over het algemeen achteruitgegaan, zowel in kwantiteit als kwaliteit (ongetwijfeld zijn er academici die mij gedeeltelijk de schuld zullen geven vanwege de kwaliteit van mijn boeken). Hoewel Amerikanen en Canadezen veel boeken aanschaffen, eindigen zelfs de meeste exemplaren van bestsellers eerder als deurstop dan als leesmateriaal. Tom Peters heeft geschat dat slechts een miljoen van de vijf miljoen mensen die zijn bestseller, *In Search of Excellence*, kochten zelfs maar de moeite genomen heeft om het te openen, en slechts honderdduizend hebben het boek van begin tot eind gelezen.

Iemand die geen goede boeken leest is niet in het voordeel ten opzichte van iemand die ze niet kan lezen.
—Mark Twain

Een boekhandel heeft ongelooflijke schatten in huis. Elke openbare bibliotheek is ook een literaire goudmijn. Het lezen van boeken die in boekwinkels aangeschaft zijn of geleend zijn uit bibliotheken, is een van die uiterst actieve en bevredigende genoegens die iedereen zou moeten nastreven. Maar ik heb ergens gelezen dat de gemiddelde universitaire student in de VS ongeveer één boek per jaar leest na te zijn geslaagd. Slechts 3 procent van de Amerikaanse bevolking heeft een bibliotheekkaart. In de Verenigde Staten en Canada besteedt slechts 20 procent van de bevolking zijn vrije tijd aan lezen.

Waarom het merendeel van de bevolking geen boeken leest, is een vraag waar ik vaak over heb nagedacht. De meeste mensen zouden net zo goed analfabeet kunnen zijn, als je naar de hoeveelheid boeken kijkt die ze lezen. Blijkbaar vinden mensen het lezen van boeken te moeilijk. De Makkelijke Levenswet uit hoofdstuk 6 is hier van toepassing; de moeilijkere activiteiten ondernemen zou hun meer voldoening schenken.

Verbeter jezelf door de geschriften van anderen te lezen, en je krijgt gemakkelijk waar anderen hard voor hebben gewerkt.
—Socrates

Lezen is de snelste manier om kennis en wijsheid te vergaren over de wereld waarin we leven. Als je de snelste weg tot succes wilt nemen op wat voor terrein dan ook, lees dan de werken van de grote filosofen. Dit is de makkelijkste (en bovendien goedkoopste kan ik zeggen) manier om de wijsheid en kennis te verkrijgen die je tot overwinnaar zullen maken in werk of spel.

Voor schrijven is iets meer inspanning nodig dan voor lezen. Door de tijd te nemen om brieven of boeken te schrijven, leer je je meningen en je creativiteit te uiten. Brieven schrijven is iets dat we allemaal vaker zouden moeten doen. Als je ervan houdt om brieven te ontvangen, moet je gaan schrijven. Op die manier zul je meer terugontvangen. Brieven schrijven kan bevredigend zijn als je je creativiteit uit. Voeg er nog iets aan toe, zoals citaten of tekeningen, waardoor jouw brieven anders worden. De persoon aan wie je schrijft zal aangenaam verrast worden door je brief, die geen doorsneeproduct is.

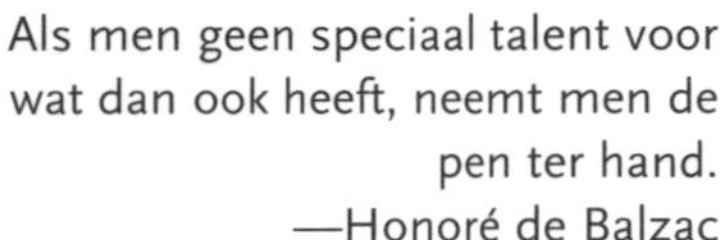

Als men geen speciaal talent voor wat dan ook heeft, neemt men de pen ter hand.
—Honoré de Balzac

Een boek schrijven is moeilijker dan een brief schrijven. Maar, alleen omdat iets moeilijk is moet je het niet laten. Ik kom veel mensen tegen die ervan dromen om een boek te schrijven, maar er nooit aan toekomen vanwege hun excuses. Als je een boek wilt schrijven, doe het dan. Ook hier geldt weer, als ik het kan, kan jij het ook. Ik moet je erop wijzen dat ik drie keer gezakt ben voor mijn eerstejaars Engels aan de universiteit voordat ik eindelijk slaagde; toch kan ik boeken schrijven. Begin met ten minste een kwartier per dag. Zo is dit boek ook begonnen. Zelfs als je dit absolute minimum doet, zul je toch een stap in de richting van de voltooiing hebben gezet.

Als je eenmaal een boek hebt geschreven, publiceer het dan zelf als je erin gelooft. Veel boeken die bestsellers zijn geworden, zijn door de schrijvers zelf uitgegeven. Maar stel succes niet gelijk met er een bestseller van maken. Als één persoon behalve jij van je boek geniet, is het een succes; alles wat hier bijkomt is meegenomen.

Ik wil dolgraag ouder worden, zodat ik net zo word als de andere volwassenen en maar één boek per jaar lees.

Ik heb het gevoel dat alleen ongeletterde en luie individuen niet dol zijn op lezen en schrijven. Ik kan het natuurlijk bij het verkeerde eind hebben. Je bent misschien niet lui of ongeletterd, maar je houdt toch niet van lezen en schrijven. Probeer dan iets uit de talloze andere actieve bezigheden die je kunt ondernemen.

Actie spreekt boekdelen

Als je eenmaal begrijpt dat je houding en energie de kwaliteit van je vrije tijd bepalen, ben je op weg om de gebeurtenissen en situaties te scheppen die je helpen het leven ten volle te leven. William Shakespeare zei: “Actie spreekt boekdelen”. Als actiegericht persoon zul je de lethargie kunnen aanpakken die de meerderheid ervan weerhoudt om actieve vrijetijdsbestedingen te ondernemen. Lethargie overwinnen is de manier om je creativiteit tot leven te wekken. De stappen zetten om iets te doen dat hoogst actief is, helpt heel erg om depressie, angst en stress uit te schakelen.

In het leven zijn er twee soorten mensen: deelnemers en toeschouwers. Sommige mensen besteden de meeste tijd aan dingen in gang zetten en sommige mensen besteden hun tijd aan toekijken terwijl het gebeurt. Als je de meeste tijd besteedt aan toekijken, duurt het niet lang voor je leven voorbij is en je je in verwondering zult afvragen wat er gebeurd is.

Wees tevreden te handelen en laat het praten aan anderen over.
—Baltasar Gracián

Op een afwezige manier je vrije tijd besteden zoals met eindeloos tv-kijken, is een zekere manier om verveeld te raken en fysiek en mentaal uit conditie. Altijd de tijd doden zal jou alleen maar sneller doden. Als je vrijetijdsrepertoire geen goede balans tussen passieve en actieve bezigheden heeft, is de kans groot dat je niet erg gelukkig zult worden. De beste remedie voor verveling is uitzoeken welke activiteiten je hart doen opengaan. De activiteiten die je de meeste voldoening geven, zijn degene die je uitdagen en je van een doel voorzien. Als een bezigheid werkelijk stimulerend is, vergeten we de tijd en de plaats terwijl we ermee bezig zijn.

Er moeten verscheidene dingen zijn waar je hart van open gaat. Misschien raak je opgewonden van bergbeklimmen of tuinieren of parachutespringen of paardrijden of munten verzamelen. Waar het om gaat is het enthousiasme te hebben dat van vitaal belang is om je te betrekken bij iets actiefs. Als je enthousiast bent over wat je doet, zul je meer vitaliteit, meer interesse en meer uitstraling vertonen.

Oefening 8-2. Je hartstocht meten

Ga terug naar je vrijetijdsboom of activiteitenlijst. Schaal deze activiteiten in op een hartstochtindex van één (nagenoeg geen verlangen) tot vijf (brandend inferno van verlangen).

Als je je hartstocht voor deze activiteiten hebt ingeschaald, maak het dan tot prioriteit om die na te streven die een score van vier of vijf hebben. Alles minder dan vier is niet iets dat je genoeg zal motiveren om het met animo te ondernemen.

Met hartstocht als drijvende kracht, zul je jezelf niet hoeven dwingen om deel te nemen aan deze activiteiten. Hartstocht, enthousiasme en verlangen zijn wat je nodig hebt om aan activiteiten deel te nemen die je de meeste bevrediging en vervulling schenken. Als je meer gemotiveerd bent om deze uitdagende activiteiten te doen, moet je wel leren en groeien als persoon.

Antwoord op oefening 8-1: Haal de stekker eruit, zodat je niet in de verleiding kan komen terwijl je iets nuttigs aan het doen bent.

Hoofdstuk 9

Het Nu staat Zentraal

Nu en alleen nu heb je het nu

Van de vijfhonderd mensen die door *World Tennis Magazine* werden ondervraagd in een seks/tennisenquête, zei 54 procent van de respondenten dat ze aan seks denken terwijl ze aan het tennissen zijn. Wat betekent dit? Het zou een aantal dingen kunnen betekenen: misschien vinden ze tennis saai. Wellicht spelen ze met, of tegen, sexy partners. Een Freudiaanse uitleg is ook mogelijk: ze zijn zo bezeten van seks dat ze er de hele tijd aan denken, of ze nu tennissen, een maaltijd nuttigen, een jurk naaien of paardrijden.

Met mijn gooi naar een verklaring wil ik alleen maar aangeven dat deze tennissers moeite hebben om in het nu te leven. Ze kunnen niet aanwezig zijn, wat ze ook doen. Het tijdschrift heeft de respondenten hierover niet ondervraagd, maar ik kan me voorstellen dat sommigen van deze mensen aan tennis denken onder het vrijen. We zullen die enquête aan het *World Sex Magazine* overlaten. Het zou interessant zijn om een enquête te houden om erachter te komen hoeveel musici aan seks denken terwijl ze in een symfonieorkest spelen.

> De dag is oneindig lang voor degene die hem weet te waarderen en te gebruiken.
> —Johann Wolfgang von Goethe

Net zoals de tennisspelers leven de meesten van ons niet in het "nu". We leven ofwel in het "hiervoor", ofwel in het "hierna", in plaats van in het "nu". We missen veel van de kostbaarste momenten in het leven omdat we zo inbeslaggenomen worden door het verleden of de toekomst. Het idee van in het nu leven is niet uitzonderlijk diepzinnig; toch doen maar weinigen van ons het.

De meesten van ons lopen meestal slapend in de tijd rond en we besteden weinig aandacht aan wat er zich om ons heen afspeelt. Sommige filosofen zeggen dat de meesten van ons de meeste tijd onbewust zijn.

Als je tot de bewuste minderheid wilt behoren, denk er dan nu aan – en alleen nu – dat je het nu hebt. In het nu zijn is belangrijk, omdat dit ogenblik het enige is dat je in feite hebt. Er is niets dat je ooit kunt ervaren, behalve in het huidige ogenblik. In het nu zijn betekent dat je moet accepteren dat je nooit momenten uit het verleden of de toekomst kunt ervaren. Hier gaat het om! Geloof het of niet, nu is het enige dat je ooit in het leven zult krijgen.

Het ogenblik machtig worden

In sommige culturen kan een ogenblik de hele middag duren. Activiteiten hebben natuurlijke begin- en eindtijden die niet door de klok worden gedicteerd. Een gesprek met iemand anders is niet afhankelijk van een beperkte tijd van een kwartier of halfuur; het begint als het begint en eindigt wanneer het eindigt. Helaas zijn veel Amerikanen niet in staat een rustig gesprek te voeren met een familielid, vriend of buurman. Er is te veel ongestructureerde tijd voor nodig, met een natuurlijke begin- en eindtijd.

In het nu zijn is niets meer dan genieten van het heden. Mijn goede vriend Mij Relge is hier heel goed in. Toen hij drieënveertig was zegde Mij zijn baan op als professor aan de universiteit om wat zelfanalyse te verrichten en als persoon te groeien. Uit nieuwsgierigheid vroeg ik hem wat hij met al zijn vrije tijd aan het doen was en wat zijn plannen voor de toekomst waren. Dit was nadat hij twee jaar zonder baan had gezeten. Mij antwoordde op zen-achtige wijze en zei dat hij totaal geen moeite had met zijn werkvrije leven. Hij antwoordde dat hij gewoon bezig was "het ogenblik machtig te worden".

> Verloren: gisteren, ergens tussen zonsopgang en zonsondergang, twee gouden uren, elk ingelegd met zestig diamanten minuten. Er is geen beloning voor, want ze zijn voor eeuwig weg.
> —Horace Mann

Het ogenblik machtig worden is belangrijk om te kunnen genieten van vrije tijd (en het leven in het algemeen). Hoogwaardige vrije tijd in je leven hangt af van je vermogen om totaal betrokken te zijn bij de activiteit die je onderneemt. Slechts dan kun je volledige voldoening halen uit wat je aan het doen bent. Dit geldt of je nu schaakt, met een vriend praat, langs een beekje loopt of naar een zonsondergang kijkt. Vrije tijd in het nu doorbrengen geeft een gevoel van heldere aandachtigheid, alsook een gevoel van vrede met de wereld.

Er wordt sterk de nadruk gelegd op in het nu zijn in Zen, een oosterse discipline die persoonlijke verlichting als doel heeft. Het volgende zen-verhaal illustreert het belang van het machtig worden van het moment:

Een zen-student vroeg zijn leraar, "Meester, wat is zen?" De meester antwoordde: "Zen is de vloer vegen als je de vloer veegt, eten als je eet en slapen als je slaapt." De student antwoordde met te zeggen: "Meester, dat is zo simpel." "Natuurlijk," zei de meester. "Maar zo weinig mensen doen het ooit."

De tijd is de manier waarop de natuur ervoor zorgt dat niet alles tegelijk gebeurt.
—Onbekend wijs persoon

De meeste mensen zijn zelden in het huidige moment. Dit is jammer, aangezien ze veel kansen in het leven missen. Tegenwoordigheid van geest hebben, ofwel aandacht aan het moment besteden, is iets waarin de meesten van ons zich in zouden kunnen verbeteren, en waar we allen van kunnen profiteren. Het vermogen om in het nu te zijn en ons op de onderhavige taak te concentreren, is een heel belangrijk aspect van het creatieve proces bij zowel werk als spel.

Essentieel voor het machtig worden van het moment is leren één ding tegelijk te doen, in plaats van twee of drie. Iets fysieks doen en tegelijkertijd aan iets anders denken is met elkaar in tegenspraak. We kunnen de activiteiten van onze keuze niet vrijelijk doen als we aan iets anders denken. Een van de problemen die we met vrije tijd hebben, is iets kiezen en ermee bezig te blijven tot het tijd is om op te houden. Elke handeling of taak zou onze volledige aandacht waard moeten zijn, anders zou je er niet aan moeten beginnen.

Het vermogen om het hier en nu te ervaren is een kenmerk van creatief levende mensen. Creatief levende mensen zijn degenen die helemaal op kunnen gaan in een project. Hun concentratieniveau is zo hoog dat ze elk besef van tijd verliezen. Ze zijn helemaal ondergedompeld in hun projecten – ze hebben geen last van afleidende gedachten. Hun geheim? Ze genieten van het ogenblik en maken zich geen zorgen over wat er komen gaat.

Ben jij ooit wel eens door zoveel energie overweldigd, dat je uit je normale beslommeringen werd gesleurd en een staat van optimale voldoening bereikte? Als dat zo is, was je het moment machtig en heb je wellicht talloze gevoelens ervaren die je normaal gesproken niet ervaart. Twee professoren in de psychologie aan de Southern Illinois University, Howard E.A. Tinsley en Diane J. Tinsley, ontdekten dat individuen die hun vrije tijd ten volle ervoeren, het volgende voelden:

> Een gevoel van vrijheid

> Helemaal opgaan in de onderhavige bezigheid

> Geen gerichtheid op het zelf

> Verhoogde waarneming van voorwerpen en gebeurtenissen

> Weinig gewaarzijn van het verstrijken van de tijd

> Verhoogde gevoeligheid voor lichamelijke sensaties

> Verhoogde gevoeligheid voor emoties

Cam Case uit San Diego in Californië stuurde me de volgende brief. Cam is blijkbaar iemand die van het moment geniet.

Beste Ernie,

Ik heb echt van je boek genoten. Ik las het terwijl ik op "wacht" stond gisterennacht, van twaalf tot acht 's ochtends. Ik ben een bekwaam zeeman op een schip in de Indische Oceaan dat nu voor anker ligt in een lagune. Toen ik het idee tegenkwam om van een zonsondergang en de volle maan te genieten, keek ik juist naar de volle maan en kort daarop naar een prachtige zonsopkomst. We zitten op dezelfde golflengte. Ik heb zelf een boekje met citaten uitgegeven, en ik vind er vele van in jouw boek.

Omdat ik zeeman ben, reis ik veel en ik geniet er ook erg van. Een paar jaar geleden heb ik mijn vriendin meegenomen naar Hongkong en Bangkok. Vorig jaar zijn we naar Londen, Amsterdam, München, Venetië, Zwitserland en Parijs geweest. We gaan in januari een cruise op de Caribische Zee maken.

Mensen op dit soort schepen werken zeven dagen per week heel hard – vooral tijdens vakanties en feestdagen vanwege extra salaris. Hoe dan ook, ik heb vandaag een snipperdag genomen om te zwemmen en een paar brieven te schrijven. Men was stomverbaasd dat ik op een "bonus-salarisdag" ging lummelen. Morgen is het zondag en dan ga ik hetzelfde doen. Ik heb zoveel dingen in mijn vrije tijd te doen: lezen, schrijven, zwemmen, enz. Ik kijk geen tv, maar wel bepaalde video's en films.

Je concept van leven alsof je nog maar een halfjaar te leven had, heb ik zelf opgedaan toen ik Ninja-filosofie en –kunst bestudeerde. In het nu leven wordt beschreven als "Er zijn: je totaal concentreren op het onderhavige ogenblik." Yoga- en zentraining maken gebruik van het idee om je op een eenvoudig voorwerp te concentreren, zoals jij ook beschrijft.

Ik geniet ook echt van mijn alleenzijn. Het is gewoon geweldig als ik een boek lees en het met elke bladzijde eens ben. Ik ben echt verbaasd dat iemand alle ideeën en concepten in één boek gestopt heeft.

Vriendelijke groet,

Cam

Cams geheim om gelukkig te zijn in z'n vrije tijd is vaak deel te nemen aan activiteiten waarin hij het moment machtig kan worden. Als jij dat ook kunt, zul je meegesleept worden door ervaringen die buitengewoon vreugdevol, voldoening gevend en zinvol zijn. Het moment machtig worden is een middag in een bibliotheek rondsnuffelen zonder vast doel, of een brief met de hand schrijven waaruit eindeloos ideeën blijven stromen. Het is de ervaring van iets met zo veel fascinatie en vreugde te doen, dat je alle besef van tijd en plaats kwijtraakt. Als je het moment machtig wordt, is niets belangrijk, behalve wat je op dat moment doet.

> **Tijd is geluk**
>
> Als u niet over vijf minuten wordt bediend
> Wordt u over acht tot negen minuten bediend ...
> Misschien twaalf minuten
> ONTSPAN U!
>
> —Op het menu van Ritz Diner, Edmonton

Veel mensen haastig zich als idioten om ergens te komen, maar het is overduidelijk dat ze geen flauw idee hebben waarom ze zo'n haast hebben of, erger nog, waar ze heengaan. Ze haasten zich blijkbaar om bij een bestemming te komen, om vlugger aan te komen en dan langer te kunnen wachten.

Waarom haast jij je in jouw leven? Wanneer heb je voor het laatst een openhartig gesprek met een vriend gehad? Heb je er ooit bij stilgestaan waarom je als een gek van hot naar haar rent? Ren je naar de telefoon als dit helemaal niet nodig is? Je kunt hem rustig over laten gaan zonder dat er iets ernstigs zal gebeuren.

Niets is zo dierbaar en kostbaar als de tijd
—Frans spreekwoord

Mensen die lijden aan de "haastziekte" hebben over het algemeen gezondheidsproblemen en bovendien een hoog sterftecijfer door hartaanvallen. Fysiologische kenmerken van mensen die door tijd verteerd worden zijn verhoogde hartslag, hoge bloeddruk, spijsverteringsproblemen en verhoogde spierspanning. Doordat ze zich voortdurend haasten om alles voor elkaar te krijgen, kunnen door tijd opgejaagde mensen ernstige ziekten ontwikkelen die tot een vroegtijdige dood leiden.

De volgende lijst doet je een aantal manieren aan de hand om het langzamer aan te doen en van het leven te genieten:

> Houd je niet voortdurend met de toekomst bezig. Stop met je zorgen te maken over dingen die je moet doen en of je er wel tijd voor hebt. Als je de tijd hebt, zul je taken afmaken. Als je niet genoeg tijd hebt, kun je de taken morgen voltooien.

> Als je een kop koffie drinkt, beleef dan het moment. Drink de koffie langzaam en met veel concentratie, alsof de hele wereld stilstaat om jou te helpen van je koffie te genieten.

> Stop met te hard rijden in je auto. Rij langzamer, zelfs al heb je haast.

> Ruim ongeveer een halfuur per dag ongestructureerde tijd in om iets spontaans en anders te doen.

> Breng een paar uur per dag alleen door en zet het antwoordapparaat aan.

> Kijk met heel je hart naar een zonsondergang, net zolang tot de zon helemaal onder is.

- Heb een echt gesprek met je buurman of buurvrouw en laat het op natuurlijke wijze beginnen en eindigen, zonder dat de klok de tijd dicteert.

- Ervaar je douche 's ochtends zolang je nodig hebt om deze werkelijk te ervaren.

In een cultuur die aan materialisme, werkverslaving en snelheid is verslaafd, is de strijdkreet: "Tijd is geld." Ik zeg, weg met tijd die in geld wordt gemeten. Laat het motto "tijd is geluk" "tijd is geld" vervangen en we zullen allemaal gezonder en beter af zijn.

Uiteindelijk doet niets ertoe, en als het wel zo was, wat dan nog

Ik ben een oude man en heb heel wat problemen gekend, maar de meeste zijn nooit gebeurd.
—Mark Twain

Je zorgen maken over onbelangrijke en onbeduidende zaken is een bezigheid die de mensen van het nu berooft. Ongeveer 15 procent van het Amerikaanse publiek besteedt ten minste 50 procent van elke dag aan piekeren, aldus een studie van de Pennsylvania State University. Piekeren komt zoveel voor in Noord-Amerika, dat bepaalde onderzoekers beweren dat ongeveer een op de drie mensen ernstige geestelijke problemen heeft ten gevolge van zich zorgen maken. Denk eens aan twee van je vrienden in dit verband. Als je hen beiden geestelijk gezond vindt, moet jij degene zijn met de geestelijke problemen (ik maak maar een grapje).

Oefening 9-1. Twee dagen waarover je je geen zorgen hoeft te maken

Er zijn twee dagen van de week waarover je je geen zorgen hoeft te maken. Welke twee dagen zijn dat?

Om piekeren in het juiste perspectief te plaatsen volgt hier nog een verhaal uit de zen-leringen:

Twee monniken, Eanzan en Tekido, liepen langs een modderige weg toen ze een mooie vrouw tegenkwamen die de weg niet kon oversteken zonder haar zijden schoenen te bevuilen. Zonder een woord te zeggen tilde Eanzan de vrouw op, droeg haar de weg over en liet haar aan de overzijde achter. Daarop vervolgden de beide monniken hun weg en spraken niet tot het eind van de dag. Toen ze hun bestemming bereikten, zei Tekido: "Je weet toch dat monniken bij vrouwen uit de buurt horen te blijven. Waarom tilde je die vrouw vanochtend dan op?" Eanzan antwoordde: "Ik heb haar aan de kant van de weg achtergelaten. Waarom draag jij haar op dit moment nog steeds?"

Het bovenstaande verhaal benadrukt het zen-geloof in het belang van te leven zonder de problemen uit het verleden mee te torsen. Toch richten veel mensen zich op vroegere problemen. Piekeren neemt het grootste deel van het denken van mensen in beslag; sommige mensen zijn zo gewend aan zich zorgen te maken, dat ze zich zorgen maken als ze niets hebben om zich zorgen over te maken.

Het is niet de ervaring van vandaag die mensen gek maakt. Het is het berouw over iets dat gisteren gebeurde, en de vrees voor wat morgen in petto heeft.
—Robert Jones Burdette

Als je een chronische piekeraar bent en niet genoeg dingen hebt om over te piekeren, kun je punten gebruiken uit de volgende lijst. Ik heb deze lijst opgesteld toen ik bedacht had dat we in mijn favoriete koffiebar obsessielezingen zouden houden in plaats van de poëzielezingen die in sommige koffiebars gehouden worden. Zoals al mijn geweldige ideeën werd ook dit idee niet met open armen ontvangen.

Nog wat dingen om je zorgen over te maken:

- Wat zal er met deze wereld gebeuren als ik overgemotiveerd raak?
- Wie steelt toch steeds mijn sokken?
- Wat moet ik aantrekken als ik bij Oprah Winfrey wordt uitgenodigd?
- Wie heeft de sokken uitgevonden?
- Zal iemand anders als mij gereïncarneerd worden?
- Hoe komt het dat alle gekke personen in de koffiebar mij kennen?
- Is de kat van mijn buren gestoord?
- Waarom is mijn knappe buurvrouw niet met mij getrouwd?

> Wat voor auto zou ik moeten kopen als ik de lotto win?

> Waarom ben ik de enige klant in deze koffiebar?

> Hoeveel rebussen zijn er gemaakt?

> Ben ik zo slim dat ik mijn leven vergooi, wat ik ook doe?

> Houden dyslectici van palindromen?

> Is het mijn levensdoel een waarschuwing voor anderen te zijn?

> Wie is die mooie blonde vrouw daar?

> Heb ik echt meer plezier met blondines?

> Als ik met een blondine trouw, zal ik dan meer van brunettes gaan houden?

> Kan een perfectionist als ik een paradigmaverschuiving beleven?

> Ben ik de enige die geen paradigmaverschuiving heeft gehad?

> Zullen ze me opsluiten omdat ik deze lijst heb gemaakt?

Angst, ongerustheid en schuldgevoelens zijn emoties die samenhangen met piekeren. Op elk moment, op het werk of ergens anders, zijn mensen in gedachten heel, heel ver weg. Ze denken meestal over zorgen en spijt. De meeste mensen maken zich zorgen over wat er gisteren gebeurde of wat morgen zal gebeuren. Zo komen we bij het antwoord van Oefening 9-1: De twee dagen van de week waarover je je geen zorgen zou hoeven maken, zijn morgen en gisteren.

De wereld wordt geregeerd door de dingen hun beloop te laten hebben. Hij kan niet geregeerd worden door je ermee te bemoeien.
—Lao-tse

Besteed je te veel tijd aan piekeren en het mislopen van het heden?

Kun je je concentreren en in het hier en nu zijn? Te veel tijd besteden aan je zorgen maken over verliezen, mislukken of fouten maken zal je gespannen en ongerust maken. Te veel piekeren maakt je vatbaar voor stress, hoofdpijn, paniekaanvallen, maagzweren en andere gerelateerde kwalen. Het meeste gepieker is zelfopgelegd en nogal zinloos. Denk eens na over de volgende tabel:

Verspilde Zorgen

40 procent van de zorgen gaat over gebeurtenissen die nooit zullen plaatsvinden
30 procent van de zorgen gaat over gebeurtenissen die al hebben plaatsgevonden
22 procent van de zorgen gaat over onbeduidende gebeurtenissen
4 procent van de zorgen gaat over gebeurtenissen die we niet kunnen veranderen
4 procent van de zorgen gaat over echte gebeurtenissen waarbij we op kunnen treden

Ons halve leven besteden we aan het zoeken naar wat je moet doen met de tijd waarmee we door het leven gesneld zijn in een poging tijd te besparen.
—Will Rogers

De bovenstaande tabel geeft aan dat 96 procent van de energie die we aan piekeren besteden gebruikt wordt voor dingen waar we niets aan kunnen doen. Dit betekent dat 96 procent van ons gepieker verspilde tijd is. Het is zelfs nog erger. Je zorgen maken over dingen waar we wel iets aan kunnen doen is ook verspilling, aangezien we iets aan deze dingen kunnen doen. Met andere woorden, zorgen over dingen waaraan we niets kunnen doen is verspilling, en zorgen over dingen waaraan we wel iets kunnen doen is verspilling omdat we iets aan die dingen kunnen doen. De uitkomst is dat 100 procent van ons gepieker verspilling is. (Nu kan je je zorgen gaan maken over al die tijd die je verspild hebt aan je zorgen maken.)

Je tijd besteden aan piekeren over dingen uit het verleden of over toekomstige gebeurtenissen is energieverspilling. Creatieve mensen beseffen dat de Wet van Murphy enige invloed heeft op hoe de dingen zullen uitpakken; dat wil zeggen: “Als iets fout kan gaan, gaat het fout.”

Hindernissen zijn een absolute zekerheid in het leven. Op geen enkele manier kan een hoogst creatief mens alle hindernissen uit de weg ruimen. Er zullen regelmatig veel nieuwe hindernissen opduiken, maar creatieve mensen beseffen dat er een manier is om bijna alle hindernissen te overwinnen.

Als er een hindernis verschijnt, zullen creatieve mensen een manier bedenken om de hindernis uit de weg te ruimen. Als ze er niet omheen kunnen, zullen ze er onderdoor gaan. Als ze er niet onderdoor kunnen, zullen ze er overheen gaan. En anders wel er doorheen. Met al deze mogelijkheden is er geen reden om je zorgen te maken over hindernissen, alleen of er nu, op dit moment, sprake van een hindernis is. Als er geen is, zoek er dan een. Als er wel een is, ook goed, want er ligt een uitdaging voor je en een probleem om op te lossen.

Het meeste, zo niet alle, gepieker berooft je van de energie die gebruikt kan worden om problemen op te lossen. Hier volgt een goede instelling die je kunt aannemen: Uiteindelijk doet niets ertoe, en als het wel zo was, wat dan nog? Als je naar dit motto kunt leven, zullen je meeste zorgen verdwenen zijn.

De leiding opgeven om leiding te krijgen

Veel mensen willen voortdurend de volledige leiding hebben. Ze maken zich zorgen en zijn onzeker wanneer ze geen leiding hebben. De behoefte aan leiding kan zichzelf in de weg staan. De creatief levende mensen van deze wereld zeggen dat een belangrijke factor om volledig te leven het vermogen is om de leiding op te kunnen geven. Dit druist natuurlijk in tegen wat we onszelf hebben wijsgemaakt.

Als je een olifant bij zijn achterpoot hebt, en hij probeert weg te rennen, kun je hem het beste laten gaan.
—Abraham Lincoln

Als je ooit hebt paardgereden, weet je dat het veel makkelijker is om een paard in de richting te laten lopen die het zelf wil. Je komt ook makkelijker door het leven als je met de wereld in de richting rijdt die hij opgaat. Dit betekent dat je de behoefte moet opgeven om de manier waarop alles zal uitpakken in de hand te houden. Om het belang van het opgeven van controle in het leven te illustreren, vind ik de volgende analogie heel bruikbaar:

Stel dat je op een vlot zit op een snelstromende en uiterst verraderlijke rivier. Het vlot kapseist en jij valt in het snelstromende water. Je kunt dan twee dingen doen. Een is proberen de situatie meester te worden en met de rivier de strijd aan te binden. Als je dat doet is de kans groot dat je gewond raakt omdat je tegen de rotsen gesmeten wordt. Het tweede dat je kunt doen is de volledige leiding opgeven. Op het moment dat je de leiding opgeeft zul je de situatie meester worden. Je laat je nu meevoeren op de stroom. Het water gaat niet de rotsen in; het water gaat om de rotsen heen.

Het leven is een snelstromende rivier. Om met een minimum aan kleerscheuren door het leven te komen, moeten we leren ons op de stroom mee te laten voeren. Met de stroom meegaan betekent de leiding opgeven. Het betekent je overgeven aan het idee dat we niet weten hoe de dingen zullen uitpakken. De beste manier om ons lot in de hand te krijgen is de controle op te geven en ons geen zorgen te maken over hoe alles zal aflopen. Er zijn te veel factoren die we niet in de hand hebben die zelfs het beste plan om zeep zullen helpen.

Creatief levende mensen geven zich over aan de stroom en laten zich meevoeren. Op deze wijze erkennen zij het belang van het moment meester te zijn.

Neem je niet voor om spontaan te zijn

In tegenstelling tot de meerderheid van de volwassenen beleven creatief levende mensen het moment. Net zo, in tegenstelling tot de meerderheid van de volwassenen, kunnen creatief levende mensen spontaan zijn. Ik denk dat Mark Twain het over zijn gebrek aan spontaniteit als volwassene had, toen hij zei: "Ik heb er gewoonlijk meer dan drie weken voor nodig om een goede geïmproviseerde speech voor te bereiden."

Abraham Maslow, de beroemde humanistische psycholoog, geloofde dat spontaniteit een eigenschap is die te vaak verloren gaat naarmate mensen ouder worden. Maslow zei: "Bijna elk kind kan spontaan een lied of een dans of een schilderij maken of een spel verzinnen, zonder het zich eerst te hebben voorgenomen." De meerderheid van de volwassenen verliest dit vermogen, volgens Maslow. Niettemin ontdekte Maslow een klein aantal volwassenen die deze eigenschap niet kwijtraakte of haar op latere leeftijd terugvond. Dit zijn de mensen die zichzelf verwezenlijkt hebben. Denk aan hoofdstuk 7 waarin staat dat zelfverwezenlijking de staat van optimale geestelijke gezondheid is. Maslow noemde dit een staat van volledig menszijn. Hij ontdekte dat zelfverwezenlijkte mensen spontaan waren en hoogst creatief in hun reis naar volwassenheid.

Ik had gepland om vandaag om drie uur spontaan te zijn, maar ik ben overstelpt met werk. Het ziet ernaar uit dat ik het naar morgen moet verschuiven.

Spontaniteit is in essentie synoniem aan creatief leven. Creatief levende mensen zijn niet geremd; ze kunnen hun ware gevoelens uiten. Ze kunnen, net als kinderen, spelen en gek doen. Ze kunnen ook in een opwelling iets doen dat ze niet gepland hebben voor die bepaalde dag. Creatieve mensen hebben ook geen moeite met spontane speeches. Ze gedragen zich meer als kinderen wanneer ze aan het woord zijn dan als volwassenen.

Hoe spontaan ben jij? Houd je altijd vast aan de plannen die je hebt gemaakt? Volg je altijd een vaste routine? Hoe vaak laat je je plannen voor wat ze zijn en doe je iets anders? Ik heb ontdekt dat als ik iets spontaans doe, er onverwachte en interessante dingen met me gebeuren. Heel vaak heb ik lonende ervaringen, die ik nooit zou hebben gehad, als ik aan mijn plannen had vastgehouden.

Kijk naar kinderen om je gevoel voor spontaniteit op te frissen. Als je weer kind kunt zijn, kun je spontaan zijn. Spontaan zijn betekent vraagtekens bij je plannen zetten; het betekent iets nieuws kunnen proberen in een opwelling, omdat het iets kan zijn waar je van zult genieten. Hoewel de meeste accountants en ingenieurs waarschijnlijk zouden proberen te plannen om spontaner te zijn, kan niemand spontaniteit plannen. "Voorgenomen spontaniteit" is een oxymoron.

Spontaan zijn betekent ook meer kansen toelaten in je leven. Hoe meer kansen je in je wereld toelaat, hoe interessanter je wereld zal worden. Laat meer mensen in je leven toe. Communiceer met hen en uit jezelf tegenover hen, vooral als ze andere standpunten hebben dan jij. Je zou iets nieuws kunnen leren.

Denk eraan om regelmatig spontaan te zijn. Oefen elke dag iets te doen dat je je niet hebt voorgenomen. Kies en doe in een opwelling iets nieuws en opwindends. Het kan iets heel kleins zijn, zoals een nieuwe route ergens naartoe nemen, in een ander restaurant eten of een nieuw soort amusement bezoeken. Je kunt je vrijetijdsleven veel interessanter maken door in al je activiteiten iets nieuws in te brengen.

Nog lang en gelukkig leven, van dag tot dag

Enige tijd geleden stuitte ik op een soort zwerver die 's morgens uit een derderangs hotel stapte. Er was niemand bij hem en hij had mij niet in de gaten. Ik hoorde hem met veel plezier en enthousiasme zeggen: "Goeie morgen wereld, hoe is het met je?" Toen bekeek hij de omgeving en de stralende zon en zei met een glans op zijn gezicht: "Geweldig, gewoon geweldig!"

We hebben net zomin het recht om geluk te consumeren zonder het te produceren, als om rijkdom te consumeren zonder het te produceren.
—George Bernard Shaw

Ik had ontzag voor deze man. Hij was in staat grote vreugde te uiten, hoewel hij de vele materiële zaken niet scheen te hebben die de mensen in onze maatschappij najagen. Toen ik zag hoe gelukkig hij was met het leven, was ik verbaasd dat hij niet opsteeg. Toen dacht ik aan de duizenden gekwelde gezichten die ik zou hebben gezien als ik die ochtend in de stad was geweest. Het zou moeilijk geweest zijn een werkloos persoon te vinden die zoveel vreugde toonde, alleen maar omdat hij die dag leefde. De gezichten die ik zou zijn tegengekomen zouden de ernst tentoongespreid hebben die je normaal gesproken op de gezichten van musici ziet die in een symfonieorkest spelen. En ik weet zeker dat als ik hun gesprekken zou horen, de meeste niet over gelukkige gebeurtenissen zouden gaan.

Mijn levensdoelen zijn gelukkig te zijn, elk ogenblik ten volle te leven en te leren één ding tegelijk te doen.

Abraham Lincoln zei dat de meeste mensen ongeveer net zo gelukkig zijn als ze besluiten te zijn. Ik weet zeker dat de zwerver die ik tegenkwam die ochtend hetzelfde zou hebben gezegd. Nou mensen, dan weten jullie het nu; je bent ongeveer zo gelukkig als je wilt zijn. Al eeuwenlang zeggen grote denkers en religieuze leiders nagenoeg hetzelfde over geluk. Ze zouden het van de daken kunnen schreeuwen en het in elke steen kunnen graveren; de meeste mensen zouden het niet oppikken. Geluk zit van binnen, niet van buiten. Het ware geluk is tevredenheid binnen jezelf vinden. Alle bezittingen van de wereld zullen niemand het geluk geven dat sommige mensen met nauwelijks bezittingen van binnenuit beleven.

Een gemeenschappelijk doel in het leven is gelukkig zijn. Net als de verzonnen personages waarover we in sprookjes lazen toen we kinderen waren, zouden de meeste mensen nog lang en gelukkig willen leven. Ze willen alleen maar plezier beleven.

Het leven kan alleen maar nog lang en gelukkig zijn van dag tot dag. Geluk is iets dat in het nu gebeurt. Als je voornaamste levensdoel is gelukkig zijn, zal geluk je ontglippen. Geluk is een product van het bereiken van doelen, maar geen doel op zichzelf.

Het zo veel en zo vaak mogelijk plezier hebben is een ander onbevredigend doel. Plezier beleven is gewoonlijk alleen maar een ontsnapping aan de ervaring van ongemak. Te veel plezier op zich kan heel saai worden. Als het leven alleen maar plezier en niets anders was, zou er geen geluk zijn.

De tijd om te ontspannen is als je er geen tijd voor hebt.
—Sydney J. Harris

Geluk heeft te maken met betrokken te zijn. Dit geldt voor het werk; het geldt ook voor buiten het werk. Betrokken zijn betekent opgaan in een taak. Het betekent slechts één ding tegelijk doen en er helemaal van genieten.

Zoals ze in zen zeggen, als je het niet kunt vinden waar je nu staat, waar denk je het dan te moeten zoeken? De grote geesten uit de oosterse filosofie hebben altijd gezegd: "Geluk is de weg." Wat ze bedoelen is dat geluk geen bestemming is. Het is niet iets waarnaar je op zoek gaat; je schept het. Je hoeft niet naar geluk te gaan zoeken – als je het reeds hebt.

Humor is geen geintje

Het vermogen te lachen is een groot goed om het leven ten volle te kunnen leven. De meeste mensen denken dat ze een goed gevoel voor humor bezitten, maar er zijn maar weinigen die het ook tonen. De ernst van sommige mensen die ik heb ontmoet doet treinen ontsporen.

De komiek George Burns dacht dat hij honderd zou worden. Toen hij net negentig was begon hij plannen voor zijn honderdste verjaardag te maken. Burns leefde zo lang vanwege de houding die hij tijdens zijn leven bezat. Hij leefde van zijn humor. Ongetwijfeld had zijn gezondheid baat bij zijn werk. Onderzoekers komen erachter dat vele keren per dag uitbundig lachen hetzelfde effect op je gezondheid heeft als vijftien kilometer hardlopen.

De meest verspilde dag is die waarop we niet gelachen hebben.
—Sébastien Roch Nicolas Chamfort

Iemand anders die van lachen geprofiteerd heeft was Norman Cousins. Geconfronteerd met wat artsen als een terminale ziekte bestempelden, bewees Cousins dat de doktors het bij het verkeerde eind hadden door naar herhalingen van *Candid Camera* en films van Groucho Marx te kijken. Het lukte hem om zijn gezondheid terug te lachen.

Behalve gunstig voor onze gezondheid is humor een effectieve manier om creativiteit te bevorderen. Deskundigen op het gebied van creativiteit hebben ontdekt dat verbluffende oplossingen vaak door humor teweeggebracht worden. Ernst belemmert de creatieve stroom. Als je veel last van stress hebt of vastzit in een ernstige geestesgesteldheid, kun je het beste een moppenboek pakken. Ga naar iemand toe die om alles kan lachen. Haal gekkigheid uit. Je zult verbaasd zijn hoeveel creatieve ideeën er beginnen te stromen.

Ernst is de enige toeverlaat voor oppervlakkige mensen.
—Oscar Wilde

Mensen die zich nooit laten gaan, zouden dat eens moeten doen. Er bestaat een gezegde "Het leven is te belangrijk om serieus genomen te worden." Hoeveel mensen zouden hier acht op slaan? De meesten zijn te serieus. Hoe serieus ben jij in het leven? Heb je tijd om te lachen, te spelen, gek te doen? Als je altijd ernstig bent en redelijk probeert te zijn, saboteer je je creativiteit. Individuen die te serieus zijn om pret te hebben, komen zelden met verbluffende ideeën over hoe het leven geleefd moet worden.

Spel vormt de kern van creatief leven. Spelen en pret maken zijn fantastische manieren om onze geest te stimuleren. Als we pret hebben, zijn we over het algemeen ontspannen en enthousiast. Soms springen we zelfs helemaal uit de band. Al deze staten complementeren de creatieve geest.

Vraag je je ooit af waarom kinderen zo creatief zijn? Kinderen kunnen spontaan zijn, kunnen spelen en lol maken. Denk aan toen jij kind was. Terwijl je aan het spelen was, leerde je tegelijk ook. Je leerde waarschijnlijk meer tijdens de plezierige en lichte ogenblikken dan tijdens je ernstige momenten. Probeer het kind in je opnieuw te ervaren, als je je creativiteit wilt vergroten. Houd het kind in je levend en verlies niet het contact met de gekheid in je. Dan zal je leven zeker nooit saai zijn.

Komedie en lachen zullen je denken openen. Lachen laat ons op ongewone wijzen naar de dingen kijken, omdat lachen onze geestesgesteldheid verandert. Met een ontspannen geest maak je je geen zorgen of je het fout hebt of dat je praktisch moet zijn. Het is prima om gek te doen; hierdoor wordt de stroom van creatieve oplossingen gestimuleerd. Creativiteit vereist zowel speelsheid als gekkigheid. Dit zijn dingen die de maatschappij ontmoedigt. Je kunt te horen krijgen dat je eens "volwassen moet worden", maar je moet nooit "volwassen zijn", want als je dat bent, zul je opgehouden hebben te groeien als individu. Als je een ernstig type bent, leer dan om lichter te worden. Een vriend van me vertelde eens: "Het is onmogelijk de onbelangrijkheid van bijna alles te overschatten."

Het uiteindelijke doel is het proces

Vrije tijd hoeft niet automatisch lonend te zijn. Om voldoening in ons leven te scheppen moeten we enige inspanning leveren en iets tot stand brengen. Als we iets belangrijks willen bereiken, moeten we de bal pakken, hem aan het rollen brengen en zorgen dat hij blijft rollen.

De gelukkigste mensen zoeken niet naar invloeden van bui-

De weg is beter dan de herberg.
—Miguel de Cervantes

tenaf om hen gelukkig te maken. Ze ondernemen actie en zetten dingen in gang. De doeners van deze wereld hebben geen vrede met alleen maar doelloos rond te drijven en hun het leven te laten overkomen. Ze stellen doelen en ondernemen dan stappen om deze te bereiken. Als de doelen eenmaal gesteld zijn, is naar de doelen toewerken belangrijker dan het bereiken ervan.

Leo Tolstoj stelde drie vragen:

1. Wanneer is de beste tijd om op te letten? Nu.
2. Wat zijn de belangrijkste mensen? Gezelschap.
3. Wat moet het eerst gedaan worden? Wat goed voor je is.

Toen Leo Tolstoj deze vragen beantwoordde, versterkte hij daarmee de kracht van in het hier en nu zijn. Hij onderstreepte het belang van je te richten op het onderhavige proces en niet op het eindresultaat. Door je op het proces te richten, zul je zowel van het proces als van het eindresultaat genieten.

In het moment leven betekent dat er meer vreugde en voldoening verkregen wordt uit onze inspanningen dan uit het feitelijk bereiken van het doel. Voldoening door het bereiken van een doel, hoe belangrijk dat doel ook is, is van korte duur. Robert Louis Stevenson zei: "Reizen is hopelijk beter dan aankomen." Als het uiteindelijke doel het proces wordt, is het leven getransformeerd. De creativiteit stroomt makkelijker, mislukking wordt als succes gezien en verliezen betekent winnen; de reis wordt de bestemming.

Als je gelukkig wilt zijn op reis, leer dan wat om je heen is meer te waarderen – zonsondergangen, muziek en andere fantastische zaken. Neem dingen niet als vanzelfsprekend aan, want dan zul je het leven mislopen. Houd in gedachten dat elke zonsondergang anders is dan alle andere zonsondergangen, net zoals elke sneeuwvlok anders is dan alle andere sneeuwvlokken. Word wakker en luister naar de vogels die zingen, ruik aan de bloemen en voel de structuur van de bast van de bomen.

Probeer om elke minuut van de dag van iets te genieten. Zoek het positieve in alle situaties. Begin en leef elke dag met een taak voor ogen. Oefen het idee van het genieten van je dag in jouw bewustzijnsveld. Handel met tegenwoordigheid van geest en ervaar elk moment door in het nu te zijn. Onthoud dat er geen ander moment dan dit moment is; je kunt slechts één moment tegelijk leven. Uiteindelijk ben jij het moment.

Hoofdstuk 10

Je kunt beter alleen zijn dan in slecht gezelschap

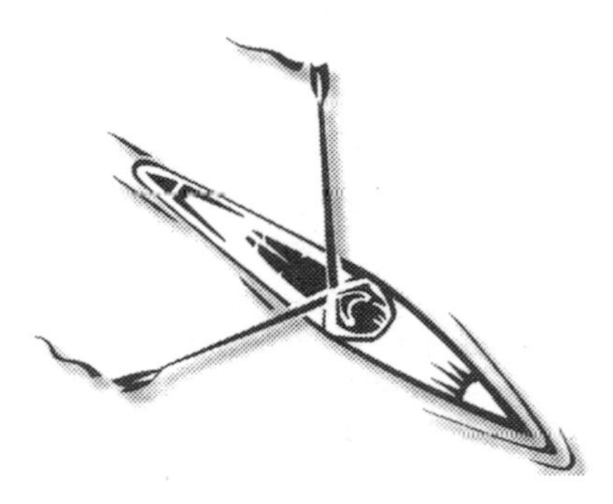

De sleutel tot alleen zijn zit in jezelf

Niemand kan er ooit voor zorgen dat je niet eenzaam zal zijn, behalve jijzelf. En verder geldt dat als je alleen bent, dit nog niet wil zeggen dat je ook eenzaam bent.

Er zitten twee kanten aan alleen zijn: de pijnlijke kant is eenzaamheid. De andere kant van alleenzijn is de plezierige kant, afzondering. Afzondering ontdekken betekent vele verrukkelijke bezigheden ontdekken waarvan je alleen maar in je eentje kunt genieten. Helaas ontdekken de meeste mensen nooit de plezierige kant van het alleenzijn.

> Iemand die geen tevredenheid in zichzelf vindt, zal deze nergens anders vinden.
> —François, duc de la Rochefoucauld

Voor de meeste mensen betekent alleen zijn, zich eenzaam voelen. Ik ken mensen die helemaal buiten zichzelf raken als ze meer dan tien minuten alleen moeten zijn. Deze mensen voelen zich onmiddellijk eenzaam als ze ook maar even alleen zijn.

Eenzame mensen gebruiken alleenzijn als excuus om niet iets leuks in hun vrije tijd te kunnen doen. Ik heb een vriend die een bepaalde zomer enthousiast was over fietsen. Hij kocht een fiets en gebruikte hem slechts één keer in de eerste twee maanden. Hij wilde niet gaan fietsen omdat hij niemand had die met hem meeging. Ik heb medelijden met hem omdat hij geweldige kansen misloopt om van zijn vrije tijd te genieten. Ik wil vaak per se alleen fietsen of joggen, zelfs als er vrienden bij me zijn die meewillen. Ik moet mijn vrienden er natuurlijk van overtuigen dat ik hun gezelschap niet vervelend vind. Ik ben alleen maar op zoek naar wat afzondering, want die stel ik enorm op prijs. Er zijn tijden dat ik de voorkeur geef aan het genoegen van mijn eigen gezelschap.

Het stadsleven: Miljoenen mensen die samen eenzaam zijn.
—Henry David Thoreau

Ik ken andere mensen die de televisie of de radio aanzetten zo gauw ze maar even alleen zijn. Ze kijken naar vervelende televisieprogramma's of luisteren naar de radio, waarop deejays er liever maar wat op los babbelen dan dat er stiltes vallen. Veel mensen houden liever weinig voldoening schenkende relaties aan, dan dat ze riskeren alleen te zijn.

Het is heel jammer dat alleenzijn gezien wordt als onsociaal gedrag. Door maatschappelijke conditionering leren de meeste mensen al vroeg in hun leven om al hun vrije tijd te vullen met geplande sociale bezigheden. Ze worden lid van clubs, teams en wat voor organisaties dan ook, zodat ze altijd bij iemand zullen zijn. Als ze een lang weekend onverwacht alleen zijn, zonder iets gepland te hebben, weten ze zich totaal geen raad.

Volgens psychologen is eenzaamheid een ernstig probleem in Noord-Amerika geworden, met name in de grote steden. Uit enquêtes komt naar voren dat een kwart van de bevolking aan chronische eenzaamheid lijdt. Voor sommigen is eenzaamheid zo pijnlijk dat ze zelfmoord plegen. Hier volgen enkele redenen die mensen voor hun eenzaamheid geven:

> Niet genoeg vrienden hebben

> Niet getrouwd zijn

> Geen relatie hebben

> In een nieuwe stad wonen

> In een grote stad wonen

> Oppervlakkige vrienden hebben

Eenzaamheid is des te tragischer als je bedenkt dat geen van de bovenstaande punten uiteindelijk eenzaamheid teweegbrengt. Ze kunnen van invloed zijn, maar ze veroorzaken geen eenzaamheid. Mensen scheppen hun eigen eenzaamheid. Eenzaamheid weerspiegelt verveling.

Om verveling te overwinnen, moeten we leren hoe we onze tijd alleen op een creatieve manier kunnen doorbrengen. De meerderheid vlucht naar de maatschappij – hoe saai die ook is – op zoek naar wat opwinding om te ontsnappen aan de nog grotere saaiheid in onszelf. We vluchten ook naar de maatschappij vanwege onze angst om alleen te zijn. We denken dat we aan eenzaamheid kunnen ontkomen door bij andere mensen te zijn. Echter, in een menigte kunnen we eenzamer zijn dan wanneer we alleen zijn.

Eenzaamheid is niet synoniem aan alleenzijn. Het onvermogen om alleen te zijn weerspiegelt een bepaalde innerlijke basisonzekerheid. Sommige van de meest eenzame mensen op de wereld hebben altijd andere mensen om zich heen. Veel eenzame mensen zijn alleraardigst; ze lijken ook zelfverzekerd te zijn en heel erg op hun gemak. Niettemin vallen ze onmiddellijk ten prooi aan eenzaamheid als ze maar even alleen zijn. Vanwege hun gebrek aan innerlijke zekerheid brengen deze mensen elke minuut met iemand anders door.

Als dit eenzaamheid is, wil ik er wel meer van.

De meeste mensen willen niet in zichzelf kijken. Sommigen gebruiken drugs of alcohol om het tempo erin te houden. Anderen – opdat ze niet hoeven na te denken – zetten de televisie aan of draaien muziek om ervoor te zorgen dat er altijd geluid is als ze alleen zijn. In de soefibeweging bestaat een parabel waarin over de dwaasheid van mensen verteld wordt die naar de buitenwereld kijken, terwijl men in zichzelf zou moeten kijken. De parabel gaat over een fictief mannetje genaamd Mullah:

Op een goede dag is Mullah buiten op straat, voor zijn huis, en zoekt op handen en voeten naar iets. Een vriend van hem komt toevallig langs en zegt: "Mullah, wat ben je aan het zoeken?" Mullah zegt: "Ik heb mijn sleutels verloren." Na een tijdje begint de vriend het zoeken naar de sleutels heel vervelend te vinden en hij zegt tegen Mullah, "Mullah, heb je enig idee waar je de sleutels verloren hebt?" Mullah antwoordt: "Ja, ik heb de sleutels in huis verloren." De verbijsterde vriend vraagt daarop aan Mullah: "Waarom zoek je dan in hemelsnaam de sleutels buiten?" Mullah antwoordt: "Omdat hier buiten veel meer licht is."

Deze parabel is grappig, maar heeft ook een ernstige kant. Om eenzaamheid op te lossen gaan de meeste mensen op zoek in de buitenwereld, waar meer licht is. Net zoals Mullah zijn sleutels niet buiten zijn huis zal vinden, zullen mensen die buiten zichzelf zoeken om eenzaamheid te overwinnen, de sleutel tot het oplossen van eenzaamheid niet vinden. De sleutel tot het oplossen van eenzaamheid en alleenzijn zit van binnen. Als mensen eenmaal doorhebben wat hun eenzaamheid veroorzaakt, zal alleenzijn een kans worden om veel interessante en genoeglijke dingen te doen, die ze niet kunnen doen als ze andere mensen om zich heen hebben.

Om van het alleenzijn te genieten is een goed gevoel van eigenwaarde nodig

Angst om alleen te zijn is een teken van een laag gevoel van eigenwaarde. Dit komt voort uit een gevoel van onwaardigheid en waardeloosheid. Ons leven kan een grote puinhoop in onze ogen zijn als we geen goed gevoel van eigenwaarde hebben.

Veel mensen zijn uit op goedkeuring en proberen altijd positieve feedback van anderen te krijgen. Zelfs als dit terecht is, draagt het niet bij aan eigenwaarde. Waardering van anderen en waardering voor jezelf zijn twee verschillende dingen. Zoals we zagen in de hiërarchie van behoeften van Maslow, willen wij allemaal achting van anderen alsook van onszelf, maar de twee behoeften aan achting hebben niet dezelfde fundering.

In het leven bestaat geen vervanger voor geluk en er kan maar weinig geluk zijn zonder eigendunk. Een goed gevoel van eigenwaarde kan niet bereikt worden via andere mensen of via de omgeving; het is iets dat individuen alleen zichzelf kunnen geven. Mensen met een lage eigendunk zijn afhankelijk van de beoordeling van andere mensen. Hierdoor worden ze kwetsbaar voor wat anderen denken of zeggen. Deze andere mensen zijn niet de beste beoordelaars, omdat ook zij waarschijnlijk een lage eigendunk hebben en verstrikt zitten in het proberen om goedkeuring van de prestatiegerichte en geldbeluste buitenwereld te ontvangen.

Als je het alleen maar kunt redden met mensen, en niet alleen, dan red je het niet.
—Clark E. Moustakas

Kun je ervan genieten om alleen te zijn? Als je dat niet kunt, is dat waarschijnlijk een teken dat je geen kwaliteit herkent in je eigen karakter. Jezelf niet mogen kan een enorme barrière zijn bij het genieten van vrije tijd. Tussen twee haakjes, als je jezelf niet mag, waarom zou je dan verwachten dat iemand anders je wel mag?

Om uit te vinden in welke mate je jezelf mag, is het nodig dat je kijkt naar de hoeveelheid moeite die je doet om ervoor te zorgen dat anderen je mogen. Als je voortdurend bang bent dat iemand je niet mag of boos op je wordt, heb je waarschijnlijk een lage dunk van jezelf. Als je aan de andere kant een hoog gevoel van eigenwaarde hebt, ben je er niet bang voor dat mensen het met je oneens zullen zijn, of zelfs boos op je worden. Als persoon met een hoge eigendunk heb je ongetwijfeld vrienden met kwaliteit en niet vrienden in kwantiteit. Hier zit een groot verschil in. Vrienden in kwantiteit zijn over het algemeen groot in aantal, maar oppervlakkig van karakter. Vrienden met kwaliteit zijn kleiner in aantal, maar beter van karakter.

Als je gebrek aan zelfrespect hebt, moet je het ontwikkelen. Het is gebaseerd op je vermogen om van jezelf te houden, wat anderen ook van je denken. Je moet misschien bepaalde vrienden en kennissen opgeven als ze je tijdens je overgangsperiode niet ondersteunen. Als je dat doet neem je het bepalen van je eigenwaarde in eigen handen, in plaats van dat je je eigenwaarde door anderen laat bepalen.

Je moet van jezelf en de wereld houden voordat je jezelf dienstbaar aan de wereld kunt maken. Een hoger gevoel van eigenwaarde ontwikkelen helpt je los te komen uit welke sleur of vast patroon dan ook. Als je eenmaal een hoger gevoel van eigenwaarde hebt verkregen, zul je leren hoe dingen tot stand te brengen, hoe te presteren en hoe te zegevieren als je alleen bent. Je zult jezelf leren kennen; in jezelf bevindt zich het universum.

Loop niet gewoon weg bij negatieve mensen: Ren weg!

Als je een hoog gevoel van eigenwaarde hebt, zul je het gezelschap van bepaalde mensen vermijden, zelf als het alternatief alleen zijn is. Terwijl je probeert je innerlijke vuur aan te steken, moet je negatieve mensen vermijden die proberen het uit te maken. De vervelende persoon waar we het in hoofdstuk 9 over hadden, zal je vuur misschien temperen, maar negatieve mensen zijn nog veel gevaarlijker voor je geluk en welzijn.

Negatieve mensen kenmerken zich vooral door een gebrek aan

humor. Ze houden er de verrukkelijke visie op na dat ze opgelicht zijn door het leven en dat niets zo erg is dat het niet nog erger kan worden. Negatieve mensen zullen je steun zoeken voor hun opvatting dat de wereld een waardeloze plek om te vertoeven is. Niets ergert negatieve en ongemotiveerde mensen meer dan individuen die positief en succesvol zijn. Mateloos geïrriteerd door andere mensen die gelukkig en hooggemotiveerd zijn, zullen negatieve mensen alles in het werk stellen om positieve mensen omlaag te halen tot hun deprimerende niveau. Op sociale gelegenheden zijn deze neurotici de gangmakers, wanneer ze weggaan wel te verstaan.

Je moet mensen die je energie zullen aftappen in de gaten krijgen en ontlopen. Als je vrienden of kennissen hebt die constant depressief zijn en zich beklagen, zal hun negatieve energie jouw positieve energie wegzuigen. Breng niet te veel tijd door met iemand die een negatieve instelling heeft, tenzij zijn of haar toestand tijdelijk is, tengevolge van een of ander ernstig probleem. Het is in je eigen belang om negatieve mensen zoveel mogelijk te mijden.

Ik stond op het punt om "De Kracht van Positief Denken" te kopen, en toen dacht ik: Wat voor nut zou dat in godsnaam hebben?
—Ronnie Shakes

Het leven is veel makkelijker als je geen overgewicht aan bagage meetorst. Negatieve mensen zijn ballast die je niet moet meezeulen. Bij een luchtvaartmaatschappij kost overgewicht je geld. Negatieve mensen kosten je veel meer dan geld. De prijs is je tijd, energie en geluk. Negatieve mensen kunnen je zelfs op het laatst je geestelijke gezondheid kosten. Op z'n best zul je je doelen niet halen en je projecten niet voltooien – die belangrijk zijn voor je geluk en voldoening – als je jezelf met te veel negatieve mensen omringt.

Je kent ongetwijfeld de mop over de dronkelap die in de goot lag waar een varken ook aan het uitrusten was. Er liep een vrouw langs die zei: "Je kunt iemands karakter beoordelen naar het gezelschap dat hij heeft." Het varken stond meteen op en liep weg. Een andere fout die sommige mensen maken is rondhangen bij luie en negatieve mensen omdat dit gezelschap hen ziet als genieën. Helaas beoordeelt de rest van de wereld, net als de vrouw in de mop, je naar het gezelschap waarin je je bevindt.

Omring je met enthousiaste mensen die positieve dingen over het leven te melden hebben. Enthousiaste mensen hebben een innerlijk vuur en een onweerstaanbare levenslust. Hun uitstraling schept een energieveld dat iedereen die in de buurt is zeker kan voelen. Je kunt veel leren van positieve mensen. Ze hebben veel wijsheid en levenskennis vergaard. Ons gezonde verstand geeft ons in dat we onszelf met hooggemotiveerde individuen moeten omringen, in plaats van met mensen die ons van onze energie beroven.

Maak niet de fout om te proberen negatieve mensen te veranderen omdat je verwacht dat ze binnenkort in positievere individuen zullen transformeren. In zijn boek *One* schreef Richard Bach: "Niemand kan de problemen oplossen voor iemand wiens probleem het is dat hij of zij niet wil dat er problemen opgelost worden." Voor het geval dat je het nog niet geleerd hebt, negatieve mensen veranderen niet. Als ze dat wel doen, is het pas na een langdurige periode, tijd die je niet kunt missen. In plaats van je energie te stoppen in te proberen iemand te veranderen, gebruik die energie om jezelf ten goede te veranderen.

Als je een Barmhartige Samaritaan bent, die wel enkele neurotici als persoonlijk project op zich wil nemen, moet ik je waarschuwen dat dit waagstuk zinloos is. Tenzij je deze mensen zover kunt krijgen dat ze persoonlijkheidstransplantaties laten doen, zullen al je pogingen vergeefs zijn. Hier volgt een oud verhaal over een schorpioen en een kikker om negatieve mensen in het juiste perspectief te plaatsen:

Een schorpioen, die een vijver wil oversteken, ziet een vriendelijke kikker. De schorpioen zegt tegen de kikker: "Kun je me een lift naar de andere kant van de vijver geven? Ik kan niet zwemmen en ik zou het erg op prijs stellen als je me helpt."
De kikker zegt: "Geen denken aan. Ik weet hoe schorpioenen zijn. Als ik je op m'n rug laat zitten, zul je me waarschijnlijk halverwege steken, en ik zou daarvandaan niet naar de kant kunnen zwemmen nadat ik gestoken ben. Ik wil niet verdrinken."
De schorpioen antwoordt: "Doe niet zo raar. Als ik op je rug zit, ben ik van jou afhankelijk om aan de overkant te komen. Als ik je steek, zal ik ook verdrinken. Waarom zou ik dat willen doen?"
De kikker denkt hierover na en zwicht: "Ik geloof dat je gelijk hebt. Spring er maar op." De schorpioen springt op de rug van de kikker en ze vertrekken naar de andere kant van de vijver. De schorpioen weerstaat de verleiding om de kikker te steken tot ze ongeveer halverwege de vijver zijn. Dan geeft de schorpioen, die net als de meesten van ons alles kan weerstaan behalve verleidingen, de kikker een reuzenbeet.
Terwijl beiden beginnen onder te gaan, zegt de kikker tegen de schorpioen: "Waarom deed je dat in hemelsnaam? Nu gaan we allebei dood."
Het antwoord van de schorpioen heb je al vele malen van menselijke schorpioenen gehoord: "Ik kon de verleiding niet weerstaan. Het is nu eenmaal mijn aard om zo te zijn."

De moraal van het verhaal is dat, zelfs als hun geluk en overleving op het spel staan, negatieve mensen hun aard niet zullen veranderen. Ze kunnen het wel, maar ze zullen hun meningen koste wat kost verdedigen. Ze halen niet alleen zichzelf naar beneden met hun negatieve denken, ze proberen ook anderen met zich mee te sleuren.

Ik koester nog altijd de misvattingen die ik aanvankelijk over je had.
—Onbekend wijs persoon

Denk aan wat George Washington zei, als je te maken hebt met negatieve mensen: "Je kunt beter alleen zijn dan in slecht gezelschap." Mijn ervaring is dat er maar één manier is om doeltreffend met negatieve mensen om te gaan: Laat ze uit je leven verdwijnen. Mijd negatieve mensen omwille van je geluk. Als je in hun gezelschap terecht komt, loop dan niet bij hen weg: ren weg!

Alleen zijn in je boom

Om te kunnen genieten van het alleenzijn moet je vrede met jezelf sluiten. Als er een sleutelregel is om het meeste voordeel te halen uit alleenzijn, dan is het dat je moet houden van je eigen gezelschap en ervan moet genieten. Alleen te zijn confronteert je met jezelf. Je zult ontdekken dat door alleen te zijn, je de wereld en jezelf op een andere manier kunt ervaren dan in het gezelschap van andere mensen. Je gaat solovliegen in plaats van met iemand anders. Door solo te vliegen zul je grotere hoogten in je vrijetijdsbestedingen kunnen bereiken.

Als je je eenzaam voelt, kun je op twee manieren reageren: een reactie wordt bedroefde passiviteit genoemd. Hierbij horen huilen, mokken, te veel eten, slapen en zelfmedelijden. Deze reactie ontstaat doordat je doelen voor je solitaire bezigheden te vaag zijn. Vage doelen houden je laag bij de grond. Het enige dat je eenzaamheid in feite veroorzaakt is je inactiviteit. Je bent dus zelf verantwoordelijk voor je eenzaamheid.

Af en toe moet je er even tussenuit om jezelf op te zoeken.
—Audrey Giorgi

De andere reactie is creatieve afzondering. Vastomlijnde plannen worden gebruikt om het alleenzijn het beste te hanteren. Deze voorgenomen activiteiten kunnen zijn: lezen, brieven schrijven, studeren, naar muziek luisteren, aan een hobby werken of een muziekinstrument bespelen. Als je je plannen ten uitvoer gaat brengen, verbeter je daarmee je identiteit en ontwikkel je een gevoel van zekerheid.

Oefening 10-2. Alleen zijn in je boom

Alleen zijn is een kans om de dingen te doen die moeilijk te doen zijn met andere mensen om je heen. Ga terug naar je vrijetijdsboom en voeg een hoofdtak toe voor activiteiten die je alleen kunt doen. Breid nu je boom uit door die activiteiten toe te voegen die je alleen kunt ondernemen.

Een van de allernoodzakelijkste dingen in Amerika is creatieve afzondering te ontdekken.
—Carl Sandburg

Hier volgen slechts een paar dingen uit de vele die je kunt ondernemen zonder iemand aan je zijde te hebben. Je moet die punten die je interesseren toevoegen aan je vrijetijdsboom, onder de categorie “solitaire activiteiten”.

- Mediteren en zelfonderzoek verrichten
- Boeken en tijdschriften lezen die je niet eerder hebt kunnen lezen
- Mensen opzoeken die je niet met iemand anders samen kunt opzoeken
- Iets artistieks en creatiefs doen
- Vrijwilligerswerk proberen
- De tijd nemen om je dromen te dromen
- Een nieuwe hobby ontdekken
- Mensen gaan bekijken
- Naar koffiebars gaan om mensen te ontmoeten
- Fietsen, joggen of zwemmen
- Een nieuw stuk gereedschap of voorwerp ontwerpen
- Je auto repareren
- Je huis opnieuw inrichten
- Een wandeling in het park maken

> In de regen lopen

> Een dutje doen

> Brieven schrijven

> Naar muziek luisteren

> Studeren

> Aan een hobby werken

> Gaan tuinieren

Er zijn veel meer bezigheden die je in je eentje kunt doen. Eenzaamheid overwinnen hangt af van actie ondernemen en ergens bij betrokken raken. Inactief en geïsoleerd zijn leidt tot verveling. Alleenzijn verschaft je de gelegenheid om je individualiteit te ontplooien en kwaliteit in je vrije tijd te scheppen.

Gemoedsrust kun je vinden door een avondje thuis door te brengen en te genieten van de stilte. Alleen zijn is iets wezenlijks, omdat het een beroep op je zelfvertrouwen doet. Er is meer verantwoordelijkheid vereist als je alleen bent dan wanneer je met je partner, gezin of vrienden bent. Verantwoording nemen betekent dat jij de auteur van je ervaringen bent, ongeacht welke bezigheid je kiest.

Het is goed om je geregeld ten minste een dag of twee van andere mensen, kranten, radio en televisie af te zonderen. Zelfs als je niet veel tijd alleen hoeft door te brengen in deze periode van je leven, is het toch goed om het als oefening te doen. Dezelfde reden is van toepassing voor het opnemen van een verlofjaar van je werk. Als je nu alleen leert te zijn, zul je er in de toekomst beter mee om kunnen gaan als je door omstandigheden er alleen voor komt te staan. Er vinden veranderingen plaats in ons leven waardoor de vriendschappen en de sociale structuren waaraan we gewend zijn veranderen. Pensionering, verhuizen naar een andere stad of het overlijden van iemand die ons nabij was, kunnen ons ertoe dwingen meer tijd alleen door te brengen. Kunnen omgaan met alleenzijn bereidt je voor op de tijden dat je misschien niet zo veel mensen om je heen hebt.

Anderen kennen is wijsheid; jezelf kennen is Verlichting
—Lao-tse

Een artistieke dag om het alleenzijn te vieren

Afzondering kan een grote bron van inspiratie voor een kunstenaar zijn, een gelegenheid voor vernieuwing en bespiegeling. De meeste schilders, dichters, schrijvers en componisten brengen het grootste deel van hun tijd alleen door, omdat ze dan veel creatiever kunnen zijn en veel meer werk gedaan krijgen.

Een manier om met jezelf in contact te komen, is in contact treden met de kunstenaar of schepper in jezelf op een Artistieke Dag of Scheppersdag die je eenmaal in de week plant. Noem die dag hoe je wilt. Dit is een speciaal uitje waarin je je verbeelding viert en je unieke interesses. Het doet er niet toe of je denkt dat je geen artistiek talent hebt. Deze wekelijkse routine van tijd voor jezelf nemen zal creatieve talenten losmaken die je een tijd niet gebruikt hebt of waarvan je niet wist dat je ze had.

Op deze dag, eenmaal per week, de komende paar maanden, zul je alleen zijn om iets te ondernemen dat je altijd al hebt willen doen of vroeger gedaan hebt, maar opzijgeschoven hebt. Het is belangrijk dat je alleen bent als je deze activiteit onderneemt. Je hebt geen zin om gestoord te worden door kritiek van anderen. Dit is ook een tijd om te genieten van alleen te zijn.

Als je het godsgeschenk van je creativiteit niet gebruikt hebt dat je vroeger als kind gebruikte, zal het opnieuw ontdekken van je creatieve vermogen je leven in waarde doen toenemen. Schrijven is een manier om je creativiteit te uiten. Schrijf een roman of houd een dagboek bij waarin je je levensverhaal schrijft. Als schrijven niets voor je is, probeer dan houtsnijwerk of een oude auto restaureren. De activiteit kan echt artistiek zijn, zoals schilderen, beeldhouwen of schrijven. Het kan ook een activiteit zijn, zoals een fotoreportage maken, die door sommige elitaire personen als minder artistiek wordt beschouwd. Begin met een lijst van vijftien dingen te maken die je leuk vindt om te doen of altijd al had willen doen. Op je lijst kunnen de volgende activiteiten voorkomen:

> Schrijf een boek

> Maak een serie schilderijen

> Recenseer tien films

> Verken alle bezienswaardigheden in je eigen streek

> Schrijf een paar liedjes

> Fotografeer alle vogelsoorten in je gebied

> Bezoek een aantal verschillende restaurants en ontdek de variëteit aan maaltijden die je in je stad kunt krijgen

> Bezoek en recenseer een symfonie, opera of theatervoorstelling

> Leer een muziekinstrument bespelen

Als je je lijst klaar hebt, kies dan een interesse die je doelgericht en geconcentreerd zult ondernemen. Je moet ten minste drie maanden deze bezigheid volhouden. Drie maanden of langer zul jij de kunstenaar of schepper zijn. Het is belangrijk om op je creatieve dag het proces, en niet het resultaat te vieren. Als je bijvoorbeeld gekozen hebt voor het schrijven van een boek, maakt het niet uit of het boek wordt gepubliceerd. Het proces van het schrijven van het boek is belangrijk, omdat jij het daadwerkelijk schrijft, in plaats van er alleen maar aan te denken.

Afzondering maakt ons harder tegenover onszelf en zachter tegenover anderen: in beide gevallen verbetert ons karakter.
—Friedrich Nietzsche

Als je begint het boek te schrijven of je schilderijen te maken, begin je je creativiteit te ontdekken. Je zult ook gaan waarderen alleen te zijn. Je Kunstenaars- of Scheppersdag zal je met je creativiteit verbinden, die je altijd hebt gehad maar die je hebt onderdrukt. Je zult ontdekken dat je veel creatiever bent dan je dacht te zijn.

Als je uiteindelijk je project af hebt, zul je veel voldoening en zelfvertrouwen ondervinden. Nu kun je ook het resultaat vieren. Als je ervoor gekozen had een boek te schrijven, kun je nu het risico nemen om het aan je vrienden of familie te laten zien. Als je ervoor koos om een aantal schilderijen te maken, wat maakt het dan uit als iemand denkt dat ze verkeerd-om hangen? Wat mensen ook zullen zeggen, je zult een geweldig gevoel ervaren van iets tot stand gebracht te hebben door het voltooien van je project. Je zult creatieve kwaliteiten in jezelf gezien hebben die je niet eerder gezien hebt. De tijd nemen om iets fantasierijks te doen en de moed opbrengen om regelmatig tijd voor jezelf te nemen, zal je helpen meer vertrouwen en moed te ontwikkelen om op een gelukkige manier tijd alleen door te brengen.

De grote ramp – niet alleen kunnen zijn.
—Jean de la Bruyère

Veel individuen, als ze met alleenzijn worden geconfronteerd, geven afzondering geen kans. Ze zetten onmiddellijk de televisie aan of besluiten spontaan te gaan winkelen om iets te zoeken dat ze niet nodig hebben of dat ze zich niet kunnen veroorloven. Aangezien ze afzondering geen kans geven, zullen ze het nooit leren waarderen.

Na een bepaalde tijd bij andere mensen geweest te zijn, raken we eraan verslaafd iemand om ons heen te hebben, vooral als dit hoogwaardig gezelschap is. Richard Bach vertelde in zijn boek *Illusions* hoe het altijd enige inspanning kostte en aanpassing om weer alleen te kunnen zijn na enige tijd met andere mensen samen geweest te zijn. Hij schreef: "Alweer eenzaam. Je raakt eraan gewend om alleen te zijn, maar onderbreek dat slechts een dagje en je moet er weer aan wennen."

> Gesprekken verrijkt begrip, maar afzondering schept genieën.
> —Edward Gibben

Tijdens het schrijven van dit boek, alsook mijn vorige, moest ik eraan wennen om alleen te zijn. Het eerste kwartier of halfuur ging ik telefoontjes plegen, zette de radio aan om naar een praatshow te luisteren of las materiaal dat absoluut geen enkel nut voor mijn projecten had. Ik moest eerst de realiteit dat ik alleen was onder ogen zien. Dan legde ik me bij het schrijven neer en genoot er zelfs van om alleen te zijn.

Als je alleen bent, probeer de situatie dan niet bij het eerste teken van ongerustheid of angst te ontvluchten. Je hoeft je niet in de steek gelaten of geïsoleerd te voelen. Besef, liever dan jezelf als zonder het gezelschap van iemand anders te zien, dat je in het gezelschap van een zeer belangrijk iemand bent – jezelf. Dit is een kostbare gelegenheid om de beloningen na te streven die alleen dynamische afzondering te bieden heeft.

We ondervinden allemaal ten minste een klein beetje eenzaamheid in een bepaald stadium van ons leven. Zelfs de meest succesvolle mensen, of ze nu alleenstaand of getrouwd zijn, zullen korte perioden van eenzaamheid doormaken. Individuen die vaak alleen zijn maar niet veel eenzaamheid ervaren, hebben een goed gevoel over zichzelf en het leven. Ze genieten net zo veel van hun eigen gezelschap als van dat van anderen. Ze weten ook dat geluk en voldoening in het leven mogelijk zijn zonder een intieme relatie.

Als ik alleen ben, van alle gemakken voorzien, zoals de telefoon, radio, boeken, computer, tijdschriften en verschillende transportmiddelen, voel ik me misschien korte tijd wat eenzaam.

Maar ik vergeet niet dat hooggemotiveerde individuen lange perioden van eenzame opsluiting hebben doorgemaakt zonder het gevoel te hebben dat hun leven zinloos was. Het ware verhaal van Sidney Rittenberg is genoeg om mijn alleenzijn in het juiste perspectief te plaatsen.

Sidney Rittenberg zat elf jaar in een Chinese cel, in eenzame opsluiting. Jarenlang stonden de cipiers Rittenberg niet eens toe om tegen zichzelf te praten; hij kreeg ook geen pen en papier om brieven te schrijven. Hij zei dat hij zichzelf eraan herinnerde dat hij middenin New York zou kunnen zijn, tussen tienduizend mensen, en eenzamer zou kunnen zijn dan hij al die jaren in de cel was. Als Sidney Rittenberg elf jaar in eenzame opsluiting kan doorbrengen zonder enig gemak, en er volkomen evenwichtig uit tevoorschijn kan komen, dan kunnen wij toch zeker wel een paar uur alleenzijn per dag aan.

Sidney Rittenberg maakte de keuze om gelukkig te zijn in zijn eigen gezelschap; jij kunt hetzelfde doen. Als je alleenstaand bent, is de kunst om te houden van alleenzijn misschien wel de sleutel om een gelukkig individu te zijn, alsook de sleutel om een speciaal iemand op straat tegen te komen. Gelukkig kunnen zijn in je eentje duidt op een sterk zelfbesef, en dat vinden andere evenwichtige mensen aantrekkelijk.

Geweldig! Alle andere bladeren zijn weg. Nu kan ik genieten van mijn eenzaamheid.

Afzondering is iets voor ontwikkelde mensen

Om echt de vreugde van niet werken te ervaren, moet je de tijd dat je alleen bent leren waarderen. Tijd alleen is een kans om te leren en te groeien als persoon. Alleen zijn is ook de tijd om bij te komen van het hectische levenstempo. De hindoes hebben een krachtig spreekwoord: "Je groeit alleen maar wanneer je alleen bent." Je hebt tijd alleen nodig als gelegenheid om jezelf beter te leren kennen. Afzondering is om door te denken over de filosofische kwesties die invloed hebben op jouw leven.

Hoewel eenzaamheid neerslachtigheid en verdriet kan betekenen, kan afzondering tevredenheid en zelfs extase betekenen. Alleen zijn en blij zijn dat je dat bent, dat is afzondering. Ontwikkelde of zelfverwezenlijkte mensen bevinden zich op het hoogste niveau van zelfontwikkeling en vluchten niet weg voor alleenzijn; ze zoeken het zelfs op. Bij veel van hun vrijetijdsbezigheden zijn deze mensen op hun best en effectiefst als ze alleen zijn. Mensen die zichzelf verwezenlijkt hebben zijn gecentreerd – hetgeen betekent dat ze veel voldoening putten vanuit hun eigen innerlijk, omdat ze afzondering meer waarderen dan de meeste mensen.

Zelfverwezenlijkte individuen zijn geen *einzelgängers*. Einzelgängers kunnen met niemand opschieten; ze zijn neurotisch, geheimzinnig en psychologisch slecht aangepast. Zelfverwezenlijkte individuen, daarentegen, zijn gezonde mensen die wel met anderen kunnen opschieten. Abraham Maslow ontdekte dat deze psychologisch gezonde individuen hoogst onafhankelijk zijn, en tegelijkertijd toch van andere mensen genieten.

Het paradoxale is dat de mensen die zichzelf verwezenlijkt hebben, einzelgängers lijken te zijn, maar hoewel dit zo lijkt, houden ze toch van mensen om zich heen en kunnen ze juist heel erg sociabel zijn. Ze zijn de meest individuele leden van de maatschappij en tegelijkertijd de meest sociale, vriendelijke en liefdevolle mensen. Ze hebben het vermogen om met anderen op te schieten en het vermogen om met zichzelf op te schieten. Deze op zichzelf gerichte mensen hebben niet de behoefte om indruk op anderen te maken of door hen aardig gevonden te worden.

Deze creatief levende mensen hebben hun natuurlijk vermogen ontwikkeld, het vermogen dat hun de kracht geeft om gelukkig in het leven te zijn. Aangezien ze geleerd hebben onafhankelijk te zijn, bezitten ze het vermogen om alleen te werken en alleen te spelen. Zelfverwezenlijkte mensen baseren hun identiteit niet op lidmaatschappen van maatschappelijke groepen. Ze staan alleen in hun overtuigingen en verlangens, vaak tegen de meningen en bezwaren van anderen in.

Hoewel zelfverwezenlijkte mensen genieten van de aanwezigheid van anderen, hebben ze niet altijd andere mensen nodig. Eerbetuigingen, prestige en beloningen zijn niet zo belangrijk voor geestelijk gezonde mensen. Omdat ze niet zo afhankelijk van andere mensen zijn, hebben ze minder behoefte aan lof en genegenheid.

Als je ooit zelfverwezenlijking wilt ervaren, is het noodzakelijk dat je ervan kunt genieten om alleen te zijn. Zelfverwezenlijkt zijn betekent dat je weet dat de kwaliteit van je innerlijke leven de kwaliteit van je uiterlijke leven bepaalt. Je zelfontplooiing en beweging naar zelfverwezenlijking kunnen wonderbaarlijk, mysterieus en fascinerend zijn. Vooral als je veel tijd alleen gaat doorbrengen, zul je een spirituele kant aan vrije tijd ontdekken. Stille ruimtes zullen een gelegenheid tot bespiegeling, meditatie en groei bieden; je zult ontdekken dat het nirwana in je eigen geest te vinden is.

Hoofdstuk 11

Aristocraat zijn met minder dan twintig euro per dag

Geef geld z'n juiste plaats

Dit hoofdstuk gaat over geld en de rol die geld zou moeten spelen bij het genieten van vrije tijd. Geld speelt wel een rol, maar niet zo'n grote rol als de meerderheid in onze maatschappij denkt.

Twee soorten individuen zijn voortdurend geobsedeerd door geld: degenen die zat hebben en degenen die niet veel hebben. Als het om geld gaat, lijkt het gezonde verstand er plotseling vandoor te gaan. Psychologen hebben ontdekt dat veel mensen meer geldcomplexen dan sekscomplexen hebben. Gezien alle financiële problemen die mensen hebben, zou het beter zijn als we het geldspel niet zouden hoeven spelen.

Helaas moeten we allemaal het geldspel spelen, ongeacht hoeveel geld we hebben. Voedsel, huisvesting, onderwijs, vervoer, gezondheidszorg en kleding zijn allemaal gebaseerd op voldoende geld hebben. De meesten van ons moeten allemaal tijd, energie en inspanning gebruiken voor ons levensonderhoud. Dit staat het genieten van de werkelijk interessante dingen die het leven te bieden heeft in de weg.

Te veel mensen denken aan vastigheid in plaats van gelegenheid. Ze lijken banger voor het leven dan voor de dood.
—James F. Byrnes

In Noord-Amerika hoeft geld niet zo'n groot probleem te zijn als de meeste mensen ervan maken. Het geldspel is in feite heel makkelijk te spelen, als je het geheim kent dat me enige tijd geleden werd onthuld. Er zijn twee krachtige manieren om met geld om te gaan. Voor het geval dat je het geheim niet kent, ik zal het je later in dit hoofdstuk verklappen.

Individuen die hun basisbehoeften in het leven bevredigen, kunnen hun financiële problemen verlichten door het concept van geld op z'n juiste plaats te zetten. Onze socio-economische problemen hebben meer te maken met waarden en verwachtingen dan met problemen met de economie. De meesten van ons kunnen onze echte materiële behoeften wel vervullen. We hebben niet genoeg tijd om te genieten van wat we hebben, en we willen meer. Het is waarschijnlijkheid zo, dat als we nu niet genoeg tijd hebben om te genieten van wat we reeds hebben, we de tijd ook niet zullen vinden om van meer dingen te genieten.

Mijn rijkdom bestaat niet uit mijn vele bezittingen, maar uit het geringe aantal behoeften dat ik heb.
—J. Brotherton

De jacht op geld en materiële goederen is een verkeerd gerichte poging om wat in ons leven ontbreekt goed te maken. Deze jacht ondermijnt een aantal dingen die we reeds hebben, zoals onze relaties. Het probleem is dat we onszelf beoordelen naar hoe we de wereld laten zien dat we geld hebben. Door harder te werken om meer consumptiegoederen te vergaren, draait het erop uit dat we minder tijd voor onze vrijetijdsbestedingen hebben. De jacht op geld en materiële goederen is meestal een gemaskeerde jacht op iets anders.

Wanneer genoeg nooit genoeg is

Een paar jaar geleden gaf het *Wall Street Journal* de Roper Organization opdracht uit te zoeken hoe de inwoners van de VS de American Dream omschreven en of de Dream bereikbaar was. Ooit vertegenwoordigde de Dream vrijheid. Nu betekent de American Dream voor de meeste mensen welvaart of welgesteld zijn. Mensen voelen zich vrij naarmate ze geld hebben.

Logisch denkende mensen zouden vermoeden dat een veel hoger percentage welgestelde mensen zou zeggen dat ze de American Dream in praktijk brachten dan degenen die niet rijk waren. Dit was niet het geval. Slechts 6 procent van degenen die meer dan €50.000 per jaar verdienen zeiden dat ze de Dream bereikt hadden, vergeleken met 5 procent van de mensen die €15.000 of minder per jaar verdienden. Degenen met een inkomen van €15.000 per jaar of minder dachten dat de American Dream bereikt kon worden met een

Weinig rijke mensen bezitten hun bezittingen. Hun bezittingen bezitten hen.
—Robert G. Ingersoll

gemiddeld inkomen van €50.000 per jaar, terwijl degenen met een inkomen van €50.000 of meer dachten dat er minstens €100.000 per jaar nodig was om naar de American Dream te leven.

Economische groei zal de meeste mensen uit de Noord-Amerikaanse middenklasse niet gelukkiger maken. De problemen die aangeduid worden als economische problemen zijn in feite gemaskeerde psychologische problemen. Het welzijn van de Noord-Amerikanen lijdt zowel emotioneel als fysiek onder het gebrek aan rijke menselijke relaties en het gebrek aan tijd om te genieten van wat ze al hebben. Welgestelde individuen maken zichzelf vaak heel erg ziek – zelfs tot sterven aan toe – door de jacht op meer geld. Veel mensen voelen zich leeg en misdeeld nadat ze een groot financieel succes behaald hebben.

In Canada en de Verenigde Staten wordt de armoedegrens nu getrokken op een niveau dat in veel derdewereldlanden als middenklasse of hogere klasse beschouwd zou worden. Ooit was het bezit van een zwart-wit televisie een luxe voor de Noord-Amerikaanse middenklasse. Daarna werd de kleuren-tv een luxe. Nu wordt een kleuren-tv als een levensnoodzaak beschouwd; nagenoeg alle gezinnen onder de armoedegrens bezitten er een. Als je tegenwoordig twee kleuren-tv's bezit, word je waarschijnlijk niet eens als welgesteld beschouwd, aangezien bijna 50 procent van de Noord-Amerikaanse huisgezinnen er twee of meer heeft.

Als ik mijn goede karakter bewaar, zal ik rijk genoeg zijn.
—Platonicus

In 1957 meldden de Amerikanen het hoogste niveau van tevredenheid ooit. Het niveau van tevredenheid in de jaren tachtig en negentig was aanzienlijk lager, ondanks het feit dat het aantal Amerikaanse huishoudens met een afwasmachine verzevenvoudigd is en ondanks dat het percentage huishoudens met twee of meer auto's verdriedubbeld is. In de jaren negentig bezit en consumeert de gemiddelde Noord-Amerikaan tweemaal zo veel als in de jaren vijftig. Niettemin klaagt hij waarschijnlijk tweemaal zo veel in de jaren negentig als in de jaren vijftig.

Het probleem is hebzucht; de meeste mensen willen alles hebben: veel geld, een groot huis, twee of drie auto's en steeds exotischer vakanties. Deze mentaliteit van alles willen hebben heeft tot minder tevredenheid geleid, zelfs al hebben mensen tegenwoordig meer dan ooit tevoren.

We zijn geconditioneerd om te geloven dat het beste materiële comfort een vereiste is voor geluk. In de meeste welvarende westerse samenlevingen wordt de meerderheid van de mensen behoed voor extreme armoede, honger, ziekte en natuurrampen, op 'n wijze die mensen in voorgaande generaties zich niet zouden hebben kunnen voorstellen. Niettemin klagen we erover hoe vreselijk alles is als het iets minder goed gaat met de economie en er enkelen van ons tijdelijk werkloos zijn.

Geldsmijterij is niet iets dat natuurlijk is voor mensen. De gedrevenheid om steeds meer materiële goederen te bezitten is een geconditioneerde gedragswijze die tegelijk met het kapitalisme, de Industriële Revolutie en het arbeidsethos is verschenen. Televisie speelt hierin ook een rol. Veel van de televisiereclameboodschappen waarmee we gebombardeerd worden kunnen schadelijk voor onze gezondheid zijn. We worden ertoe aangezet te geloven dat we verliezers of mislukkelingen zijn als we niet de laatste snufjes of prullen aanschaffen. We worden gebombardeerd met beelden die ons vertellen wat voor soort mensen we behoren te zijn, hoe we ons moeten kleden, welke gadgets we moeten hebben, het soort auto waarin we moeten rijden en hoe groot het huis moet zijn waarin we wonen. Producten die in commercials worden aangeprezen beloven alles, met inbegrip van zelfrespect, geluk en macht. Sommigen van ons krijgen het gevoel ontoereikend te zijn door deze boodschappen, omdat we niet voldoen aan deze succesvoorstellingen. We zouden allemaal beter af zijn als we deze reclameboodschappen niet zagen.

Veel geld overhandigd krijgen, is als een glazen zwaard dat bij de kling in je handen gestopt wordt. Hanteer het maar voorzichtig, en zoek eerst op je gemak uit waar het voor is.
—Richard Bach

Oksels die als wilde rozen ruiken en automatische airconditioning in auto's zijn zeker geen sleutels tot geluk. Consumentisme is erop gebaseerd dat jij je voortdurend ontevreden voelt. De volgende aanschaf wordt verondersteld je gelukkig te maken, maar hoe zou dat kunnen? Je zou niets anders meer kopen als je geluk bereikt had. Daarom is de tevredenheid over elke aanschaf altijd kortstondig en leidt ertoe dat je naar iets anders gaat hunkeren. Genoeg is nooit genoeg.

Hoe je meer problemen kunt krijgen als je meer geld krijgt

In april 1995 meldde Reuters News Service dat de bisschop van Liverpool de Britse regering verzocht had om het concept van loterijen te herzien. Hij stelde onder andere voor om de prijzen kleiner te maken. Hij deed dit verzoek naar aanleiding van het feit dat een man in Liverpool zelfmoord had gepleegd toen deze dacht een lottoprijs van ongeveer dertien miljoen euro te hebben misgelopen. Timothy O'Brien, een eenenvijftig-jarige vader van twee kinderen, schoot zichzelf dood nadat hij verzuimd had zijn wekelijkse inleg in de lotto te vernieuwen, waarin hij al meer dan een jaar inzette op dezelfde nummers. O'Brien dacht dat hij het goede leven misgelopen was toen zijn nummers blijkbaar die week getrokken werden waarin hij verzuimd had in te zetten.

Rijkdom geeft sommige mensen slechts zorgen over het verlies.
—Antoine de Rivarol

Timothy O'Brien besefte niet dat zijn leven misschien wel helemaal niet ten goede zou zijn veranderd als hij had gewonnen. Veel loterijwinnaars zijn uiteindelijk slechter af na de grote prijs te hebben gewonnen vanwege de onverwachte problemen die gepaard gaan met het hebben van heel veel geld. Het is zeker dat de grote prijs hem niet gelukkig zou hebben gemaakt, aangezien hij het type was dat zelfmoord pleegt vanwege een gemiste kans. Het is zo goed als zeker dat O'Brien veel meer problemen met een grote prijs zou hebben gehad, dan zonder. Tussen twee haakjes, bij het gerechtelijk onderzoek naar aanleiding van zijn dood werd ontdekt dat hij in feite maar ongeveer honderd euro zou hebben gewonnen als hij ingezet zou hebben op zijn vaste nummers.

Arm en tevreden is rijk en rijk genoeg.
—William Shakespeare

Vanwege de valse verwachtingen die we koesteren ten aanzien van rijk zijn, heeft het verkrijgen van een grote hoeveelheid geld veel mensen als Timothy O'Brien van de wijs gebracht. Men zegt vaak dingen als:

> Als ik veel geld had, dan zou ik gelukkig zijn.

> Als ik veel geld had, dan zou ik van mijn vrije tijd kunnen genieten.

> Als ik veel geld had, dan zou ik een goed gevoel over mezelf hebben.

> Als ik veel geld had, zouden meer mensen me aardig vinden, en dan zou ik een huwelijkspartner kunnen vinden.

Als je dit soort gedachten hebt, word je beheerst door geld en angst. Je denkt dat zekerheid betekent veel geld hebben. Dit is niet waar. Als je denkt dat geld synoniem is aan zekerheid, zul je niet gelukkig zijn met de bescheiden hoeveelheid geld waarmee vele oprechte mensen bijzonder gelukkig kunnen zijn. Met een bescheiden hoeveelheid ben je bang niet genoeg te hebben om voor jezelf te zorgen. Als je veel geld vergaart, zul je niet gelukkig zijn omdat je bang bent het kwijt te raken. Hoe meer geld je krijgt, hoe banger je zult zijn om het te verliezen.

Een uitgebreid onderzoek dat in 1993 verricht werd door Ed Diener, een psycholoog aan de University of Illinois, bevestigde dat je met meer geld dan nodig is voor elementaire behoeften, geen geluk kan kopen of problemen kan oplossen. Het is zelfs zo dat mensen uiteindelijk meer problemen krijgen als ze meer geld krijgen. "Naarmate je elementaire behoeften vervuld raken, worden inkomenstoenames steeds minder belangrijk," zegt Diener. Mensen die een loonsverhoging krijgen zijn misschien korte tijd wat gelukkiger, maar als ze eenmaal aan de verhoging gewend zijn, gaan ze zich richten op steeds meer geld, zodat ze hun nieuwe verwachtingen kunnen vervullen. Ze willen grotere huizen, mooiere auto's en exotischere vakanties. Al deze dingen geven je geen langdurig geluk.

Alleen maar omdat 20 procent van ons in Noord-Amerika 80 procent van het geld hebben, betekent dit nog niet dat de rest van jullie er zo mopperig over moeten doen.

Extra inkomen schept negatieve gevolgen als mensen meer geld hebben dan ze nodig hebben voor hun elementaire behoeften en verlangens. Hier volgen een aantal:

> Vriendschapsrelaties lijden eronder.

> Je financiële situatie in de gaten houden wordt lastiger en vergt meer tijd.

> Het leven in het algemeen wordt ingewikkelder.

> Angst voor diefstal van bezit en geld wordt sterker naarmate mensen meer geld vergaren.

> De angst om geld in investeringen te verliezen neemt toe.

Wijze mensen vertellen ons dat geld niet al onze problemen zal oplossen. Veel mensen negeren deze wijsheid en proberen rijk te worden, ongeacht de opofferingen die ervoor nodig zijn. Ze klampen zich vast aan het geloof dat geld hen gelukkig zal maken. In veel gevallen willen mensen ook veel geld omdat ze denken dat het hun macht geeft. Natuurlijk zullen mensen die niet met macht kunnen omgaan veel zelfverwoestende dingen doen.

De mythe van geld wordt ontmaskerd door de vele mensen die rijk zijn wat betreft materiële goederen, maar arm van geest. Hoewel ze veel geld hebben, zijn ze geobsedeerd door armoede. Ze kunnen geen geld uitgeven en ervan genieten. Ze kunnen ook hun rijkdommen niet met anderen delen die minder fortuinlijk zijn. In Noord-Amerika wordt er meer aan armen gegeven door armen dan door rijken.

Veel mensen verdienen grote sommen geld door hard werken, erfenissen, geluk of op illegale wijzen. Ze ervaren vervolgens teleurstelling en, soms, ernstige depressie. In Noord-Amerika zijn er veel individuen die alle materiële comfort hebben dat ze zich maar kunnen wensen, maar die een doods leven in stille, en soms luide, wanhoop leiden. Ze ervaren een slepende pijn en begrijpen dat er iets ontbreekt in hun leven; er zit een groot gat dat gevuld moet worden. Het maakt niet uit hoeveel exotisch voedsel en dure wijn ze in het gat gooien, en wat voor model BMW, wat voor kast van 'n huis en hoeveel speciaal ontworpen meubels ze in het gat stoppen, het gat wordt steeds maar groter. Naarmate het gat groter wordt, wordt de pijn ondraaglijker.

Is geld is de beste financiële zekerheid?

Of mensen nu wel of niet werken, geld is een noodzakelijk artikel om te kunnen overleven. Geld is ook een middel om de wijzen waarop we van onze vrije tijd genieten, te verbeteren. Helaas zien mensen geld als doel, in plaats van als middel. Geld als doel zien brengt grote teleurstelling en ontevredenheid teweeg bij mensen.

Oefening 11-1. Hoe zeker ben je?

Beantwoord deze twee vragen eerlijk: Hoeveel moderne zekerheid verwacht je in je leven? Hoeveel geld en hoeveel materiële bezittingen denk je nodig te hebben om een gelukkig en voldoening gevend leven te leiden?

De volgende brief kreeg ik van Lisa Mallet. Het laatste deel van de brief heeft met geld te maken.

Geachte meneer Zelinski

Ik heb net uw boek "Nietsdoen, een levenskunst" uit. Ik heb lange tijd niet zo'n nuttig boek gelezen. Ik stuitte er bij toeval op. Mijn man en ik zaten te luisteren naar een discussieprogramma op de radio met als onderwerp "Werkt u te hard?"
Welnu, ik werk al twee jaar niet. Uw boek heeft me geholpen met een aantal kwesties en emoties om te gaan die te maken hebben met werkloos zijn. Ik voelde me schuldig over het opzeggen van mijn laatste baan. Maar als ik de situatie nu bekijk, lijkt waar ik werkte erg op het kantoor in de hel dat u in uw boek beschrijft. Bovendien begon ik tweemaal per week migraine te krijgen. En in de afgelopen twee jaar heeft dit bedrijf bijna iedereen waar ik mee gewerkt heb ontslagen. Toch voelde ik me schuldig omdat ik ontslag genomen had. En ik maakte me zorgen dat ik nooit meer werk zou vinden.

Ik weet niet wat de toekomst zal brengen, maar ik heb beslist mijn houding tegenover werk veranderd. Ik weet nu nog niet zeker hoe ik een inkomen zal gaan verdienen, maar ik geniet beslist van mijn vrije tijd. En als mensen willen weten wat ik doe, zeg ik hun dat ik geniet van het moment, in plaats van nietsdoen. Mijn man en ik gaan elke dag zwemmen, en ik heb les in pottenbakken genomen – dit was heel erg leuk en ik wil ermee doorgaan – een fantastische hobby.

Het leukste is nog dat ik niet echt hoef te werken. Ik krijg geld uit een fonds. Het levert geen groot inkomen op, maar ik kan er de huur van betalen en de boodschappen. Mijn man krijgt een pensioen. Ik ben altijd bang geweest niet genoeg geld voor mijn pensioentijd te hebben. Maar als ik voorzichtig aan doe, kan ik het zeker wel redden. Mijn man en ik hebben allebei onze kosten voor het levensonderhoud omlaag gebracht en we leven niet op te grote voet. En het is stukken beter dan in een afschuwelijke omgeving te werken. Ik heb ook gezien wat veel geld met mensen doet. Er zit veel geld in mijn familie en ze zijn allemaal erg manipulatief en achterbaks, behalve mijn moeder.

Nogmaals bedankt voor uw boek. Het heeft me beslist geholpen en mij laten inzien hoeveel bagage ik meetorste. Het allerbeste.

Met vriendelijke groet,

Lisa Mallet

De maatschappij heeft ons geconditioneerd te geloven dat we ons voortdurend moeten bezighouden met het vergaren van materiële rijkdom als zekerheid voor onze pensioentijd en voor onverwachte gebeurtenissen in ons leven. Je zult problemen met geld hebben als je je op geld richt om totale zekerheid te krijgen. Net zoals je geen liefde en vrienden en familie kunt kopen, kun je ook geen echte zekerheid kopen, ondanks wat de financiële verslaggevers in de kranten beweren.

Een miljoen geeft niet altijd geluk. Iemand met tien miljoen is niet gelukkiger dan iemand met negen miljoen.
—Onbekend wijs persoon

Zekerheid gebaseerd op geldbejag heeft veel beperkingen: De superrijken kunnen omkomen in auto-ongelukken. Hun gezondheid kan er bij hen net zo goed aangaan als bij iemand met veel minder geld. Er kan oorlog uitbreken en nadelige invloed hebben op zowel de rijken als de armen. Veel rijke mensen maken zich er zorgen over hun geld kwijt te raken als het monetaire systeem instort.

Totale zekerheid gebaseerd op uiterlijke bezittingen is weer zo'n levensillusie. De mensen die naar zekerheid streven zijn de meest onzekere mensen, en de mensen die zich geen zorgen maken over zekerheid zijn het zekerst. Emotioneel onzekere mensen pogen hun onaangename gevoelens te compenseren met het vergaren van grote hoeveelheden geld als beveiliging tegen aanvallen op hun ego's. Mensen die zekerheid najagen zijn per definitie erg onzeker. Ze zijn voor zekerheid afhankelijk van iets buiten zichzelf, zoals geld, echtgenoten, huizen, auto's en prestige. Als ze alle dingen die ze hebben kwijtraken, raken ze zichzelf kwijt, omdat ze alles verliezen waarop hun identiteit gebaseerd is. Een werkelijk zeker persoon bezit een innerlijke zekerheid die gebaseerd is op een innerlijke creatieve essentie. Als je een goede gezondheid hebt en je voor jezelf kunt zorgen, is de beste zekerheid die je kunt hebben innerlijke zekerheid. Zekerheid is vertrouwen op je verbeeldingsvermogen om alle normale problemen en situaties waarmee je als individu geconfronteerd wordt, het hoofd te kunnen bieden. Als je een zeker individu bent, heb je geleerd om zorgeloos te zijn. Je besteedt niet veel tijd en aandacht aan financiële zekerheid. Het creatieve vermogen om altijd je brood te verdienen is de beste financiële zekerheid die je kunt hebben. Je essentie is gebaseerd op wie je van

Ik houd van geld vanwege de intrinsieke waarde ervan, maar ik gedraag me altijd als een varken ermee.

binnen bent, en niet op wat je bezit. Als je wat je bezit kwijtraakt, heb je nog steeds je centrum van bestaan; dit stelt je in staat om door te gaan met het normale levensproces.

Als geld mensen gelukkig maakt, waarom is het dan zo dat ... ?

Hoewel de meeste mensen niet precies weten wat ze willen van het leven, zijn ze er absoluut zeker van dat veel geld het hun zal geven. Maar de meeste mensen vertellen niet de waarheid over geld. Geld wordt vaker verkeerd gebruikt en misbruikt dan dat het op een slimme manier gebruikt wordt. Mensen hangen veel op aan geld; meestal volkomen ten onrechte. Een veronderstelling over geld is dat het geluk garandeert.

Als iemand zegt dat je met geld alles kunt doen, dan weet ik genoeg. Hij heeft niks.
—Ed Howe

Laten we geld en de relatie ervan tot geluk eens in het juiste perspectief plaatsen. Geld is een belangrijk element voor onze overleving, maar hoeveel geld we nodig hebben om te overleven is een andere kwestie. Topmotivatiegoeroes vertellen tegen deelnemers aan hun seminars dat miljonairs winnaars zijn. Dit impliceert dat de rest van ons verliezers zijn. Eerlijk gezegd kan ik heel wat redenen opsommen waarom de meeste mensen met bescheiden middelen juist de overwinnaars in het leven zijn.

Hoewel geld macht, status en veiligheid vertegenwoordigt in onze maatschappij, bezit het geen inherente eigenschap die ons gelukkig zou kunnen maken. Om jezelf een idee te geven van de inherente eigenschappen van geld, moet je de volgende oefening eens doen.

Oefening 11-2. Zal geld van jou houden?

Haal het geld dat je nu bij je hebt tevoorschijn. Raak het aan en voel de warmte ervan. Merk op dat het tamelijk koud is. Het zal je 's nachts niet warmhouden. Praat met je geld en kijk wat er gebeurt. Het zal niet antwoorden. En hoeveel je er ook van houdt, geld zal je liefde niet beantwoorden.

Genoeg mensen verachten geld, maar slechts weinigen kunnen het weggeven.
—François, duc de la Rochefoucauld

Geld is een hulpmiddel in het leven. In welke mate geld onze levenskwaliteit kan verhogen, hangt meer af van hoe intelligent we het geld dat we bezitten gebruiken, dan van hoeveel we ervan vergaren. Michael Phillips, voormalig bankdirecteur, vindt dat er te veel mensen zijn wier identiteit met geld verbonden is. In zijn boek *The Seven Laws of Money* bespreekt hij zeven interessante geldconcepten:

> Geld schept en handhaaft zijn eigen regels.

> Er zal geld verschijnen als je het juiste doet in je leven.

> Geld is een droom – het kan zelfs net zo'n bedrieglijke fantasie zijn als de Rattenvanger van Hamelen.

> Geld is vaak een nachtmerrie.

> Je kunt nooit echt geld als geschenk weggeven.

> Je kunt nooit echt geld als geschenk ontvangen.

> Er bestaan vele fascinerende werelden zonder geld.

Er zijn vele manieren om geld te gebruiken. Niemand kan de belangrijke rol betwisten die geld speelt in de maatschappij en de zakenwereld, maar iedereen kan de mythe aanvechten dat een grote som geld synoniem is aan geluk. Het enige dat je moet doen is goed opletten. Hier volgen een paar belangrijke observaties die ik gedaan heb ten aanzien van de vraag:

Als geld gelukkig maakt, waarom is het dan zo dat ...

... Uit een onderzoek dat in 1993 verricht werd door Ed Diener, een psycholoog aan de University of Illinois, bleek dat eenderde van de rijkste Amerikanen in feite niet zo gelukkig is als de gemiddelde Amerikaan?

... Uit een recente enquête is gebleken dat een hoger percentage van de mensen die meer dan €75.000 per jaar verdienen, ontevredener zijn over hun salaris dan mensen die minder dan €75.000 per jaar verdienen?

... Ivan Boesky, die op illegale wijze meer dan €100 miljoen verdiende door middel van handel met voorkennis op Wall Street, niet ophield met zijn illegale praktijken toen hij € 2 of 5 miljoen verdiend had, maar in plaats daarvan doorging met miljoenen vergaren tot hij betrapt werd?

... Leden van een familie die ik ken (hoewel hun financiële vermogen bij de top 1 procent van de Noord-Amerikaanse gezinnen behoort) me vertellen dat ze zoveel gelukkiger zouden zijn als ze een grote loterij zouden winnen?

... Een groep van winnaars van grote loterijen in New York een zelfhulpgroep opgericht heeft om te kunnen omgaan met een post-loterijdepressie, een geval van ernstige depressie dat ze nooit eerder hadden ondervonden voor ze grote sommen geld hadden gewonnen?

... Zo veel goedbetaalde honkballers, voetballers en hockeyspelers drugs- en alcoholproblemen hebben?

... Artsen, een van de rijkste beroepsgroepen, de hoogste echtscheidings-, zelfmoord- en alcoholismecijfers hebben van alle beroepsbeoefenaren?

... Armen meer aan liefdadige doelen geven dan rijken?

... Zo veel rijke mensen problemen met de wetgeving hebben?

... Zo veel rijke mensen psychiaters en therapeuten bezoeken?

Wat hierboven staat zijn slechts een paar waarschuwingstekens dat geld geen geluk garandeert. Benjamin Franklin drukte de dwaasheid van geluk proberen te bereiken via geld heel goed uit. Franklin merkte op: "Geld heeft nog nooit iemand gelukkig gemaakt en zal dit ook nooit doen. Het bezit geen enkele eigenschap die geluk kan voortbrengen. Hoe meer iemand heeft, hoe meer hij wil. In plaats van een vacuüm op te vullen, schept het een vacuüm."

Oefening 11-3. Waar is makkelijker aan te komen?

De meeste mensen zouden rijk en gelukkig willen zijn. Wat is gemakkelijker te krijgen: veel geld of geluk? (Het antwoord staat aan het eind van dit hoofdstuk, op blz. 223.)

Ik heb een theorie over hoe gelukkig en emotioneel "welgesteld" we zullen zijn met aanzienlijk meer geld dan we nu hebben. Nadat we onze basisbehoeften bevredigd hebben, zal geld ons noch gelukkiger, noch ongelukkiger maken. Als we gelukkig zijn en goed met onze problemen omgaan als we €25.000 per jaar verdienen, dan zullen we ook gelukkig zijn en problemen goed hanteren als we meer geld hebben. Als we ongelukkig en neurotisch zijn en problemen niet goed hanteren met €25.000 per jaar, dan zal de situatie hetzelfde zijn als we €1 mil-

> Veel geld hebben verandert niets. Het versterkt alles alleen maar. Een zak wordt een nog grotere zak en een aardige vent wordt aardiger.
> —Ben Narasin

joen per jaar verdienen. We zullen nog steeds ongelukkige neurotici zijn en niet goed met onze problemen kunnen omgaan. Het enige verschil is dat we neurotici zijn met veel meer comfort en stijl.

Financieel onafhankelijk op €6000 per jaar

Je hoeft niet stinkend rijk te zijn om het rustig aan te kunnen doen. Zoals ik aangaf in hoofdstuk 1 is de juiste houding belangrijk. Met de juiste houding kun je zelfs een leven als God in Frankrijk hebben op geleend geld. Om een idee van Jerry Gillies te gebruiken uit zijn boek *Moneylove*, je kunt geleend geld als inkomen zien. Als dit idee je wat te ver gaat, omdat je als God in Frankrijk op je eigen geld wilt leven, dan moet je financieel onafhankelijk zien te worden. Werkelijk financieel onafhankelijk worden zodat je een makkelijk leven kunt leiden, kan makkelijker zijn dan je denkt. Het is niet gebaseerd op de "haute finance".

Een belangrijke factor voor het verwerven van financiële onafhankelijkheid is dit eerst te definiëren. Het is mogelijk financieel onafhankelijk te worden zonder je inkomen of je financiële middelen te verhogen. Het enige dat je hoeft te doen, is je concept te wijzigen over wat financiële onafhankelijkheid is en wat het niet is.

Oefening 11-4. Ware financiële onafhankelijkheid

Welk punt op de onderstaande lijst is een essentiële factor voor het bereiken van financiële onafhankelijkheid?

> Een miljoen in de loterij winnen

> Een goed bedrijfspensioen hebben aangevuld met AOW

> Een boel geld geërfd hebben van rijke familieleden

> Getrouwd zijn met een rijke man of vrouw

> Een financieel adviseur hebben ingeschakeld om de juiste investeringen te doen

De uitkomsten van een recente enquête geven aan dat, in volgorde van belangrijkheid, de grootste bekommernissen van mensen vlak voor hun pensionering waren: financiën, gezondheid en een echtgenoot of vrienden hebben om de pensioentijd samen door te brengen. Het is interessant dat kort nadat deze mensen met pensioen gingen, gezondheid de hoogste prioriteit kreeg en financiën naar de derde plaats verhuisde. Blijkbaar veranderde het concept van deze mensen van financiële onafhankelijkheid toen ze eenmaal met pensioen waren, hoewel het inkomen dat ze verwacht hadden hetzelfde bleef. De uitkomsten van dit onderzoek tonen aan dat gepensioneerde mensen rond kunnen komen van veel minder dan ze in eerste instantie dachten. Het onderzoek ondersteunt ook de gedachte dat geen enkel punt op de bovenstaande lijst een vereiste is voor financiële onafhankelijkheid.

Laten we allemaal blij zijn en naar ons inkomen leven, zelfs al moeten we er geld voor lenen.
—Artemus Ward

Joseph Dominguez is financieel onafhankelijk op een inkomen waarvan de meeste mensen zouden beweren dat het duidelijk onder de armoedegrens ligt. Volgens Dominguez kan ware financiële onafhankelijkheid door veel meer mensen bereikt worden, als ze hiertoe bereid zijn. Ware financiële onafhankelijkheid zou niet verward dienen te worden met miljonair zijn. Financiële onafhankelijkheid kan verkregen worden ook al verdien je maar €500 per maand of zelfs minder. Hoe? Ware financiële onafhankelijkheid is niets meer dan dat er meer geld binnenkomt dan er uitgaat. Als je netto €500 per maand verdient en €499 uitgeeft, ben je financieel onafhankelijk.

Dominguez heeft jarenlang op €500 per maand geleefd. In 1969, op de leeftijd van negenentwintig jaar, trok hij zich terug als financieel onafhankelijk persoon. Voordat hij zich terugtrok was Dominguez effectenmakelaar op Wall Street. Hij zag met afkeer hoeveel ongelukkige mensen leefden op een hoog socioeconomisch niveau.

Uiteindelijk besloot Dominguez dat hij niet in deze omgeving wilde werken, dus ontwierp hij een persoonlijk financieel programma gebaseerd op een eenvoudige levensstijl. Zijn levensstijl is comfortabel, maar kost slechts €6000 per jaar, hetgeen komt uit zijn investeringen in Amerikaanse schatkistobligaties die hij gekocht had met gespaard geld. Aangezien zijn behoeften zo gering zijn, heeft hij al het extra geld dat hij sinds 1980 verdiend heeft met zijn publieke seminar, *Het transformeren van je relatie met geld om financieel onafhankelijk te worden*, kunnen doneren aan non-profitorganisaties.

Een theorie om mee te werken of te spelen

Dominique LaCasse belde me op uit Vernon, Brits Columbia, om me te interviewen voor een artikel over levensstijlen dat hij aan het schrijven was voor het tijdschrift *BC Business*. LaCasse en zijn vrouw Terri werkten allebei voor de *Ottawa Citizen* toen ze besloten hun banen op te geven waarmee ze samen meer dan €100.000 verdienden, om naar Brits Columbia te verhuizen. Ze wisten niet zeker wat ze zouden gaan doen of hoe ze hun brood moesten verdienen als ze daar eenmaal waren. Het besluit om te verhuizen was een besluit om een gezondere levensstijl op te vatten. Hier volgen de eerste drie alinea's van zijn artikel, dat in de maarteditie van 1994 van *BC Business* is verschenen:

Al met al vind ik het lastiger om geld te beheren dan het te krijgen.
—Michel de Montaigne

Het komt door de margarita's. Of misschien kwam het door al die avonden die ik opgekruld op de bank heb gelegen met "Nietsdoen, een levenskunst", een onweerstaanbaar maar gevaarlijk boek van de in Edmonton woonachtige "niet-loopbaanplanner" Ernie Zelinski. Wat het ook geweest moge zijn, iets was ons naar het hoofd gestegen tijdens die lunch in Mexicali Rosa, een restaurant in Ottawa-West. En ons leven stond op het punt een dramatische en onomkeerbare wending te nemen.

Het was een van de eerste zonnige dagen na een lange, bitterkoude winter. Mijn vrouw Terri en ik, gestresst en overwerkt, hadden voor een zeldzame lunchafspraak gekozen, weg van het kantoor, in een poging om aan het alledaagse gezwam te ontkomen. Ergens tussen de taco's en enchilada's en een paar reuzenmargarita's in beseften we opeens dat we niet gelukkig meer waren, dat we niet langer naar onze dromen leefden en dat het leven een onophoudelijke werk-en-hypotheek-machine was geworden.

Tegen de tijd dat de koffie geserveerd werd, hadden we besloten om onze lucratieve banen bij de Ottawa Citizen eraan te geven en te gaan voor, met twee schoolgaande jongens op sleeptouw, een eenvoudiger, meer voldoening schenkend leven in Smallville, Brits Columbia. We stonden op het punt "consuminderaars" te worden, deel van een groeiend aantal beroepsbeoefenaren, zakenmanagers en opgebrande werknemers die de baas en hun moderne kantoor gedag zeggen om de vrijheid en frisse lucht te begroeten. Al snel kwamen we erachter dat er veel gelijkdenkenden in BC waren, het Mekka van Canada voor alternatief leven en een provincie die veel van zijn uitzonderlijk bevolkingsgroei te danken heeft aan opgebrande Noord-Amerikanen die op zoek zijn naar een betere leefwijze.

Dominique LaCasse en zijn vrouw Terri besloten tot een drastische verandering, zodat ze meer controle over hun leven zouden krijgen en de kans om te wonen waar ze wilden. Hun besluit betekende een aanzienlijk inkomensverlies en heel wat onzekerheid. Het is echter zo dat afstand doen van extra inkomen in veel gevallen leidt tot een kalmere en meer lonende levensstijl.

Het fundament voor gelukkig zijn in je vrije tijd verschilt niet veel van dat van gelukkig zijn op je werk. Geluk heeft heel veel te maken met tevredenheid. Geld heeft niets te maken met het bereiken van tevredenheid in werk of in vrije tijd. Tevredenheid wordt bepaald door hoe gemotiveerd we zijn en hoeveel we bereiken in onze activiteiten.

Geluk is niet te koop, maar wel de illusie.
—Onbekend wijs persoon

Een andere motivatietheorie die bijna net zo populair is als Maslows theorie van de hiërarchie van behoeften, is de "twee-factorentheorie", ontwikkeld door Frederick Herzberg. Net als Maslows theorie is de twee-factorentheorie van Herzberg toegepast op het bestuderen van wat werknemers op het werk motiveert. Herzberg heeft zijn theorie nooit op vrije tijd toegepast; ik ga dit echter in zijn plaats doen, omdat zijn principes net zozeer van toepassing zijn op vrije tijd.

Na vele werknemers in verschillende takken van industrie te hebben geïnterviewd, ontdekte Herzberg dat werkkenmerken die samenhangen met ontevredenheid heel verschillend waren van die behorende bij tevredenheid. Dit leidde tot de opvatting dat er twee aanzienlijk verschillende klassen van factoren zijn die invloed hebben op motivatie en tevredenheid op het werk.

Ik heb van alles geprobeerd om erkenning te krijgen, maar dit moet wel de meest creatieve en absurde manier zijn.

Zoals aangegeven in figuur II-I is er een neutraal punt op de schaal waarop individuen noch tevreden, noch ontevreden zijn. Wat mensen ontevreden maakt is het gebrek aan hygiënefactoren: voldoende salaris, zeker zijn van werk, arbeidsomstandigheden en status. Als de hygiënefactoren in voldoende mate vervuld zijn, zullen ze op zichzelf geen aanleiding geven tot tevredenheid bij werknemers. Er zal alleen een neutrale situatie zijn bereikt.

Willen mensen tevreden zijn met hun baan, dan moet worden voorzien in de motivatiefactoren – erkenning, prestatie, persoonlijke groei en verantwoordelijkheid. Dit worden motivatiefactoren genoemd omdat ze te maken hebben met het werk zelf en daarom tevredenheid in het werk teweegbrengen, hetgeen leidt tot grotere prestaties en productiviteit.

Laten we terugkeren naar geld. Op het werk is geld belangrijk om ontevredenheid uit de weg te ruimen. Voor een werkloze timmervrouw die blut is en geen woning heeft, is geld heel belangrijk. Het geld krijgen om een eenvoudige tweekamerflat te huren zal erg helpen om haar leven te veraangenamen. Als zij echter genoeg geld heeft om een eenvoudige woning te kunnen krijgen, zal meer geld dat ze met haar baan verdient – waarmee ze misschien wel een landhuis met 117 kamers zou kunnen betalen – niet bijdragen tot meer geluk en tevredenheid in haar werk. Haar ontevredenheid zal wel verdwenen zijn, en ze zal zich op het neutrale punt bevinden. Tenzij ze motivatie vanuit haar werk krijgt, ongeacht hoeveel ze verdient, zal ze geen tevredenheid en geluk in haar werk bereiken.

Dezelfde principes van Herzbergs theorie zijn van toepassing op vrije tijd. Geld is een hygiënefactor die maar tot op zekere hoogte werkt. Als er geen motivatiefactoren zijn, kunnen we niet meer verwachten, zelfs al kunnen we een miljard aan onze vrije tijd besteden, dan de neutrale staat te bereiken. Als we de voorwaarden voor tevredenheid in onze vrije tijd willen scheppen, moeten we ten minste enkele motivatiefactoren opnemen in onze bezigheden.

Een belangrijk ingrediënt voor geluk en tevredenheid in het leven is de gelegenheid te krijgen om moeilijke taken te volbrengen. Hoe moeilijker en uitdagender de taak is, hoe meer voldoening we zullen verkrijgen door die taak te volbrengen. Iets wat mensen bijvoorbeeld heel moeilijk vinden, is stoppen met roken. Veel mensen die gestopt zijn met roken zeggen dat dit het moeilijkste was dat ze ooit hebben gedaan. Tegelijkertijd zeggen ze altijd dat van alle dingen die ze in hun leven gedaan hebben, stoppen met roken hun het meeste voldoening heeft gegeven, voornamelijk omdat het zo'n uitdagende en lastige prestatie was.

Een moeilijke taak voor mij was het schrijven en zelf publiceren van mijn eerste boek. Het boek zelf uitgeven was een grote uitdaging, omdat belangrijke uitgevers me zeiden dat er geen markt voor het boek was. Om het nog ingewikkelder te maken, ik had geen ervaring in het publiceren van boeken. Ik moest zelfs geld lenen, wilde ik het zelf uitgeven. Niettemin nam ik het risico en publiceerde het toch. Het boek is een groot succes geworden; het hoort bij de 10 procent meest verkochte non-fictie-boeken die ooit in Noord-Amerika zijn verkocht. Doordat ik bereid was het risico te nemen en te doen wat moeilijk en oncomfortabel was, is mijn leven er veel makkelijker op geworden. Wat ik gedaan heb is motivatiefactoren opnemen – prestatie, verantwoordelijkheid, groei en erkenning – in de activiteit van het publiceren van mijn boek. Het kwam er uiteindelijk op neer dat ik heel veel voldoening ondervond door wat voor mij een aanzienlijke persoonlijke prestatie was.

Als je veel voldoening wilt halen uit je vrijetijdsbestedingen, zorg er dan voor dat je activiteiten onderneemt waarin veel van Herzbergs motivatiefactoren voorkomen. Kiezen voor een kosteloze activiteit, zoals vrijwilligerswerk doen bij een liefdadigheidsinstelling, kan je veel meer geluk geven dan het uitgeven van €5000 aan een nieuwe garderobe. Anderen helpen via liefdadigheidswerk levert succes, verantwoordelijkheid, groei en erkenning op. Het resultaat is een niveau van tevredenheid dat nog niet voor al het geld in de wereld te koop is.

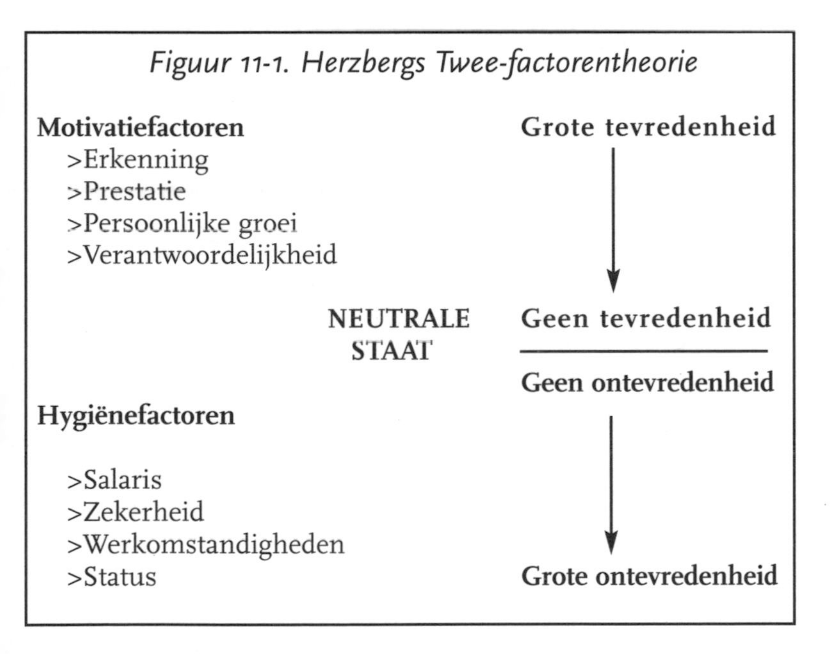

Figuur 11-1. Herzbergs Twee-factorentheorie

Waardeer wat je hebt en je bent rijk

Nadat zijn vader in 1971 gestorven was, erfde Jean-Claude (Baby Doc) Duvalier de plicht om Haïti te regeren. Hij werd in 1986 door de inwoners van Haïti uit zijn ambt gezet. Baby Doc en zijn vrouw Michelle waren niet tevreden met het vrachtvliegtuig vol buitgemaakte spullen. Toen ze Haïti uitgevlogen werden in een vliegtuig van de Amerikaanse luchtmacht, gooiden ze Michelle's grootouders, samen met nog negen passagiers, uit het vliegtuig, zodat ze meer buit voor zichzelf hadden. Baby Doc en Michelle ontsnapten naar de Franse Rivièra, waar ze rijk leefden en miljoenen per jaar uitgaven. Baby Doc en zijn vrouw scheidden van elkaar in 1990. Terwijl hij alleenstaand was, verbraste Baby Doc zijn hele fortuin en onlangs is hij uit zijn luxueuze villa gezet.

Als je problemen je lijken te overweldigen, kijk dan om je heen en zie wat anderen het hoofd moeten bieden. Dan kan het nog wel eens meevallen.
—Ann Landers

Het schijnt dat mensen als Baby Doc altijd geldproblemen zullen hebben, ongeacht hoeveel geld ze vergaren. Een goed evenwicht bereiken is niet erg makkelijk. In Noord-Amerika is meer geld het geijkte middel om materieel comfort en maatschappelijk aanzien te verwerven. Doordat ze gehersenspoeld zijn te geloven dat meer materiële goederen een beter leven inhoudt, raken mensen geleidelijk en ook heel makkelijk opgescheept met financiële verplichtingen en verantwoordelijkheden die je wel makkelijk krijgt, maar waar je moeilijk weer van afkomt. Veel mensen proberen een bepaalde levensstijl aan te houden die ze zich niet meer kunnen veroorloven. Als ze maar een klein beetje voorzichtigheid in acht zouden nemen bij hun uitgaven, zouden de meeste mensen aanzienlijk kunnen bezuinigen. Het is verbazingwekkend hoe weinig mensen nodig hebben als ze enige vindingrijkheid aan de dag leggen.

Jezus, leert u mij alstublieft om te waarderen wat ik heb, voordat ik noodgedwongen moet waarderen wat ik had.
—Susan L. Lenzkes

Als je financiële problemen hebt, moet je er op een creatieve manier mee omgaan. Zoals met de meeste problemen moeten ook financiële problemen in het juiste perspectief geplaatst worden. Als je bijvoorbeeld flink in de schulden zit, zullen incassobureaus je alleen maar intimideren als je het zelf toestaat. In Noord-Amerika word je niet in de gevangenis gestopt omdat je veel geld schuldig bent. Toen ik op de armoedegrens leefde en een incassobureau achter mijn broek had vanwege de afbetaling van een lening, had ik een aantal creatieve trucs achter de hand om met de medewerker van dit bureau om te gaan. Mijn altijd doeltreffende oplossing was niets te zeggen als de medewerker zichzelf eenmaal bekend had gemaakt aan de telefoon. In plaats daarvan sloeg ik de hoorn tegen mijn bureau tot hij ophing. Al gauw stuurde het incassobureau de rekening terug naar de kredietinstelling. Toen ik mijn schuld kon afbetalen, deed ik dit op mijn eigen voorwaarden, zonder met een onaangename tussenpersoon te maken te hebben.

Nu is het tijd om het geheim door te geven van de twee krachtige manieren, die allebei even doeltreffend zijn, om met geld om te gaan. De eerste krachtige manier is te leren minder uit te geven dan je verdient. Als je dit geprobeerd hebt en het werkt niet, dan is de tweede manier beslist voor jou geschikt. De tweede krachtige manier is meer te verdienen dan je uitgeeft. Zo zit het hele geldspel in elkaar. Als je maar een van deze twee krachtige principes toepast, zul je succesvol zijn in het omgaan met geld.

Als je zo hard hebt moeten werken voor je geld, waarom zou je jezelf dan dwingen om het te sparen?
—Don Herold

Als je nooit genoeg geld hebt, ongeacht hoeveel je verdient, verspil je waarschijnlijk geld aan dingen die je niet nodig hebt. Het is belangrijk om uit te zoeken waarom je een verkwister bent en op het randje leeft. Je moet wat tijd besteden aan leren met geld om te gaan. Goed met geld omgaan zal je doen inzien dat bezuinigen op je levensstijl en uitgaven je niet het gevoel zal geven dat je arm en misdeeld bent. Probeer je uitgavengewoonten in te perken. Je zult versteld staan hoe weinig je eigenlijk nodig hebt.

Aan het andere uiterste van verkwisters die hun geld over de balk smijten bevinden zich de vrekken die geen geld uit kunnen geven. Ze kunnen niet van hun geld genieten, ongeacht hoeveel ze hebben. Als jij tot deze mensen behoort, lijd je aan een ziekte. Je moet accepteren dat er slechts één reden is om geld te hebben; het uiteindelijke doel van geld is het uit te geven. Wat heeft het voor zin om geld in overvloed te hebben, als je niet geleerd hebt hoe je het uit moet geven? Het vermogen om van je welvaart te genieten is essentieel om de voldoening te ervaren die geld te bieden heeft. Bedenk een aantal creatieve en leuke manieren om wat van je geld uit te geven. Als je na enige tijd er niet in geslaagd bent om met wat goede ideeën op de proppen te komen, bel me dan op. Ik zal er geen moeite mee hebben om je te helpen je geld uit te geven; geen bedrag zal me te hoog zijn! Ik zal fascinerende ideeën om geld uit te geven tevoorschijn toveren die je uit je ellende zullen verlossen.

Nadat hij wat geld in zijn slaap had uitgegeven, werd Hermon de vrek zo kwaad dat hij zichzelf ophing.
—Lucillius

Geld z'n juiste plek geven, betekent dat je beseft dat meer niet beter betekent. Je welzijn en identiteit door je materiële bezittingen en je bankrekening te laten bepalen, zal je geen langdurige tevredenheid schenken. In 1996 meldde Edward Diener, een psycholoog aan de University of Illinois, dat uit een van zijn onderzoeken was gebleken dat winnaars in de loterij een jaar na hun fortuin niet gelukkiger waren dan ervoor.

Negentig procent van mijn geld wil ik uitgeven aan wilde vrouwen, drank en pret en de andere tien procent zal ik verspillen.
—Tug MacGraw

Het doel bereiken van veel geld verdienen zal je niet gelukkig maken. Hard werken alleen maar om veel geld te verdienen is een wanhoopsdaad. Of je behoefte geluk of geld is, als je er achteraan jaagt zul je het waarschijnlijk wegjagen. Zoals in een eerder hoofdstuk stond, als je eenmaal je obsessie van veel geld verdienen opgeeft, en in plaats daarvan gaat doen wat je leuk vindt, zul je enorm beloond worden met de voldoening en het plezier dat je in je werk vindt. Paradoxaal genoeg kan een heleboel geld een van je beloningen zijn als je je obsessie voor geld opgeeft.

Geld zou je creatieve energie en innerlijke zekerheid moeten weerspiegelen. Je creatieve energie gebruiken terwijl je werkt voor een hoger doel, zal het geld opleveren dat je nodig hebt om een leven in overvloed te leiden. Hoe meer je bereid bent je innerlijke levensroeping te volgen, hoe meer geld je op de lange duur zult aantrekken. Je zult ook minder geld nodig hebben om gelukkig te zijn, omdat je zelfvervulling voortkomt uit het nastreven van je persoonlijke missie. Veel geld verdienen met je werk is gewoon een bonus. Hoewel je het zonder deze bonus kunt stellen, kun je het ook vieren als je hem krijgt.

Geef geld dus z'n juiste plek. Onvrede kan je erin belemmeren een echt goed leven te hebben. Je hebt misschien al een goed leven, maar je waardeert het wellicht niet. Meer geld is niet het antwoord voor geluk als je basisbehoeften aan eten, water, onderdak en kleding al vervuld zijn. Jezelf vergelijken met anderen die meer hebben dan jij, zal leiden tot ontevredenheid. Je zult altijd wel iemand kunnen vinden die het beter heeft dan jij. Het spel van niet onder willen doen voor anderen houdt nooit op.

Weinig kostende activiteiten een koning waardig

De meeste Noord-Amerikanen zijn geconditioneerd te geloven dat vrije tijd iets is dat je alleen met geld kunt krijgen. Veel van wat het Amerikaanse reclamewezen wil dat we in onze vrije tijd doen is gebaseerd op geldsmijterij; er is een onophoudelijke stroom geld voor vereist. Meer vrije tijd scheppen wordt alleen maar aangemoedigd om meer spullen te kopen. Buitensporige nadruk op het vergaren van geld en materiële zaken zal geen zekerheid opleveren. Voor veel dingen die er het meest toe doen, is helemaal geen geld nodig. Enkele van de beste dingen in het leven zijn zelfs gratis!

Een blij hart is beter dan een volle beurs.
—Italiaans spreekwoord

Vrijetijdsdoelen hoeven geen belasting te vormen voor je portemonnee of voor het milieu. Onthoud dat de meest milieuvriendelijke bezigheden die zijn welke het minste geld kosten. Naar een zonsondergang kijken, wandelingen maken, mediteren, interessante gesprekken voeren, door beekjes waden en in het park joggen zijn activiteiten die ons bijna niets kosten en die bijdragen tot het behoud van het milieu. Deze goedkope bezigheden zijn plezierig genoeg om een koning waardig te zijn.

Plezierige vrije tijd is niet wat adverteerders ons proberen aan te smeren. Voor vakanties is bijvoorbeeld niet veel geld nodig. Je hoeft niet ver weg te gaan om een leuke vakantie weg van alles te hebben. Voordat je de hele wereld afreist op zoek naar een plek waar het gras groener is, onderzoek de wonderbaarlijke wereld eens in je eigen achtertuin. Soms is het gras aan jouw kant van de schutting het groenst. Ik beweer niet dat je de wereld niet zou moeten zien. Wat ik wil zeggen is dat het niet nodig is om naar exotische bestemmingen te reizen om jezelf te vermaken. Hier volgt weer een brief die met geld te maken heeft. Ik kreeg hem van Dennis Anstett uit Calgary.

Geachte heer,

Na zojuist "Nietsdoen, een levenskunst" te hebben gelezen, voelde ik me genoodzaakt u een paar zinnen te schrijven. Het lezen en naar voren halen van al dit vertoon van gezond verstand was gewoon geweldig. Deze stof zal mensen helpen de opgeblazen opvatting dat meer beter is, los te laten.

Mijn schoonouders gingen toen ze in de veertig waren "met pensioen". Dat was twintig jaar geleden. Ze waren hun tijd ver vooruit. Ze zeggen nu dat ze twintig jaar ervaring en deskundigheid hebben opgedaan in de vrijetijdswereld. Alleen de regering en grote bedrijven fronsen de wenkbrauwen bij deze mentaliteit. Jammer voor ze.

Ik ben mijn loopbaan van negentien jaar kwijtgeraakt door inkrimping. Dit was voor mij de ergste tijd, die de beste tijd werd. Na de overgangsperiode, die ongeveer een jaar duurde, besloten mijn vrouw en ik voor-

goed afscheid te nemen van het zakenleven. Nooit zou een of andere entiteit weer ons leven en geluk beheersen.

We hebben zojuist besloten dat we genoeg spullen hebben. En we hebben ook genoeg van de rat-(mensen-)race. We genieten nu van een eenvoudige ontspannen levensstijl op ongeveer €30.000 per jaar. Er bestaat geen beter leven. Voor de lol heb ik een boek geschreven. Wat een voldoening gaf mij dat! Het was nooit mijn bedoeling om het te laten uitgeven. Maar van het een kwam het ander. Bijgesloten vindt u een proefexemplaar van een door mijzelf gepubliceerde bestseller, "The 17% Plan – Investing in Mutual Funds Wisely".

Hoewel het boek over geld gaat en het vergaren ervan, zult u opmerken dat de filosofie die eraan ten grondslag ligt veel op die van u lijkt. Niemand heeft ooit gezegd dat je tot je vijfenzestigste moet wachten om met pensioen te gaan. Mijn vrouw en haar familie zeggen al enige tijd dat we niet de rijkste mensen op de begraafplaats zullen zijn. We zijn echter heel rijk. We hebben de tijd – ik noem dit het duurste artikel van alles. Het is een prettige gedachte dat veel andere mensen er net zo over denken. De doorsneemaatschappij zit er helemaal naast.

Met vriendelijke groet

Dennis Anstett

In een materialistische wereld worden eenvoudige genoegens gemakkelijk vergeten. Hoogwaardige vrije tijd is veel meer dan veel geld uitgeven aan overnachtingen in dure hotels, exotische reizen maken en in exclusieve boetieks inkopen doen. Het is zo dat hoe minder we nodig hebben, hoe vrijer we worden. Eenvoudige levensstijlen kunnen een genoegen op zich worden.

Die mens is het rijkst wiens genoegens het goedkoopst zijn.
—Henry David Thoreau

Eén manier om rijk te worden is aandacht te besteden aan wat we al hebben. De boeddhisten zeggen: "Wens wat je hebt en je zult altijd krijgen wat je wenst." De meesten van ons hebben de vele rijkdommen die we bezitten vergeten. Veel mensen in derdewereldlanden zouden deze als schatten beschouwen. Boeken, muziek, oude vrienden, verwaarloosde hobby's en lievelingsvrijetijdsbestedingen liggen klaar om opnieuw ontdekt te worden, als we bereid zijn onze blindheid te overwinnen.

Baseer je vermogen om je aan vrijetijdsbezigheden over te

geven niet op geld alleen. Meer zekerheid kan voortkomen uit het betwisten en verfijnen van je overtuigingen en waarden, in plaats van veel geld sparen. Door je interesses en hobby's te ontplooien en de kwaliteit van je vrijetijdsbestedingen te verhogen, zul je meer zekerheid kunnen verkrijgen dan veel miljonairs. Hoeveel geld je ook bezit, sluit je innerlijke rijkdom niet uit; je hebt niet veel geld nodig voor het genieten van vrije tijd. De ware rijkdom is je talent, kennis, ervaring en creatief vermogen.

Antwoord op Oefening 11-3: Er zou ogenschijnlijk makkelijker aan geld te komen zijn dan aan geluk; dit berust op de observatie dat er geen gelukkige neurotici zijn, maar wel veel rijke neurotici.

Hoofdstuk 12

Het einde is net begonnen

Het is pas afgelopen als het afgelopen is

Je hebt misschien opgemerkt dat dit het laatste hoofdstuk is, het einde van het boek. Het ziet er wellicht uit als het einde, maar het einde is net begonnen. Yogi Berra heeft ooit een krachtige uitspraak over een honkbalwedstrijd gedaan: "Het is pas afgelopen als het afgelopen is." Zo zou je naar je leven moeten kijken, ongeacht hoe oud je bent of hoe oud je wordt. Je bent misschien net tiener of over de honderd. Wat je leeftijd ook is, je moet te allen tijde vermijden zo te zijn als veel mensen die hun leven leiden alsof het al vele jaren voorbij was voor het in feite afgelopen is.

Je kent misschien het verhaal van de vijfentachtigjarige vrouw die naar de dokter gaat vanwege een kwaal aan haar rechterknie. De dokter onderzoekt de knie en verklaart: "Mevrouw Jones, wat verwacht u dan? Het is tenslotte een vijfentachtig jaar oude knie."

Niet van haar stuk gebracht door de vooropgezette denkbeelden van deze dokter over de gevolgen van veroudering, antwoordt mevrouw Jones: "Ik ben zo vrij het met u oneens te zijn, dokter Jensen. De knie mag dan misschien vijfentachtig zijn, maar dit kan niet de oorzaak van mijn probleem zijn. Mijn linkerknie is ook vijfentachtig, en die is nog prima in orde."

> Dit is een test om erachter te komen of je missie op aarde ten einde is: Als je nog leeft, is dat nog niet het geval.
> —Richard Bach

Wij allemaal, zelfs dokters, kunnen er vooropgezette denkbeelden opnahouden over de gevolgen van het ouder worden. Een Chinees spreekwoord luidt: "De mens houdt zichzelf voor de gek. Hij bidt voor een lang leven en is bang om oud te worden." Verkeerde overtuigingen over ouderdom kunnen voorspellingen worden die uitkomen. Als we ons laten beïnvloeden door opvattingen over ouder worden, zullen we excuses bedenken om niet die activiteiten te ondernemen die we tot ver in de tachtig, negentig of nog verder kunnen ondernemen. We zullen bang zijn voor ouderdom als we ons terugtrekken uit het leven. Het leven op een nieuwe wijze benaderen, in plaats van ons eruit terugtrekken, is de sleutel tot het genieten van onze oude dag. Hoe oud we ook zijn en hoe dicht we ook het einde genaderd denken te zijn, we zouden altijd op zoek moeten blijven naar nieuwe gelegenheden tot persoonlijke groei, prestatie en voldoening.

Over je hoogtepunt heen zijn, betekent sneller gaan.

In de editie van augustus 1989 van *The Writer* stond dat een vijfennegentigjarige voormalige krantencolumniste, Jane Goyer genaamd, zojuist haar eerste boek ter publicatie had verkocht aan Harper & Row Publishers. Een van de redacteuren werd aangehaald die gezegd had: "We hebben haar boek niet aangenomen omdat ze vijfennegentig is..., maar omdat ze een uitstekende schrijfster is met een ongewone zienswijze, en die iets te zeggen heeft." De uitgevers dachten dat deze "nieuwe" vijfennegentigjarige schrijfster zo veelbelovend was dat ze haar vroegen om toestemming voor een optie op haar tweede boek. De redacteur zei verder: "Ik heb een sterke voorkeur voor schrijvers die een goede toekomstinvestering zijn."

Jane Goyer heeft aangetoond dat jongeren niet het monopolie op succes hebben. Creatief en energiek leven is niet voorbehouden aan jongeren met een overvloed aan energie. Hier volgen nog wat voorbeelden van mensen die er in hun latere jaren nog een actieve levensstijl opnahielden:

> Op de leeftijd van vierennegentig jaar was Bertrand Russell heel actief voor de internationale wereldvrede.

> Moeder Teresa was tot in de tachtig actief als altijd in het helpen van de armen door middel van haar Missionarissen van Liefdadigheid.

> Toen hij negentig was, maakte Picasso nog steeds tekeningen en etsen.

- Linus Pauling, tweevoudig Nobelprijswinnaar voor scheikunde en vrede, was, actief op zijn negentigste, op zoek naar nieuwe manieren om het gebruik van megadoses vitaminen te rechtvaardigen.

- Luella Tyra was in 1984 tweeënnegentig toen ze meedeed in vijf categorieën bij de Amerikaanse zwemkampioenschappen in Californië.

- Lloyd Lambert was op zevenentachtigjarige leeftijd actief skiër en leidde een skiclub voor mensen boven de zeventig, die 3286 leden had, waaronder iemand van zevenennegentig.

- Maggie Kuhn hielp toen ze in de tachtig was nog steeds de Grey Panthers, een seniorengroep die ze had helpen oprichten toen ze vijfenzestig was.

- Buckminster Fuller bepleitte toen hij in de tachtig was nog actief zijn visie voor een nieuwe wereld.

- Harvey Hunter uit Edmonton vierde onlangs zijn 104de verjaardag. (Toen hem naar zijn geheim voor een lang leven werd gevraagd, antwoordde hij: "Blijven ademen.")

- Harvey werd vrijwilliger toen hij negentig was en begon een universitaire opleiding op zijn eenennegentigste. Hij doet nog steeds een dag per week vrijwilligerswerk.

Deze mensen lijken enigszins opmerkelijk, en dat zijn ze natuurlijk ook op een bepaalde manier. Niettemin zijn ze niet ongewoon. Honderdduizenden mensen van in de zeventig, tachtig en negentig hebben een ongelooflijke levenslust en tonen veel vitaliteit, enthousiasme en fysiek vermogen. Voor sommige bejaarden betekent over hun hoogtepunt heen zijn, steeds sneller gaan.

Waarom creatief levende individuen geen tweede jeugd nodig hebben

Nadat ik een artikel in een tijdschrift had geschreven over hoe mensen als ze ouder zijn creatief kunnen leven, werd ik diverse malen opgebeld door lezers. Eén beller was June Robertson, die bijna negentig was. Het enthousiasme en de energie die ze over de telefoon doorgaf, was overweldigend. Ik ken mensen van in de twintig of dertig die waarschijnlijk niet langer dan een minuut in hun hele leven zo enthousiast en energiek zijn geweest.

Ik heb een aantal heel interessante dingen over June vernomen. Nadat haar echtgenoot vele jaren geleden overleden was, is ze nooit opnieuw getrouwd. Haar inkomen heeft bij tijden onder de armoedegrens gelegen, en toch is ze erin geslaagd naar Rusland, Afrika, Europa en India te reizen, alsmede verscheidene andere landen. Helaas moest ze een bezoek aan China afzeggen toen ze ziek werd, maar ze is nog steeds van plan daarnaartoe te gaan.

June werd een openbaar spreekster toen ze in de zeventig was. Ze wist niet dat ze het kon, tot ze als gast optrad in een radiopraatshow. De mensen van het radiostation mochten haar zo graag, dat ze haar vroegen een week lang de show over te nemen. Ze kreeg twintig euro per dag betaald en genoot er enorm van. Ze zou het ook voor niets hebben gedaan. Haar liefde voor avontuur liet zich duidelijk zien toen ze een ballontochtje maakte op haar achtenzeventigste.

Let goed op tv-junkies! Toen ik de televisie ter sprake bracht bij June, vertelde ze me dat ze heel weinig tv kijkt en ze noemde het de "sufbuis". Tussen twee haakjes, ze heeft wel een verslaving: boeken. Ik zou willen zeggen dat als iemand dan toch een verslaving moet hebben, dit een tamelijk goede is.

Als ik volwassen word, wil ik een jongetje zijn.
—Joseph Heller

Toen ik June vroeg wat ze ons zou adviseren over hoe we het leven ten volle kunnen leven als we ouder worden, zei ze dat het belangrijkste is niet de moed te laten zakken. (Merk op dat dit te maken heeft met houding, het eerste dat in dit boek duidelijk werd onderstreept.) Daarop voegde ze eraan toe: "We moeten ook glorieus, gelukkig en gevaarlijk leven."

Ouderen als June Robertson, die het leven ten volle leven, hebben dit verlichte gewaarzijn over hoe springlevend ze eigenlijk zijn. Ze hebben bepaalde karaktertrekken ontwikkeld die echt opvallend zijn.

Oefening 12-1. Hoofdeigenschappen

Besteed twee of drie minuten met denken aan individuen die zestig of ouder zijn en nog steeds krachtig en actief zijn, en ten volle van het leven genieten. Som de eigenschappen op die deze

De enige echt gelukkige mensen zijn kinderen en de creatieve minderheid.
—Jean Caldwell

mensen bezitten. Een van de kostbaarste trekken die levenslustige ouderen hebben, is hun onafgebroken verwondering over het leven, het vermogen om te genieten van elke nieuwe regenboog, zonsondergang en volle maan. Hier volgen nog wat eigenschappen die deelnemers aan mijn seminars opschreven van de actieve en krachtige ouderen die zij kennen:

- Creatief
- Gevoel voor humor
- Energiek
- Onderzoekend
- Dwaas
- Avontuurlijk
- Vreugdevol
- Spontaan
- Speels
- Vriendelijk
- Lachend
- Gek kunnen doen
- Aanpassingsvermogen

Oefening 12-2. Wie komen nog meer in aanmerking?

Welke leeftijdsgroep anders dan die van ouderen bezit bovenstaande eigenschappen?

Natuurlijk is de andere leeftijdsgroep met deze eigenschappen die van kinderen. Creatief levende ouderen zijn in veel opzichten als kinderen. Ze passen zich gemakkelijk aan veranderende omstandigheden aan. Aangezien ze avontuurlijke optimisten zijn, zijn ze altijd bereid nieuwe activiteiten op te pakken, zoals een instrument bespelen, spreken in het openbaar, tennis of windsurfen. Ouderen met een opmerkelijke levenslust spannen zich in om elk afzonderlijk moment geheel te ervaren. Net als jonge kinderen duiken ze helemaal in het ogenblik en nemen het in zich op, met uitsluiting van al het andere. Creatief levende volwassenen kunnen spelen, lachen, spontaan zijn en uitdrukking geven aan de vreugde omdat ze leven. Mensen die op latere leeftijd actief en gelukkig zijn, hebben geen tweede jeugd nodig, omdat ze nog steeds in hun eerste zijn.

Voor de onwetenden is op leeftijd zijn als de winter; voor de wijzen is het een oogsttijd.
—Joods spreekwoord

De innerlijke wereld van vrije tijd

Hoewel het behouden van onze kinderlijke trekken belangrijk is om succesvol ouder te worden, moeten onze vrijetijdsbestedingen voorbij de uiterlijke wereld gaan naarmate we ouder worden. Proberen onze jeugd te behouden is niet waar het om gaat bij het ouder worden. In de loop van de tijd zal onze fysieke gezondheid geleidelijk achteruitgaan, hoeveel inspanning we ook leveren om fit te blijven. Onze geest kan echter blijven groeien en met de tijd geleidelijk gezonder worden. Onafgebroken persoonlijke groei draagt bij tot een voldoening gevend leven vanwege de toegenomen wijsheid en rijkdom die we naarmate we ouder worden vergaren.

Terwijl je de gevorderde leeftijd nadert of betreedt, verschijnt de pensionering voor het eerst in beeld. Leg je nooit echt vast op je pensionering; je moet het niet letterlijk nemen. Bij degenen die pensionering opvatten als zich terugtrekken, komt de dood veel eerder, omdat ze gaan zitten nietsdoen thuis. De pensionering zou een heroriëntatie op je leven moeten betekenen. We zouden het moeten zien als losmaken van zelfverwezenlijking via een baan, in plaats van terugtrekken uit je werk. Hiermee wordt aangegeven dat we nieuwe hoogten gaan bereiken, zowel innerlijk als uiterlijk, in onze latere jaren.

Word samen met mij oud!
Het beste moet nog komen...
—Robert Browning

Het is de moeite waard om het uitgebreide onderzoek van Morris M. Schnore aan de University of Western Ontario weer te noemen. Schnore ontdekte dat een gezonde aanpassing aan de pensionering niet gebaseerd was op gezond, rijk en hoogopgeleid te zijn, zoals voorheen werd aangenomen. Hoewel gezondheid belangrijk was, waren inkomen en een hoge opleiding niet zo belangrijk bij het bepalen van geluk tijdens de pensioentijd. Bescheiden verwachtingen, een positieve evaluatie van iemands situatie, bekwaamheid en innerlijke gerichtheid werden bevonden als de belangrijkste bijdragende factoren tot tevredenheid in iemands pensioentijd.

Toewijding aan het ontwikkelen van een innerlijke gerichtheid is het fundament voor een vrije innerlijke wereld. Innerlijke gerichtheid klinkt misschien niet zo belangrijk voor individuen die rond de twintig zijn, maar het is een essentieel bestanddeel voor zelfontplooiing als we ouder worden. Dit houdt verband met het spirituele zelf en is het element van het levenswiel (getoond op blz. 65) dat het meest door mensen verwaarloosd, genegeerd of ontkend wordt in onze materialistisch gerichte samenleving. Dit spirituele zelf wordt via veel hogere bewustzijnsniveaus bereikt dan die welke we gebruiken bij sport, amusement of werk. Communiceren met het innerlijke, hogere zelf kan reden genoeg zijn om lang te leven.

Jezelf wijden aan het innerlijke leven en de stem van binnen zal leiden tot kracht en vertrouwen, die in de uiterlijke wereld niet te vinden zijn. Het contact verliezen met het hogere zelf kan leiden tot wanhoop en depressie in je volwassen jaren. De manier om te ontsnappen aan eenzaamheid en wanhoop is je af te stemmen op de spirituele wereld, hetgeen je zal helpen om je innerlijke zelf te verbeteren. Zelfontplooiing kan mysterieus zijn, maar ze is ook wonderbaarlijk en fascinerend. Je hogere zelf verwezenlijken zal je tot een veel creatiever en dynamischer individu maken. Je leven zal een bron van vreugde voor iedereen zijn, omdat het rijk is en kwaliteit bezit.

Geen woorden maar daden

Door dit hele boek heen heb ik veel principes benadrukt voor het verkrijgen van voldoening in je vrije tijd. Hier volgt een overzicht van de belangrijkste principes:

> Vraag jezelf af: "Wat is mijn houding vandaag?"
> Loop niet weg bij negatieve mensen: ren weg!
> Blijf je richten op je behoeften en doelen.
> Vraag jezelf af: "Let ik goed op?"
> Bevredig drie belangrijke behoeften: structuur, doel en gemeenschap.
> Maak een vrijetijdsboom.
> Bewaar evenwicht tussen actieve en passieve bezigheden.
> Onthoud dat geld je niet gelukkig of ongelukkig zal maken.
> Denk altijd aan de Makkelijke Levenswet.
> Schep veel leefideeën.
> Streef persoonlijke groei, erkenning, verantwoordelijkheid en succes na.
> Als je je verveelt, denk er dan aan wie dit veroorzaakt.
> Zorg dat je het moment niet misloopt; maak je er meester van.
> Onthoud dat het uiteindelijk doel het proces is.
> Wees spontaan.
> Durf anders te zijn.
> Neem risico's.
> Denk eraan dat afzondering iets voor zekere mensen is.
> Lach en doe mal.
> Bedenk dat de beste dingen in het leven gratis zijn.
> Zorg dat je lichamelijk gezond blijft.

> Neem deel in veel verschillende activiteiten.
> Vermijd overvloedig tv-kijken.
> Zorg dat je geestelijk gezond blijft.
> Doe lekker niets op z'n tijd.
> Ontwikkel de innerlijke wereld van spirituele essentie.

Als je vrijetijdsvaardigheden hebt ontwikkeld, wil dit nog niet zeggen dat je ook voldoening uit je vrije tijd zult halen, net zoals een paard bezitten geen garantie is dat je ook zal genieten van paardrijden. Je moet jezelf op een bepaalde manier motiveren om datgene te doen wat nodig is om voldoening te verkrijgen uit dingen die de moeite waard zijn.

Veel mensen zijn niet voorbereid op een leven als God in Frankrijk omdat ze niet beseffen dat er toewijding voor nodig is om voldoening uit vrije tijd te putten. Lynn Bolstad uit Toronto schreef me in 1993. In haar brief hieronder vertelt ze hoe onvoorbereid ze was op een makkelijk leven.

Alleen degene die met zich zelf kan leven, kan van de gave van vrije tijd genieten.
—Henry Greber

Beste Ernie,

Na "Nietsdoen, een levenskunst" gelezen te hebben, vind ik dat ik wel Ernie tegen je kan zeggen.

Gefeliciteerd, en bedankt voor je fantastische boek. Ik heb nooit geloofd in "zelfhulpboeken", maar jouw boek is zo echt en bruikbaar.

Een halfjaar geleden heb ik een vervroegde pensioenregeling geaccepteerd (onder vijfenvijftig) van het bedrijf waar ik zevenendertig jaar had gewerkt. Ik was totaal onvoorbereid op de reacties die ik vertoonde nadat ik was weggegaan: verlies van wie ik was, angst voor de toekomst en een gevoel van hulpeloosheid na zo lang gestructureerd te hebben geleefd.

Dus besloot ik mezelf wat tijd te gunnen om uit te puzzelen wat ik zou gaan doen. Ik heb zeven weken aan het strand doorgebracht, heb gewandeld en gelezen en genoten van het leven. Dit was het beste medicijn. Ik heb altijd te maken gehad met non-profitinstellingen via mijn werk. Dus besteed ik nu meer tijd aan deze instellingen en ik heb me aangemeld bij een ouderenorganisatie. En kijk eens aan, ik ben gevraagd om freelance deeltijdwerk te doen voor een non-profitgroep (dit is eng, maar ook leuk).

Je boek heeft me enorm geholpen om wat doelen uit te zetten voor mijn nieuwe leven. Ik zal het steeds opnieuw lezen, aangezien ik zeker weet dat mijn vertrouwen het bij tijd en wijle zal laten afweten. Ik ben ook van plan je boek als cadeau aan vrienden te geven.

Nou, ik ga vanmiddag schaatsen met een vriendin. Niet werken is echt heel erg leuk.

Vriendelijke groeten,

Lynn Bolstad

Lynn Bolstad besefte dat voor vrije tijd, zoals voor alle andere dingen die de moeite waard zijn in het leven, toewijding nodig is. Je kunt best problemen in je leven onderkennen en besluiten dat er wat gedaan moet worden om verandering teweeg te brengen. De meeste mensen komen wel op dit punt. Waar de meeste mensen niet in slagen is er echt iets aan te doen. Inactiviteit maakt kennis van het probleem en wat eraan gedaan moet worden waardeloos.

Er is een bekend gezegde: "Geen woorden maar daden." Veel mensen praten over de vele fantastische dingen die ze in het leven gaan doen, maar komen er bijna nooit toe om ze echt te doen. Praten over iets willen doen is heel wat anders dan het daadwerkelijk uitvoeren ervan.

Geen woorden maar daden gaat over toewijding en betrokkenheid. Veel mensen gebruiken het woord betrokkenheid, maar ze weten niet echt wat het betekent. Het woord gebruiken omdat het aardig klinkt betekent nog geen betrokkenheid. De meerderheid zegt de betrokkenheid te hebben om gelukkig en succesvol te worden in het leven. Hun daden laten het tegenovergestelde van betrokkenheid zien. Als ze erachter komen dat om een doel te bereiken tijd, energie en opoffering nodig zijn, laten ze het doel varen.

Nadat alles gezegd en gedaan is, is er meer gezegd dan gedaan.
—Onbekend wijs persoon

Hier volgt een eenvoudige test om te bepalen hoe betrokken en toegewijd je bent ten opzichte van je doelen en om je leven tot een succes te maken: doe je de dingen die je zegt te gaan doen? Dit is van toepassing op ogenschijnlijk onbeduidende zaken als iemand opbellen als je je dat hebt voorgenomen. Als je de kleine dingen niet doet, vind ik het moeilijk te geloven dat je toegewijd zult zijn aan je grotere doelen. Als betrokkenheid ontbreekt in je leven, zul je op de lange duur niet veel tevredenheid bereiken.

Je daden zijn de enige dingen die getuigen van je betrokkenheid. Je ernst wat betreft betrokkenheid betekent dat je het intense verlangen hebt om je doelen te verwezenlijken, wat voor barrière of muur er ook in de weg zal staan. Als er een muur in de weg komt te staan, zal je proberen om er overheen, onderdoor of doorheen te gaan. Als dit niet werkt, kun je er links of rechts langs. Als het je nog steeds niet gelukt is, zul je proberen de muur op te blazen of in de brand te steken. En dan kun je hem altijd nog verplaatsen.

Vrije tijd verschaft eindeloze mogelijkheden tot groei en tevredenheid. Er is geen enkele reden om verveeld te raken als je toegewijd bent aan geluk. Dus als je niet op het werk bent, wijd je dan aan wat gedaan moet worden. Als je na het lezen van dit boek nog steeds met te veel vrije tijd zit, probeer dan:

Ik word hier al behoorlijk goed in. Misschien moet ik andere mensen slaaples gaan geven.

> Naar de winkels te lopen in plaats van met de auto te gaan

> Anderen te helpen in plaats van je door anderen te laten helpen

> Een kwartier lang een zonsondergang echt te ervaren, in plaats van er alleen maar naar te kijken

> Te leren meer tijd alleen door te brengen zodat je de genoegens van het alleenzijn ervaart

> Een goed boek te lezen in plaats van televisie te kijken

> Uitdagende activiteiten te ondernemen in plaats van gemakkelijke

> Een interessant persoon om mee te praten te vinden, iemand die het soms oneens is met de dingen waarin je gelooft

> Een feestje organiseren voor veel interessante mensen (vergeet mij niet uit te nodigen.)

Er staat niets geniaals of buitengewoons in mijn verslag, behalve misschien dit ene: Ik doe de dingen die volgens mij gedaan moeten worden... En als ik besluit iets te doen, dan ga ik tot actie over.
—Theodore Roosevelt

"Zo gij zaait, zult gij oogsten." Met andere woorden, wat je in het universum stopt, zal op je teruggekaatst worden. Er is actie voor nodig – een heleboel zelfs – om vervulling en voldoening in je leven te verkrijgen. Wees niet zoals de meeste mensen, die niet tot actie overgaan. Je positieve houding en enthousiasme voor het leven zijn de ingrediënten voor toewijding aan actie en een succesvol leven. Als het op betrokkenheid en toewijding aankomt, denk dan altijd aan deze wijze woorden van de boeddhisten: "Te weten en niet doen is nog niet te weten."

Het leven begint in je vrije tijd

Het is mijn wens dat iets in dit boek je zal helpen je vrije tijd door te brengen met net zoveel vreugde en vervulling als ik ervaren heb met het schrijven van dit boek. Ik vertrouw erop dat het proces van het verhogen van de kwaliteit van je vrije tijd al voor je begonnen is; gewoon dit boek gelezen hebben is op zich al een aanzienlijke prestatie.

Nu moet je iets gaan doen met wat je geleerd hebt. Activiteit en innerlijke beweeglijkheid zullen je ver brengen. Je moet van de wereld houden om aan haar dienstbaar te kunnen zijn. Probeer altijd groei na te streven, en geen perfectie. Jij bent de schepper van de context waarbinnen je de dingen ziet. Het is aan jou om een manier te vinden om te genieten van de activiteiten die je onderneemt. Je taak is alle lege tijd te vullen, zodat ongerustheid, verveling en depressie geen plaats zullen hebben in jouw wereld van vrije tijd. Laat je interesses zo gevarieerd en ruim mogelijk zijn; de variëteit in het leven maakt de inspanning om die variëteit te ervaren werkelijk de moeite waard.

Ik wou dat ik meer champagne had gedronken.
— Laatste woorden van John Maynard Keynes

Als je geen levenslust voelt, probeer dan een manier te vinden om je enthousiasme te doen oplaaien. Routine en de behoefte aan veiligheid kunnen je gevangene maken van een leven van onverschilligheid en verveling. Probeer opzettelijk nieuwe bezigheden te zoeken, alleen maar om frisheid en opwinding op te wekken. Flirt met het onverwachte; nodig nieuwe mensen en gebeurtenissen in je dagelijks leven uit. Neem meer risico's. Leer te genieten van interessante mensen, interessant eten, interessante plaatsen, interessante cultuur en interessante boeken.

Ik moet ook eenvoud onderstrepen. Onthoud dat de grootste genoegens niet noodzakelijkerwijs uit spectaculaire gebeurtenissen of ongelooflijke momenten voortkomen. Intens genoegen kan door veel basale dingen in het leven worden teweeggebracht.

Je hoeft niet echt op zoek te gaan naar geluk in je vrije tijd. Drie geschenken heb je gekregen toen je werd geboren: het geschenk van liefde, het geschenk van lachen en het geschenk van het leven. Gebruik deze geschenken en het geluk zal je toestromen waar je ook gaat.

Houd in gedachten dat houding het belangrijkste element is. Door je eigen houding te vormen, zul je het leven maken tot wat het is. Niemand behalve jij zal je eigen bed opmaken. Niemand behalve jij kan ooit de inspanning leveren om je leven tot een succes te maken. Niemand behalve jij kan de vreugde, het enthousiasme of de motivatie opwekken om je leven ten volle te leven.

Je leeft maar een keer. Maar als je het goed doet, is een keer genoeg.
—Fred Allen

Vrije tijd is een schat die je moet koesteren en cultiveren in alle stadia van je leven. Als je nog steeds niet beseft hoe kostbaar vrije tijd werkelijk is, dan volgt hier iets ter overweging: over hoeveel mensen heb je gehoord dat ze op hun sterfbed zeiden: "Ik wou dat ik harder gewerkt had." Ik wed dat je dit niet over veel mensen hebt gehoord. Naar alle waarschijnlijkheid, als er iets is dat je zult betreuren niet gedaan te hebben in je leven, zal dat iets zijn dat je in je vrije tijd had kunnen doen, en niet op je werk. Hiervoor is een goede reden: de kostbaarste momenten die je zult ervaren zijn die welke voortkomen uit de kunst van het niet werken.

Je leven begint in je vrije tijd ... goeie reis!

Bibliografie en aanbevolen boeken

Anstett, Dennis. *The 17% Plan-Investing in Mutual Funds Wisely.* Anstett Investments Inc.

Bach, Richard. *Illusions: The Adventures of a Reluctant Messiah.* Dell, 1977.

Bolles, Richard. *What Color Is Your Parachute?* Ten Speed Press, 1997.

Bridge, William. *Jobshift: How to Prosper In a Workplace Without Jobs.* Addison-Wesley, 1994.

Dacyczyn, Amy. *The Tightwad Gazette.* Random House, 1993.

Dominguez, Joe en Vicki Robin. *Your Money or Your Life: Transforming Your Relationship with Money and Achieving Financial Independence.* Viking Books, 1992. **Nederlandse versie: "Je geld of je leven, op weg naar financiële onafhankelijkheid", door Hanneke van Veen en Rob van Eeden. 90.6271.943.0**

Fassel, Diane. *Working Ourselves to Death: The High Cost of Workaholism and the Rewards of Recovery.* Harper, 1990.

Freudenberger, Dr. Herbert J. en Geraldine Richelson. *Burn Out: How to Beat the High Cost of Success.* Bantam Books, 1980.

Fromm, Erich. *To Have or to Be.* Bantam Books, 1976

Gawain, Shakti. *Living in the Light.* Whatever Publishing, 1986

Gillies, Jerry. *Money-Love.* Warner Books, 1978.

Goldberg, Herb en Robert R. Lewis. *Money Madness.* Signet Books, 1978.

Hanson, Peter. *The Joy Of Stress.* Hanson Stress Management Org., 1985.

Jukes, Jill en Ruthan Rosenberg. *Surviving Your Partner's Job Loss.* National Press Books, 1993.

Kanchier, Carol. *Dare to Change Your Job and Your Life.* JIST Works, Inc., 1996.

Killinger, Barbara. *Workaholics: The Respectable Addicts.* Key Porter, 1991.

LeBlanc, Jerry en Rena Dictor LeBlanc. *Suddenly Rich.* Prentice-Hall, 1978.

Long, Charles. *How to Survive Without a Salary.* Warwick Publishing Group, 1991.

Naisbitt, John en Patricia Aburdene. *Megatrends 2000.* William Morrow & Co., 1990.

Popcorn, Faith. *The Popcorn Report.* Doubleday, 1991.

Rifkin, Jeremy. *The End Of Work.* Tarcher/Putnam, 1995.

Russell, Bertrand. *"In Praise of Idleness."* In Robert Camber and Carlyle King, eds., *A Book Of Essays.* Gage Educational Publishing, 1963.

Saint Exupéry, Antoine de. *The Little Prince.* Harcourt Brace Jovanovich, Inc., 1943.

Scheaf, Anne Wilson. *When Society Becomes an Addict.* Harper & Row, 1987.

Scheaf, Anne Wilson en Diane Fassel. *The Addictive Organization,* Harper & Row, 1988.

Schnore, Morris M. *Retirement: Bane or Blessing.* Wilfrid Laurier University Press, 1985.

Schor, Juliet B. *The Overworked American.* BasicBooks, 1991.

Storr, Anthony. *Solitude*. HarperCollins, 1994.

Tieger, Paul D. en Barbara Barron-Tieger. *Do What You Are*. Little Brown, 1992.

VandenBroeck, Goldian. *Less Is More: The Art of Voluntary Poverty*. Inner Traditions International, 1991.

von Oech, Roger. *A Whack on the Side of the Head*. Warner Books, 1983.

Wholey, Dennis. *Are You Happy?* Houghton Mifflin Company, 1986.

Bronnen

Genoeg, non glossy lifestyle magazine
Postbus 85749, 2508 CK Den Haag
Tel.: 070-3225755
www.genoeg.nl

Career Planning and Adult Development Newsletter
Career Planning and Adult Development Network
4965 Sierra Rd.
San Jose, CA 95132
Tel.: 001-408-559-4946
Contactpersoon: Richard L. Knowdell, Redakteur

The Newsletter of the Society for the Reduction of Human Labor
1610 E. College St.
Iowa City, IA 52245
Contactpersoon: Benjamin K. Hunnicutt, Coeditor
$25 per jaar

ReCareering Newsletter
655 Rockland Rd. (Rt. 176), Suite 7
Lake Bluff, IL 60044
Contactpersoon: Sharon B. Schuster, redacteur en uitgever

Self-Employment Survival Letter
P.O. Box 2127

Naperville, IL, 60567
Tel.: 001-708-717-4188
Contactpersoon: Barbara Brabec, redacteur en uitgever
Tweemaandelijks; $29 per jaar; buitenland, $33 in U.S. funds

Simple Living
2319 N. 45th St., Box 149
Seattle, WA 98102
Contactpersoon: Janet Luhrs, redacteur en uitgever

Organisaties en steungroepen

American Association for Leisure and Recreation
1900 Association Dr.
Reston, VA 22091
Contactpersoon: Dr. Christen G. Smith

American Association of Retired Persons (AARP)
601 E St., N.W.
Washington, DC 20049
Contactpersoon: Horace B. Deets, Executive Director

Couch Potatoes
P.O. Box 249
Dixon, CA 95620
Contactpersoon: Robert Armstrong, Elder #2
Steungroep voor tv-verslaafden

National Workaholics Anonymous
P.O. Box 661501
Los Angeles, CA 90066

North American Network for Shorter Hours of Work (NANS-HOW)
P.O. Box 50404
Minneapolis

Overachievers Anonymous
1766 Union St., #C
San Francisco, CA 94123
Contactpersoon: Carol Osborn, oprichter

Society for the Eradication of Television
P.O. Box 1049
Oakland, CA 94610-049 1
Contactpersoon: Steve Wagner, Director

Interessante en onconventionele Organisaties

Benevolent and Loyal Order of Pessimists
P.O. Box 1945
Iowa City, IA 52244
Contactpersoon: Jack Duvall, President

The Boring Institute
P.O. Box 40
Maplewood, NJ 07040
Contactpersoon: Alan Caruba, Head and Expert in Boredom

Institute of Totally Useless Skills
20 Richmond St.
Dover, NH 03820
Tel.: 001-603-654-5875
Contactpersoon: Rick Davis, Master of Uselessness

International Organization of Nerds
P.O. Box 118555
Cincinnati, OH 45211
Contactpersoon: Bruce L. Chapman, Supreme Archnerd

National Society for Prevention of Cruelty to Mushrooms
1077 S. Airport Rd., W.
Traverse City, MI 49684
Contactpersoon: Brad Brown, president
Slogan: "In front of every silver lining, there is a dark cloud."

Stichting Zuinigheid met Stijl
Sint Pietersluisweg 55
6212 XV Maastricht
Tel.: 043-3101021
www.zuinigst.nl